D1417329

DANS LA COLLECTION
NUITS NOIRES

LE DERNIER DÉTECTIVE

DU MÊME AUTEUR

L'Ange traqué, Le Seuil, 1995, et Seuil « Points » n° 356,
   1997
Casting pour l'enfer, Le Seuil, 1996, et Seuil « Points »
   n° 468, 1998
Meurtre à la sauce cajun, Le Seuil, 1998
L.A. Requiem, Belfond, 2001, et Pocket, 2002
Indigo Blues, Belfond, 2002, et Pocket, 2003
Un ange sans pitié, Belfond, 2002, et Pocket, 2004
Otages de la peur, Belfond, 2003

ROBERT CRAIS

LE DERNIER DÉTECTIVE

*Traduit de l'américain
par Hubert Tézenas*

belfond
12, avenue d'Italie
75013 Paris

Titre original :
THE LAST DETECTIVE
publié par Doubleday, a division of Random House Inc.,
New York

Si vous souhaitez recevoir notre catalogue
et être tenu au courant de nos publications
vous pouvez consulter notre site Internet,
www.belfond.fr
ou envoyer vos nom et adresse, en citant ce livre,
aux Éditions Belfond,
12, avenue d'Italie, 75013 Paris.
Et, pour le Canada,
à Interforum Canada Inc.
1050, bd René-Lévesque-Est,
Bureau 100,
Montréal, Québec, H2L 2L6.

ISBN 2-7144-4048-7
© Robert Crais 2003. Tous droits réservés.
© Belfond 2004 pour la traduction française.

Pour Wayne Warga

qui, même débordé,
a tenu sans vaciller sa position
sous un feu ennemi intense.

L'Eglise de Pike
Angoon, Alaska

L'eau glaciale de l'Alaska léchait les flancs des bateaux de pêche qui, alignés le long du ponton, tiraient sur leurs amarres pour fuir avec la marée. Ici, dans le port d'Angoon, petit village de pêcheurs de la côte occidentale de l'île de l'Amirauté, face au sud-est de l'Alaska, la mer était d'un gris d'acier sous le plafond nuageux, piquetée de pluie et néanmoins transparente, telle une fenêtre entre les pilotis détrempés – une fenêtre ouverte sur un monde où les étoiles de mer avaient le diamètre d'une poubelle, les méduses la taille d'un ballon de basket et les bernacles la lourdeur d'un poing de docker. Ainsi était l'Alaska, tellement vibrant de vie qu'il avait le pouvoir de combler un homme, de le remettre d'aplomb et peut-être même de le faire revenir d'entre les morts.

Un Indien tlingit nommé Elliot MacArthur regarda Joe Pike charger son sac marin à bord de la yole qu'il venait de lui louer, légère embarcation de quatre mètres vingt en fibre de verre. Nerveux, MacArthur désigna de sa botte l'étui à fusil posé sur le ponton.

— Vous ne m'aviez pas dit que vous partiez chasser cet ours de malheur. C'est pas franchement malin d'aller traîner dans ces coins-là tout seul. Je tiens pas à perdre mon rafiot, moi.

Après avoir bien calé son sac entre les bancs de nage, Pike revint prendre son étui à fusil. Il avait opté ce jour-là pour un Remington modèle 700, à canon en acier inoxydable, chargé de cartouches 375 Holland & Holland Magnum. Une arme puissante, suffisamment lourde pour amortir le violent recul du 375. Quand il souleva l'étui de sa main gauche, une douleur aiguë lui irradia l'épaule. Il transféra le poids du fusil vers son bras valide.

MacArthur n'apprécia pas du tout ce qu'il venait de voir.

— Bon, fit-il, écoutez-moi. Chasser ce genre de bestiole avec un bras en moins, ça non plus, ça ne me paraît pas très intelligent. Vous partez dans ma yole, vous y allez seul, et cet ours est un sacré morceau. Vu ce qu'il a fait à ces gens, il est forcément très gros.

Pike arrima son étui à fusil en travers du sac marin, vérifia la jauge de carburant. Le trajet serait long d'ici à Chaik Bay, où avait eu lieu la tuerie.

— Vous feriez mieux d'y réfléchir à deux fois, insista MacArthur. Je ne sais pas combien les familles ont offert, mais de toute façon ça ne vaut pas le coup d'aller se faire tuer.

— Vous le reverrez, votre rafiot.

Ce type venait-il de l'insulter ? MacArthur aurait été incapable de le dire.

Pike termina d'installer son matériel à bord, puis remonta d'un bond sur le quai. Il sortit dix billets de cent dollars de son portefeuille et les tendit à l'Indien.

— Tenez. Vous n'aurez plus besoin de vous en faire.

MacArthur, gêné, enfouit les mains au fond de ses poches.

— Laissez tomber. Vous l'avez louée, elle est à vous. Vous me feriez passer pour un grigou, et je n'aime pas ça.

Pike rangea son portefeuille, redescendit dans la yole en s'efforçant de maintenir son centre de gravité aussi bas que possible, et défit les amarres.

— Mettez-la bien au sec quand vous serez arrivé à Chaik, et n'oubliez pas d'attacher ce ruban orange à l'arbre le plus proche, histoire que je puisse la retrouver au cas où.

Pike hocha la tête.

— Vous avez un numéro à me donner, vous savez, au cas où il y aurait besoin que j'appelle quelqu'un ?

— Non.

— Vous êtes sûr ?

Pike s'éloigna du quai sans répondre et mit le cap vers le large, son bras gauche ramené le long du corps.

La pluie s'intensifia et finit par se muer en un brouillard épais. Une famille de phoques regarda passer la yole du haut de son promontoire rocheux. Des baleines à bosse soufflaient un peu plus loin dans le détroit ; une queue immense se dressa vers le ciel alors qu'une baleine faisait entendre son chant, et Pike songea au silence idéal qui devait régner dans les fonds sous-marins.

Il massa son épaule blessée. Près de huit mois auparavant, il avait été atteint de deux balles dans le haut du dos. En lui fracassant l'omoplate, ces balles avaient projeté de nombreux fragments d'os, semblables à des éclats de shrapnel, dans son poumon gauche, et les nerfs et muscles voisins avaient été touchés. Pike avait failli mourir. Il avait choisi le grand Nord pour se refaire une santé et s'était embarqué sur un bateau de pêche au crabe royal à Dutch Harbor puis sur un chalutier à Petersburg. Il avait pêché l'églefin et le flétan à la palangre, et s'il était arrivé aux marins de ces bateaux d'entrevoir les cicatrices qui lui lardaient le torse et le dos, personne ne lui avait jamais demandé d'où elles venaient. Ça aussi, c'était l'Alaska.

Pike garda le cap au nord pendant quatre heures, filant régulièrement six nœuds, jusqu'à atteindre une baie en arc de cercle d'où émergeaient deux îlots. Il consulta sa carte, vérifia sa position sur son GPS portable. Aucun doute possible, c'était bien là. Chaik Bay.

Le pénible clapotis du détroit céda progressivement la place à une mer d'huile à peine troublée par le museau d'un phoque blanc nageant en solitaire. Tandis que le canot glissait vers le rivage, Pike aperçut les premières carcasses ; des saumons morts, longs comme un bras d'homme, dérivaient dans le courant après avoir été vomis par le torrent, le corps marbré et souvent brisé par le combat du frai. Une multitude de mouettes picoraient les chairs de ceux qui s'étaient échoués sur le rivage ; des dizaines d'aigles à tête blanche, chacun perché à la cime d'un arbre, les observaient d'un œil envieux. L'odeur de poisson pourri se faisait de plus en plus puissante.

Pike coupa les gaz, laissa sa yole glisser jusqu'à la plage de galets, puis, de l'eau jusqu'aux chevilles, il tira l'embarcation et l'arrima, bien au-dessus de la limite de la marée haute, à une grosse branche de sapin à laquelle il noua le ruban orange d'Elliot MacArthur.

Les aulnes, les épicéas et les sapins dressaient le long de la côte une muraille de verdure impénétrable. Pike établit son camp sous les tendres rameaux d'un sapin, dîna de carottes et de beurre de cacahuète. Plus tard, après avoir nettoyé un petit rectangle de rocaille, il s'étira jusqu'à ce que ses muscles soient bien chauds et enchaîna des séries de pompes et d'abdos sur les galets qui lui mordaient la chair. Il travailla dur. Arqua la colonne vertébrale et étira les jambes au point de pouvoir exécuter les asanas les plus difficiles du hatha-yoga. Virevolta tout au long de la rigou-reuse chorégraphie d'un kata de taekwondo, avec une multitude de coups de pied et de coups de poing, en combinant les techniques coréenne et chinoise du kung-fu et du wing-chun selon le strict régime qu'il s'imposait quotidiennement depuis l'enfance. La sueur ne tarda pas à ruisseler de ses cheveux bruns coupés ras. Ses mains, ses pieds fouettaient l'air avec une violence qui finit par inquiéter les aigles. Pike accéléra encore – son corps tour-billonnait et se contorsionnait dans l'air glacé –, et chercha au plus profond de lui-même, au prix d'une débauche d'énergie, la force de vaincre la douleur.

Ça ne suffisait pas. Son épaule gauche ne tenait pas le rythme. Ses gestes étaient imprécis. Il n'était plus aussi fort.

Il s'assit au bord de l'eau, saisi d'un sentiment de vide. Il se promit de travailler plus dur, de réparer le mal qui lui avait été infligé, de se recréer comme il s'était déjà recréé enfant. L'effort était sa prière, l'engagement sa reli-gion, la confiance en lui-même sa seule foi. Pike avait appris ce catéchisme enfant. Il n'en connaissait pas d'autre.

Cette nuit-là, il dormit sous une bâche de plastique et écouta la pluie dégoutter à travers les ramures en pensant à l'ours.

Le lendemain matin, Pike attaqua.

L'ours brun d'Alaska est le plus grand prédateur terrestre de la planète. Il est plus grand que le lion d'Afrique ou que le tigre du Bengale. On ne lui donne pas de surnom comme Smokey ou Baloo, il ne passe pas sa vie à jouer du banjo dans l'insouciance d'un quelconque Disneyland. L'ours mâle peut peser près d'une demi-tonne et, malgré ce poids, évoluer dans un silence absolu. Il paraît parfois obèse avec son corps en forme de barrique mais est capable d'accélérer plus vite qu'un pur-sang dès lors qu'il s'agit de rattraper un daim au galop. Ses griffes de quinze centimètres sont aussi aiguisées que des lames ; ses mâchoires peuvent broyer l'échine d'un élan ou arracher de ses gonds une portière d'auto. Quand l'ours brun charge, ce n'est pas à la manière d'un gros pataud dressé sur ses pattes arrière comme on le voit dans les films ; il se ramasse au ras du sol, tête baissée, et retrousse les babines en grondant férocement avant de s'élancer à la vitesse d'un lion qui chasse. Il tue sa proie en lui brisant la nuque ou en lui faisant éclater la boîte crânienne d'un coup de crocs. Si vous essayez de protéger votre cou et votre tête, l'ours vous lacérera la chair du dos et des jambes sans se soucier de vos hurlements, vous dépècera en énormes morceaux qu'il ne prendra pas la peine de mâcher, jusqu'à atteindre vos entrailles. Les Romains de l'Antiquité organisaient dans leurs fosses des combats entre ours de l'Oural et lions d'Afrique. Ils mettaient deux lions contre un ours. En général, l'ours l'emportait. À l'instar du grand requin blanc des profondeurs océaniques, l'ours brun n'a aucun rival sur terre.

Pike avait appris, par un patron de pêche rencontré à Petersburg, ce qui s'était passé en amont de Chaik Creek, le torrent qui se déversait dans la baie : trois biologistes du Département de la pêche et de la chasse s'étaient risqués à remonter le cours d'eau pour effectuer un comptage de la population de saumons au temps du frai. Le premier jour, les biologistes avaient signalé un nombre élevé d'ours bruns, phénomène typique de la saison du frai qui n'avait donc rien d'inattendu. Les biologistes ne donnèrent plus aucun signe de vie jusqu'à ce qu'un bateau de passage reçoive, quatre jours plus tard, un message brouillé d'appel au secours. Les officiels du Département de la pêche et de la chasse dépêchés sur place avec des trappeurs tlingits déterminèrent qu'un ours mâle adulte avait suivi les trois biologistes pendant leur remontée du torrent et les avait attaqués alors que le trio faisait halte pour poser une nasse Ils avaient beau être armés de fusils de gros calibre, la soudaineté de l'attaque ne leur avait laissé aucune chance de les utiliser. Deux d'entre eux – le Dr Abigail Martin, biologiste en chef, et Clark Aimes, le directeur de la faune et de la flore – furent tués sur le coup. Le troisième, Jacob Gottman, un étudiant de troisième cycle de Seattle, réussit à s'enfuir. L'ours – qui d'après la profondeur et la taille de ses empreintes pesait plus de cinq cents kilos – le traqua en amont jusqu'à un banc de graviers ; là, il l'éventra, lui arracha le bras droit au niveau du coude, et le coinça sous la souche déracinée d'un aulne. Gottman respirait encore. Quand l'ours fut reparti vers le site de l'attaque initiale pour dévorer Martin et Aimes, il réussit à se traîner vers l'aval et à atteindre la baie, où il lança des appels au secours sur un petit talkie-walkie. Son ultime supplication fut captée par l'*Emydon*, un saumonier de quinze mètres. Quand on le retrouva, Gottman s'était vidé de son sang.

— Le ciel a dû avoir pitié de lui, avait conclu le capitaine, le regard perdu dans sa tasse de café. Oui, c'est sûr, répéta-t-il après une courte pause, le ciel a eu pitié de lui. Il paraît que ses boyaux traînaient derrière lui comme un tuyau d'arrosage.

Pike hocha la tête sans faire de commentaire. Il s'abstint notamment de dire qu'il avait vu des hommes traiter les leurs de façon bien plus cruelle.

Le capitaine expliqua ensuite que, d'après les prélèvements effectués sur les trois cadavres, cet ours avait la rage. Le Département de la pêche et de la chasse avait successivement envoyé deux équipes pour l'abattre, mais ni l'une ni l'autre n'avait réussi à le repérer. Les parents de Jacob Gottman avaient offert une prime au premier chasseur qui le tuerait. Un trappeur tlingit d'Angoon partit à sa recherche et ne revint pas. Les Gottman doublèrent le montant de la prime. Le frère et le beau-père du trappeur passèrent deux semaines à longer le torrent, sans rien trouver d'autre que l'empreinte la plus énorme qu'ils aient jamais vue, bardée de griffes de la taille d'un couteau de chasse. À un moment donné, ils avaient senti sa présence, racontèrent-ils à leur retour ; ils avaient senti sa masse mortifère comme une ombre entre les arbres, mais jamais ils ne l'avaient vu. Comme s'il se retenait. Comme s'il attendait.

— Comme s'il attendait, répéta Pike.

— C'est ce qu'ils ont dit, oui.

Ce soir-là, Pike téléphona à Los Angeles. Deux jours plus tard, son fusil arriva. Il partit pour Angoon.

La végétation sauvage l'engloutit. Des arbres vieux comme la terre de ce pays jaillissaient du sol pour se perdre ensuite dans un fouillis de verts. La pluie pénétrante qui filtrait à travers les feuillages ne tarda pas à tremper Pike jusqu'aux os. Les berges abruptes du torrent grouillaient tellement de fougères, d'arbrisseaux et de ronces énormes qu'il fut rapidement obligé de redescendre patauger dans le courant. Il adorait ce lieu, ce qu'il avait de sauvage.

Les biologistes étaient venus en plein cycle du frai, à l'époque où le torrent regorgeait de poissons. Aujourd'hui, on voyait encore des cadavres de saumons sur le gravier, et d'autres pendus aux racines comme des rideaux pourris, mais ripailler n'était plus aussi facile. Pike pensa que l'animal enragé avait dû mettre en fuite les oursons, les femelles et les autres mâles pour se réserver ce qui restait de poissons.

Il marcha jusqu'au crépuscule sans rien trouver. Le soir venu, il regagna son bivouac en bord de mer. Pike opéra de la même façon cinq jours de suite, s'enfonçant chaque fois un peu plus en amont. Les blessures de son poumon lui rendaient la respiration douloureuse.

Le sixième jour, il trouva le sang.

Il était dans l'eau, en train de contourner la souche d'un aulne abattu, quand il remarqua sur les graviers des serpentins de couleur pourpre qui ressemblaient à des coulures de peinture. Une douzaine de saumons gisaient hors de l'eau, et leurs chairs déchiquetées luisaient de sang frais. Certains avaient été coupés en deux d'un coup de dents, la tête manquait chez d'autres. Parfaitement immobile, Pike chercha du regard, entre les touffes de ronces, une paire d'yeux plongée au fond des siens, mais ne vit rien. Il sortit lentement un briquet à gaz de sa poche, observa la flamme. Le vent soufflait vers l'aval. Aucun animal situé en amont ne pouvait détecter son approche à l'odeur.

Il se faufila jusqu'à la berge. Plusieurs empreintes larges comme des assiettes à soupe étaient gravées dans la boue ; les griffes lui firent penser à des poignards.

Pike leva son fusil de manière à assurer sa prise. Si l'ours chargeait, il devrait réagir à la vitesse de l'éclair pour éviter que cinq cents kilos de folie meurtrière ne s'abattent sur lui. Un an plus tôt, il n'aurait eu aucun doute sur sa capacité à l'emporter. Il défit le cran de sûreté. Le monde n'était pas sûr ; il n'y avait qu'en soi-même qu'on pouvait trouver un peu d'assurance.

Il se remit à patauger vers l'amont.

Le torrent décrivait un coude abrupt. Un sapin tombé, dont l'énorme nœud de racines surplombait le courant à la manière d'un éventail de dentelle, obstruait son champ de vision. Il entendit une puissante éclaboussure au-delà de l'enchevêtrement végétal, puis une autre. Rien à voir avec le clapotis bref d'un poisson sauteur ; c'était plutôt le bruit d'une grosse créature en train de se frayer un chemin dans le courant.

Pike s'efforça de discerner quelque chose entre les racines, les branches et les aiguilles de l'arbre tombé, mais le réseau était trop dense.

Encore une éclaboussure, à quelques pas seulement. Un lambeau de chair orangée virevolta jusqu'à lui dans le courant, rebondit sur sa jambe, poursuivit sa course folle vers l'aval.

Pike contourna le sapin dans un silence glacial, attentif à chacun de ses pas, progressant sans bruit dans l'eau furieuse. Un saumon moribond se tordait sur un talus de la berge, les entrailles béantes, mais l'ours était déjà parti. Une demi-tonne, et il avait réussi à ressortir de l'eau pour disparaître dans un bosquet d'aulnes et d'épineux sans produire le moindre bruit. Une énorme empreinte solitaire se découpait aux abords d'une sente animale.

Pike resta sans bouger dans le flot tourbillonnant pendant une éternité. L'ours pouvait être tapi à dix pas – ou reparti depuis belle lurette. Il escalada le talus. La piste était jonchée d'os et de secrétions visqueuses de poissons pourris. Par-dessus son épaule, Pike jeta un coup d'œil au saumon à l'agonie ; il était mort.

Il se faufila dans le bosquet d'aulnes. Un linceul de fougères, de ronces et d'arbustes l'enveloppa. Il sentit quelque chose se déplacer sur sa droite, devant lui, une masse énorme, mais invisible.

Heuff !

Pike voulut épauler, mais une grosse ronce, plus forte que son bras blessé, l'empêcha de mettre à l'horizontale le canon de son Remington.

Heuff !

L'ours respirait par la gueule pour identifier l'odeur de Pike. Il sentait qu'il y avait un autre animal que lui dans le

18

bosquet, mais ne savait pas lequel. Au prix d'un nouvel effort, Pike réussit à mettre en joue, toujours sans voir où il devait viser.

Clac !

L'ours venait de claquer des mâchoires, un coup de semonce. Il se préparait à charger.

Clac-clac !

Il allait transpercer ces broussailles comme une feuille de papier de soie. Pike se ramassa en prévision de l'impact. Il n'était pas question de battre en retraite ; pas question de se détourner. C'était le seul, l'immuable credo de la religion de Joe Pike – toujours faire face.

Clac-clac-clac !

Ses forces le quittaient. Son épaule fut parcourue d'un tressaillement, et il ne la sentit plus. Son bras se mit à trembler. Il s'exhorta à tenir bon, mais son Remington était de plus en plus lourd, et la ronce l'attirait vers le sol.

Clac !

Il quitta le bosquet à reculons et regagna l'eau du torrent. Le claquement des mâchoires d'acier se perdit dans le brouhaha de la pluie.

Pas une fois Pike ne s'arrêta avant d'avoir rejoint la baie. Là, il s'adossa contre un épicéa géant et tenta d'enfouir ses sentiments, sans parvenir à échapper ni à sa honte, ni à sa douleur, ni à la certitude qu'il était perdu.

Deux jours plus tard, il était de retour à Los Angeles.

PREMIÈRE PARTIE

Le premier détective

La pierre tombale me retient dans le rêve comme une ancre dont je ne puis me défaire. C'est un petit rectangle noir, au ras du sol, que teinte de rouge le baiser du couchant. Je regarde fixement le marbre lisse, brûlant d'envie de savoir qui repose sous cette terre, mais la stèle est vierge. Aucune épitaphe ne marque cette tombe. Mon seul indice : sa petite taille : c'est un enfant qui gît à mes pieds.

Je fais souvent ce rêve, presque chaque nuit, plusieurs fois certaines nuits. Ces nuits-là, je dors peu ; je préfère me relever et attendre, assis dans les ténèbres de ma maison vide. Même ainsi, je reste prisonnier de mon rêve.

Voici ce que je vois : le ciel s'assombrit, un brouillard s'abat sur le cimetière. Les branches tourmentées d'un chêne séculaire oscillent dans la brise nocturne, ruisselantes de mousse. Je ne sais ni où est cet endroit, ni comment j'ai échoué là. Je suis seul et j'ai peur. Des ombres vacillent aux confins de la lumière ; des voix murmurent, mais je ne comprends rien. Une de ces ombres pourrait être ma mère, une autre le père que je n'ai jamais connu. J'aimerais leur demander qui est enterré dans cette tombe, mais quand je me tourne vers elles, seule l'obscurité est présente. Il n'y a plus personne à interroger, plus personne pour m'aider. Je suis seul.

La tombe sans nom m'attend.

Qui est enterré ici ?

Qui a laissé cet enfant seul ?

De toutes mes forces, je veux fuir cet endroit. Je veux foutre le camp, me barrer, me tirer, me trisser, me casser, me débiner, m'arracher, dégager, décamper, détaler, gicler, calter, mettre les voiles, partir, FUIR... mais d'une façon bizarre, comme souvent dans les rêves, je me retrouve avec une pelle entre les mains. Mes pieds refusent de me porter, mon corps de m'obéir. Une voix sous mon crâne m'exhorte à jeter cette pelle, mais une force à laquelle je suis incapable de résister prend le contrôle de mes mains : si je creuse, je trouverai ; et si je trouve, je saurai. La voix m'ordonne d'arrêter, mais je suis possédé. La voix m'avertit que je ne voudrai pas voir en face les secrets enfouis sous cette terre, mais je creuse toujours plus profondément pour vider la tombe.

La terre noire s'entrouvre.

Le cercueil apparaît.

La voix me hurle d'arrêter, de détourner les yeux, de me sauver, et mes paupières se ferment sur-le-champ. J'ai reconnu cette voix. C'est la mienne.

Je redoute ce qui gît à mes pieds, mais je n'ai pas le choix. Je dois voir la vérité.

Mes yeux se rouvrent.

Je regarde.

1

Un drôle de silence emplissait cet automne le canyon au sommet duquel était accrochée ma maison ; aucun faucon en vol stationnaire, pas le moindre hurlement de coyote, et la chouette qui avait élu domicile dans le haut sapin planté face à ma porte ne se donnait même plus la peine de me demander où j'allais. Quelqu'un de plus avisé que moi aurait pris ces signes pour un avertissement, mais l'air était empreint de cette fraîcheur et de cette limpidité exacerbées qu'il a parfois en hiver et qui me permettaient de discerner, par-delà les maisons clairsemées sur les pentes de mon canyon, l'immense plaine urbaine de Los Angeles. Dans ces moments-là, quand on peut voir aussi loin, on a souvent tendance à oublier de regarder ce qui est juste devant soi, ce qui est tout à côté de soi, ce qui est proche au point de faire partie de soi. J'aurais dû voir un présage dans ce silence, mais je passai carrément au travers.

— Elle en a tué combien ?

Des grognements, des jurons, des cliquetis frénétiques s'échappaient de la pièce voisine.

— Hein ? s'écria Ben.

— Elle a tué combien de personnes ?

Nous avions beau n'être qu'à vingt pas de distance, Ben dans le séjour et moi dans la cuisine, nous étions obligés de hurler l'un et l'autre : Ben, autrement dit le fils de dix ans de Lucy Chenier, ma petite amie, et moi-même, autrement dit Elvis Cole, meilleur détective du monde et occasionnellement bombardé nounou de Ben pendant que sa maman était en voyage professionnel. Nous en étions à notre cinquième et dernier jour de cohabitation.

J'allai à la porte.

— Il n'y a pas de contrôle du volume sur ce bidule ?

Ben était tellement absorbé par son Game Freak qu'il ne leva même pas les yeux. Le Game Freak se tenait d'une main comme un flingue, et de l'autre on actionnait les commandes tout en regardant l'action qui se déroulait sur un écran à cristaux incorporé. Le vendeur m'avait expliqué que ce machin faisait un carton chez les garçons de dix à quatorze ans. Il s'était abstenu d'ajouter qu'il faisait aussi davantage de boucan qu'une fusillade à l'heure de pointe.

Ben s'acharnait dessus depuis que je le lui avais offert la veille, mais je sentais qu'il ne s'amusait pas vraiment, et ça me chiffonnait. Nous avions marché ensemble dans la montagne, je lui avais montré deux ou trois choses que je connaissais en matière d'arts martiaux, et il m'avait accompagné à mon agence parce qu'il croyait que les enquêteurs privés faisaient autre chose que relancer par téléphone des clients mauvais payeurs et gratter les chiures de pigeon de leur balustrade de balcon. Je l'avais emmené à l'école chaque matin et ramené chez moi chaque soir et, entre les cours, nous avions cuisiné des plats thaïs, maté des films de Bruce Willis, et pas mal rigolé ensemble. Seulement voilà, il se servait maintenant de son jeu pour m'éviter, et ce avec un manque absolu d'enthousiasme. Je savais pourquoi, et le voir dans cet état me faisait mal au cœur, non seulement pour lui, mais aussi parce que j'y avais une part de responsabilité. Il peut être plus facile de se colleter avec des tueurs yakusas que de dialoguer avec un petit garçon.

J'entrai dans la pièce, m'affalai sur le canapé à côté de lui.

— On pourrait monter faire une balade à Mulholland.

Il m'ignora.

— Tu as envie de t'entraîner un peu ? Je peux te faire voir d'autres katas de taekwondo avant le retour de ta maman.

— Hmm-hmm.

— Tu veux qu'on parle de ta maman et de moi ? risquai-je.

Je suis détective privé. Mon métier me met facilement en contact avec des personnes dangereuses, et au début de l'été précédent le danger avait déferlé sur les rivages de ma vie privée lorsqu'un tueur en série nommé Laurence Sobek avait menacé de s'en prendre à Lucy et à Ben. Lucy avait beaucoup de mal à admettre cette situation, et Ben nous avait entendus polémiquer là-dessus. Il avait six ans quand son père et Lucy avaient divorcé, et aujourd'hui il craignait que la situation ne se reproduise. Nous avions tenté d'en discuter avec lui, Lucy et moi, mais les petits garçons – comme les hommes – ont du mal à ouvrir leur cœur.

Plutôt que de me répondre, Ben entreprit de marteler encore plus rageusement les commandes de son jeu et m'indiqua d'un coup de menton l'action en cours à l'écran.

— Regarde ! Voilà la Dame du Blâme !

Parfait.

Une jeune Asiatique – cheveux hérissés, seins gros comme des melons d'eau et rictus haineux – sauta pardessus une benne à ordures et se retrouva face à trois malabars gonflés aux stéroïdes dans ce qui semblait être un paysage urbain dévasté. Un bustier minuscule cachait à peine ses seins, et son short en jean teinté découvrait une bonne partie de ses fesses. D'une petite voix électronique jaillie du haut-parleur du Game Freak, elle s'écria :

— *Espèces de dames pipi !*

Elle balança un coup de pied chassé qui fit tournoyer le premier adversaire sur lui-même.

— Sacrée nana, fis-je.

— Ouais ! Il y a un méchant, il s'appelle Modus, il a vendu sa sœur comme esclave, et tu vas voir que la Dame va le lui faire payer cash.

La Dame du Blâme se mit à bourrer de coups de poing un type trois fois plus grand qu'elle – un enchaînement de gauches et de droites tellement rapides qu'on ne voyait plus ses mains. Du sang et des dents giclèrent un peu partout.

— *Bouffe-moi le poing, fumier !*

Ayant repéré le bouton de pause parmi les commandes, j'interrompis le jeu. Les adultes se demandent sans cesse ce qu'ils doivent dire et comment ils doivent le dire quand ils s'adressent à un enfant. On cherche à jouer les sages, mais on n'est rien d'autre soi-même qu'un enfant enfermé dans un corps un peu plus grand. Les choses ne sont jamais ce qu'elles paraissent être. Ce qu'on croit savoir n'est jamais sûr. Voilà au moins quelque chose que je sais aujourd'hui. Je préférerais ne pas le savoir, mais c'est ainsi.

— Je me rends compte que ce qui se passe entre ta maman et moi a de quoi t'inquiéter. Mais je voudrais juste que tu saches qu'on va arriver à surmonter cette crise. Ta maman et moi, on s'aime. Tout va bien se passer.

— Je sais.

— Elle t'aime. Moi aussi, je t'aime.

Ben fixa un instant l'écran figé avant de lever les yeux sur moi. Son visage de petit garçon était lisse et pensif. Ben n'était pas stupide : sa maman et son papa avaient beau l'aimer, ça ne les avait pas empêchés de divorcer.

— Elvis ?

— Quoi ?

— Je me suis bien amusé avec toi. Dommage que je doive partir.

— Moi aussi, mecton. Ça m'a fait très plaisir de t'avoir à la maison.

Ben sourit, et je lui rendis son sourire. Marrant comme les instants de ce genre peuvent gonfler d'espoir le cœur d'un homme. Je lui donnai une petite tape sur la cuisse.

— Voilà mon plan, dis-je. Maman ne va pas tarder. On va faire un peu de ménage, histoire qu'elle ne nous prenne pas pour des porcs, puis on mettra en route le gril pour que le dîner soit prêt quand elle arrivera. Des hamburgers, ça te va ?

— Je peux finir ma partie d'abord ? La Dame du Blâme est tout près de retrouver Modus.

— Pas de problème. Si tu l'emmenais sur la terrasse ? Elle a une voix qui porte.

— D'accord.

Je repartis vers la cuisine pendant que Ben emportait la Dame et ses gros lolos à l'air libre. Malgré la distance, je l'entendis encore clairement nasiller : « *Ta tronche, j'en fais de la pizza !* » Sa victime hurla de douleur.

J'aurais dû entendre la suite. J'aurais dû être plus attentif.

Moins de trois minutes plus tard, Lucy me téléphona de sa voiture. Il était seize heures vingt-deux. Je venais de retirer la viande du congélateur.

— Salut, dis-je. Tu es où ?

— À Long Beach. Ça roule impeccable, je devrais faire vite. Et vous, les gars, vous vous en sortez ?

Lucy Chenier travaillait comme chroniqueuse judiciaire

pour une chaîne de télévision locale. Avant, elle avait été avocate de droit civil à Baton Rouge, et c'était à cette époque-là que nous nous étions rencontrés. Sa voix avait conservé une pointe d'accent français de Louisiane, mais il fallait vraiment tendre l'oreille pour s'en rendre compte. Elle revenait de San Diego, où elle était allée couvrir un procès.

— Comme des chefs, répondis-je. Je suis en train de m'occuper des hamburgers, tout sera prêt à ton arrivée.

— Comment va Ben ?

— Il n'avait pas trop le moral tout à l'heure, mais on a discuté. Ça va mieux. Tu lui manques.

Nous nous réfugiâmes l'un et l'autre dans un silence qui s'éternisa un peu. Lucy avait téléphoné chaque soir, et même si nous avions souvent ri ensemble, nos conversations avaient un parfum d'inachevé, malgré tous nos efforts pour faire comme si de rien n'était. Ce n'est pas toujours facile d'être maquée avec le meilleur détective du monde.

Finalement, j'ajoutai :

— Tu m'as manqué à moi aussi.

— Pareil pour moi. La semaine a été interminable. Des hamburgers, excellente idée. Avec du fromage. Et plein de cornichons.

Elle avait une petite voix fatiguée. Mais elle avait aussi la voix de quelqu'un qui sourit.

— Ça devrait pouvoir se goupiller, répondis-je. Ici, d'ailleurs, j'ai un très gros cornichon que je garde au chaud rien que pour toi.

Lucy éclata de rire. J'ai oublié de dire que je suis aussi le détective le plus drôle du monde.

— Comment pourrais-je laisser passer une offre pareille ?

— Tu veux dire un mot à Ben ? Il vient de sortir.

— Pas la peine. Dis-lui que je suis en route et que je

l'aime, et tant que tu y es, tu n'as qu'à te dire à toi-même que je t'aime aussi.

Après avoir raccroché, je sortis sur la terrasse afin de transmettre la bonne parole à Ben, mais elle était déserte. Je m'approchai de la balustrade. Il aimait bien jouer dans la pente en dessous de chez moi, et aussi grimper dans les noyers un peu plus bas. Au-delà de ce bosquet d'arbres, on devinait d'autres maisons, construites le long de rues sinueuses dont le réseau se déployait à flanc de montagne. Les replis les plus profonds du canyon commençaient à se colorer de pourpre, mais on y voyait encore assez. Pas de Ben à l'horizon.

— Ben ?

Il ne me répondit pas.

— *Hé, lascar ! Maman vient d'appeler !*

Toujours pas de réponse.

J'inspectai chaque côté de la maison, revins à l'intérieur et l'appelai de plus belle, pensant qu'il était peut-être aux toilettes, ou dans la chambre d'amis où il avait établi ses quartiers.

— Ohé, Ben ! Tu es là ?

Rien.

Je jetai un coup d'œil à la chambre d'amis et aux toilettes du rez-de-chaussée, puis sortis dans la rue par la porte d'entrée. J'habite en bordure d'une étroite allée privée qui serpente sur la crête du canyon. Rares sont les voitures qui l'empruntent, sauf quand mes voisins partent au travail ou en reviennent ; c'est une rue extrêmement sûre, idéale pour la planche à roulettes.

— Ben ?

Ne le voyant toujours pas, je rentrai.

— Ben ! C'était maman au téléphone !

J'espérais que cela susciterait une réponse. La Menace Maman.

— Si tu es caché, ça ne m'amuse pas. Ce n'est vraiment pas drôle.

Je grimpai jusqu'à la mezzanine, ne le trouvai nulle part. Je redescendis sur la terrasse.

— BEN !

Ma voisine la plus proche avait deux garçons, mais Ben n'allait jamais les voir sans me prévenir. Il ne descendait jamais dans le canyon, ne s'aventurait jamais dans la rue – ni même jusqu'à mon garage – sans me le dire au préalable. Ce n'était pas son style. Pas plus que ce n'était son style de disparaître à la David Copperfield.

Je rentrai de nouveau et téléphonai à ma voisine. On voyait la maison de Grace Gonzalez de la fenêtre de ma cuisine.

— Grace ? Ici Elvis, votre voisin.

Comme s'il avait pu y avoir un autre Elvis dans le quartier.

— Salut, mon pote. Comment ça va ?

Grace m'appelle mon pote. Elle a été cascadeuse jusqu'au jour où elle a épousé un cascadeur dont elle a fait la connaissance en se jetant du haut d'un immeuble de onze étages ; à ce moment-là, elle a pris sa retraite pour lui faire deux fils.

— Ben est chez vous ?

— Du tout. Il était censé y être ?

— Il était encore ici il y a quelques minutes, mais il a disparu. Je pensais qu'il était peut-être passé pour jouer avec les garçons.

Grace marqua un temps d'arrêt ; sa voix perdit toute trace de nonchalance et devint soucieuse

— Laissez-moi demander à Andrew Ils sont peut-être montés ensemble à l'étage sans que je m'en aperçoive.

Andrew était son aîné, il avait huit ans. Son petit frère,

Clark, en avait six. Ben m'avait raconté que Clark adorait manger ses crottes de nez.

Je regardai une fois encore l'heure. Lucy m'avait appelé à seize heures vingt-deux ; il était seize heures trente-huit. Je ressortis avec le combiné sur la terrasse, espérant vaguement le voir remonter la pente, mais le ravin était désert.

Grace revint en ligne.

— Elvis ?

— Je vous écoute.

— Non, les garçons ne l'ont pas vu. Je vais aller voir devant chez moi. Il est peut-être dans la rue.

— Merci, Grace.

Malgré le coude du canyon qui sépare nos deux maisons, sa voix me parvint distinctement quand elle cria son nom ; elle reprit l'appareil peu après.

— Je vois assez loin sur les deux versants, et Ben n'est pas dans les parages. Vous voulez que je passe vous aider à le chercher ?

— Vous avez déjà assez à faire avec Andrew et Clark. Mais s'il se pointe chez vous, vous pourriez le garder sous le coude et me passer un coup de fil ?

— Dès que je le vois, je vous appelle.

Je raccrochai, scrutai les profondeurs du canyon. La pente n'était pas très escarpée, mais Ben pouvait avoir trébuché ou être tombé d'un arbre. Laissant le combiné sur la terrasse, je m'engageai dans la descente. Mes semelles s'enfonçaient dans la terre meuble, rendant difficiles mes prises d'appui.

— *Ben ? Où est-ce que tu te caches, nom d'un chien ?*

Un peu plus bas, les noyers qui tendaient leur tronc gris et rugueux sur le flanc de la montagne ressemblaient à des doigts noueux. Entre eux, un yucca solitaire avait réussi à pousser en tire-bouchon, avec des feuilles à pointes en forme d'étoiles. Les vestiges rouillés d'un grillage étaient partiellement enfouis par plusieurs années de glissements de terrain. Le plus imposant des noyers se dressait au-delà de ce grillage, et ses cinq troncs massifs s'évasaient à la manière d'une main ouverte. Nous étions monté Ben et moi deux fois dans cet arbre, et nous y avions envisagé la construction d'une cabane.

— *Ben !*

Je tendis l'oreille. J'inspirai profondément, j'exhalai, je retins mon souffle. Je crus entendre une petite voix.

— *BEN !*

Je l'imaginai quelque part en aval, avec une jambe cassée. Ou pire.

— *Je suis là, Ben !*

Il y avait urgence.

Suivant la direction de la petite voix, je me faufilai entre les noyers et contournai un talus, à peu près certain de l'avoir retrouvé, mais à l'instant où j'émergeai sur l'autre versant du talus, la petite voix me parvint de nouveau, plus distinctement, et je compris que ce n'était pas la sienne. Le Game Freak gisait par terre, dans un nid d'herbes d'automne filandreuses. Sans Ben.

— *BEN ! ! !* criai-je de toutes mes forces.

Seuls me répondirent les bonds de mon cœur et la voix métallique de la Dame du Blâme. Elle avait fini par retrouver Modus, un géant obèse au crâne d'obus et aux yeux en pointe de crayon. Elle lui expédiait coup de pied sur coup de pied, coup de poing sur coup de poing, hurlant en boucle sa soif de vengeance dans une pièce aux murs éclaboussés de sang.

— *Tu vas crever ! Tu vas crever ! Tu vas crever !*

Je remontai à toute vitesse vers le sommet du canyon, la Dame du Blâme serrée contre moi.

2

Temps écoulé depuis la disparition : 21 minutes

Le soleil dégringolait. À voir les flaques d'ombre en train de grossir au fond des gorges, on aurait dit que le canyon s'emplissait d'encre. Je déposai un message sur le sol au milieu de la cuisine : RESTE ICI – JE TE CHERCHE, et descendis en voiture dans le canyon.

Si Ben s'était foulé une cheville ou tordu un genou, il avait peut-être choisi de continuer la descente à cloche-pied plutôt que de se taper la montée en pente raide qui le séparait de chez moi ; peut-être était-il allé frapper à la porte d'une maison pour demander de l'aide ; peut-être était-il en train de rentrer tout seul par la route en traînant la patte. Bien sûr, pensai-je, c'était forcément ça. Un petit garçon de dix ans ne disparaît pas purement et simplement dans la nature.

Arrivé dans la rue qui longe le canal d'écoulement creusé en contrebas de chez moi, je me garai et sortis de la voiture. La lumière, ici, déclinait nettement plus vite, et j'avais un peu de mal à y voir clair.

— *Ben ?*

S'il était descendu jusqu'ici, il avait dû passer à côté d'une de ces trois maisons. Deux d'entre elles étaient vides, mais une femme de ménage m'ouvrit la porte de la troisième. Elle me laissa entrer dans le jardin en me surveillant d'une fenêtre comme si elle me croyait capable de barboter des accessoires de piscine. Rien. Je me hissai d'une traction au-dessus du mur de parpaings pour jeter un coup d'œil aux jardins voisins, mais Ben n'y était pas non plus. Je l'appelai de nouveau.

— *Ben !*

Je revins à ma voiture. De cette manière-là, nous avions de fortes chances de nous louper, lui et moi ; il se pouvait qu'il soit dans une autre rue du quartier pendant que j'explorais celle-ci. Le temps pour moi d'y arriver, il pouvait tout à fait réapparaître dans celle que je venais de quitter, mais, à vrai dire, je ne voyais rien de mieux à faire.

À deux reprises, j'interceptai des vigiles qui patrouillaient en voiture pour leur demander s'ils n'avaient pas vu un garçon correspondant au signalement de Ben. Ni l'un ni l'autre ne l'avait vu, mais ils notèrent mes coordonnées et offrirent de m'appeler s'ils le retrouvaient.

J'accélérai, décidé à quadriller un maximum de terrain avant le crépuscule. Je passai et repassai plusieurs fois par les mêmes rues, louvoyant dans le canyon comme si c'était moi qui étais perdu. Plus je remontais, plus les rues redevenaient claires, mais le froid était là, tapi dans toutes les ombres. Ben portait un sweat-shirt et un jean. Il n'était pas assez couvert.

De retour chez moi, je l'appelai encore en poussant la porte d'entrée, toujours sans obtenir de réponse. Le petit mot que j'avais laissé sur le carrelage de la cuisine n'avait pas bougé, et mon répondeur indiquait zéro message.

Je téléphonai aux bureaux de toutes les sociétés de

gardiennage qui opèrent dans le canyon, y compris celle à laquelle appartenaient les deux voitures croisées tout à l'heure. Leurs équipes patrouillent vingt-quatre heures sur vingt-quatre, et le logo de ces boîtes est placardé devant quasiment toutes les maisons en signe d'avertissement pour les cambrioleurs potentiels. Bienvenue dans la mégalopole. Chaque fois, j'expliquai qu'un enfant venait de disparaître dans le quartier et laissai le signalement de Ben. J'avais beau n'être client d'aucune d'elles, mes interlocuteurs ne demandaient pas mieux que de m'aider.

Au moment où je raccrochais, la porte d'entrée grinça, et je ressentis une pointe de soulagement tellement aiguë qu'elle me fit mal.

— *Ben !*

— C'est moi.

Lucy s'avança dans le séjour. Elle portait un ensemble noir sur un chemisier crème, mais tenait sa veste sur le bras ; quant au pantalon, il était froissé par un long séjour en voiture. Visiblement fatiguée, elle ébaucha un faible sourire.

— Hé, fit-elle. Ça ne sent pas le hamburger.

Il était six heures deux. Ben avait disparu exactement cent minutes plus tôt. Il avait fallu à Lucy exactement cent minutes pour boucler son trajet après notre dernier coup de fil. Il m'avait fallu cent minutes pour perdre son fils.

Lucy lut la panique sur mes traits. Son sourire se désagrégea.

— Qu'est-ce qui ne va pas ?

— Ben a disparu.

Elle jeta un regard circulaire, comme si Ben pouvait être tapi derrière le canapé, riant sous cape de sa blague. Elle sentit que ce n'était pas une blague. Elle sentit que j'étais sérieux.

— Comment ça, disparu ?

Toute tentative d'explication m'aurait paru pitoyable, comme si je me cherchais des excuses.

— Il est sorti sur la terrasse, juste avant ton coup de fil, et je n'arrive plus à le retrouver. Je l'ai appelé, mais il ne répond pas. J'ai exploré le canyon en voiture, mais je ne l'ai vu nulle part. Il n'est pas chez la voisine. Je ne sais pas où il est.

Elle secoua la tête – un peu comme si j'avais commis une erreur agaçante et que je n'aie pas bien saisi ce qui se passait.

— Tu essaies de me dire qu'il est *parti* ?

Je brandis le Game Freak. Comme si ça prouvait quoi que ce soit.

— Je n'en sais rien. Il jouait avec ce truc et il est allé avec sur la terrasse. Je l'ai retrouvé dans la pente.

Lucy me contourna et sortit à grandes enjambées sur la terrasse.

— Ben ! Benjamin, réponds-moi ! *Ben !*

— *Luce, je l'ai déjà appelé...*

Elle revint dans la maison, toujours aussi pressée, et se dirigea dans les profondeurs du couloir.

— *Ben !*

— Il n'est pas ici. J'ai contacté les sociétés de gardiennage. J'allais appeler la police.

Elle revint sur ses pas, ressortit illico sur la terrasse.

— *Nom de Dieu, Ben, tu as intérêt à répondre !*

Je m'approchai, lui pris les mains. Elle tremblait. Elle se réfugia contre moi, et nous restâmes enlacés.

— Tu crois qu'il a fugué ? demanda-t-elle d'une voix faible, le visage enfoui au creux de mon torse.

— Non. Non, il allait très bien, Luce. On a discuté un peu, et il a retrouvé le moral. Il rigolait en jouant à ce jeu débile.

J'ajoutai qu'il s'était sans doute fait mal en jouant dans la pente et qu'ensuite il avait pu se perdre en tentant de retrouver son chemin.

— Il y a largement de quoi se paumer dans les rues d'en bas, vu le nombre de virages et de carrefours. Il a dû finir par perdre son sens de l'orientation, et en ce moment, si ça se trouve, il a trop peur pour demander son chemin à quelqu'un ; on lui a assez répété qu'il devait se méfier des inconnus. Il suffit qu'il ait choisi une mauvaise rue et qu'il l'ait suivie sur une certaine distance pour s'éloigner encore plus et se retrouver encore plus paumé. Il a peut-être tellement peur qu'il se planque chaque fois qu'une voiture passe, mais on va le retrouver. Je propose qu'on appelle la police.

Je sentis Lucy hocher la tête, avide de me croire ; elle finit par se retourner vers le canyon. Quelques lumières brillaient déjà aux fenêtres des maisons.

— Il fera bientôt noir, murmura-t-elle.

Ce simple mot – noir – me parut soudain cristalliser les terreurs les plus profondes de tous les parents.

— Appelons les flics, dis-je. Ils éclaireront toutes les rues du canyon jusqu'à ce qu'on le retrouve.

Au moment où nous revenions à l'intérieur, le téléphone sonna. Lucy sursauta encore plus violemment que moi.

— C'est Ben !

Je décrochai, mais la voix au bout du fil n'était ni celle de Ben, ni celle de Grace Gonzalez, ni celle d'un agent de sécurité.

— Vous êtes Elvis Cole ? me demanda une voix d'homme.

— Oui. Qui est à l'appareil ?

— Cinq-deux, lâcha la voix, froide et sourde.

— Qui est à l'appareil ?

— Cinq-deux, enculé de ta race. Tu te rappelles ?

Lucy se pendit à mon bras, espérant que l'appel

39

concernait Ben. Je secouai la tête pour lui faire signe que je ne comprenais pas de quoi il s'agissait, mais une peur acérée, l'écho d'un souvenir atroce, était déjà en train de s'enfoncer en moi.

J'agrippai le combiné à deux mains. Il me fallait ça pour le tenir.

— Qui êtes-vous ? Qu'est-ce que vous racontez ?

— Ça t'apprendra, salaud. C'est le moment de payer pour ce que tu as fait.

Je serrai le téléphone encore plus fort et m'entendis crier :

— Qu'est-ce que j'ai fait ? *De quoi parlez-vous ?*

— Tu le sais très bien. Je tiens le gosse.

La communication fut coupée.

Lucy me tira sur le bras.

— C'était qui ? Qu'est-ce qu'il t'a dit ?

Je ne sentais pas son poids. Je l'entendais à peine. J'étais en train de replonger dans l'album jauni de mon passé, voyant défiler des images à dominante vert émeraude d'un autre moi, d'un moi radicalement différent, entouré de jeunes gens au visage peint, aux orbites creuses, dans un lieu où flottait l'odeur aigre et moite de la peur.

Lucy tira encore plus fort.

— Arrête ! dit-elle. Tu me fais peur !

— C'était un homme, je ne sais pas qui. Il vient de me dire qu'il tenait Ben.

Lucy m'empoigna le bras à deux mains.

— Ben a été *enlevé* ? Il a été *kidnappé* ? Qu'est-ce que cet homme t'a dit ? Qu'est-ce qu'il *veut* ?

J'avais la bouche sèche. Ma nuque n'était plus qu'un nœud de douleur.

— Il veut me faire payer. Pour quelque chose qui s'est passé il y a longtemps.

*

Jeux de garçons

Le lendemain de son arrivée, Ben attendit qu'Elvis soit sorti laver sa voiture pour se faufiler à l'étage. Il avait planifié son raid plusieurs semaines auparavant. Elvis était détective privé, un métier vraiment cool, et il avait chez lui des trucs mortels : une méga-collection de vidéocassettes et de DVD de vieux films de science-fiction et d'horreur que Ben avait la permission de mater quand ça lui chantait, une bonne centaine de super-héros aimantés sur son frigo, et même un gilet pare-balles dans la penderie de l'entrée. Ça, ça ne se voyait pas tous les jours.

Ben était convaincu – et même sûr à un million pour cent – qu'Elvis planquait un tas d'autres trucs mortels dans sa penderie de l'étage. Par exemple, c'était là qu'il rangeait ses armes, mais il savait aussi que les flingues et les munitions étaient enfermés dans un coffre-fort qu'il n'avait pas l'ombre d'une chance d'ouvrir. Ben ne savait pas trop ce qu'il allait trouver dans la penderie, mais il espérait être suffisamment verni pour mettre la main sur des numéros de Playboy ou bien du matos de flic, du genre menottes ou matraque (ce que son oncle René, de la paroisse de Saint-Charles, appelait à la grande horreur de sa mère un « casse-nègre »).

Bref, quand Elvis était sorti laver sa voiture ce matin-là, Ben était en train de l'épier d'une fenêtre. En le voyant remplir un seau d'eau savonneuse, il fila vers l'escalier.

Elvis Cole et son chat dormaient à l'étage, sur une mezzanine qui surplombait le séjour. Le chat n'aimait ni Ben ni sa mère, mais Ben avait décidé de ne rien y voir de personnel. Ce chat n'aimait personne à part Elvis et Joe Pike, son associé. Chaque fois que Ben entrait dans la pièce où il se trouvait, il rabattait les oreilles et commençait à gronder.

Il n'était pas non plus du genre à déguerpir quand on essayait de lui faire peur ; au contraire, il se mettait à ramper vers vous en diagonale, le poil hérissé. Ben avait peur de lui.

Il monta l'escalier à pas de loup, jeta un coup d'œil au ras de la dernière marche pour s'assurer que le chat ne faisait pas la sieste sur le lit.

Le champ était libre.

Pas de chat.

L'eau du tuyau coulait toujours.

Ben fonça jusqu'à la penderie. Il y était déjà entré deux ou trois fois, par exemple le jour où Elvis avait montré à sa mère le coffre où il gardait ses armes, et avait repéré un certain nombre de boîtes alignées sur les rayonnages de cette pièce minuscule, des boîtes en plastique translucide, remplies d'ombres mystérieuses qui pouvaient être soit des photos, soit des liasses de vieux magazines, soit d'autres trucs potentiellement mortels. Ben feuilleta d'abord les magazines, espérant tomber sur des photos aussi hard que celles que son pote Billy Toman apportait quelquefois à l'école, mais il fut vite déçu : il n'y avait quasiment que des trucs nazes, genre Newsweek et Los Angeles Times Magazine. Ben se hissa d'une traction pour voir ce qu'il y avait en haut du coffre, une énorme caisse d'acier aussi grande que lui qui encombrait tout le fond de la penderie, mais ne trouva dessus que de vieilles casquettes de base-ball, un réveil aux aiguilles figées, le portrait couleurs encadré d'une vieille dame debout sur une véranda, et une autre photo encadrée, montrant sa maman assise avec Elvis dans un restau. Pas de menottes, ni de casse-nègre.

Une étagère bien haute courait sur toute la longueur de la penderie. Elle était inaccessible, mais Ben put y recenser un certain nombre de choses alignées dessus : deux paires de bottes, encore des boîtes, un duvet, ce qui ressemblait à un nécessaire de cirage, et un sac de sport en nylon noir. Ben se dit que le sac de sport méritait d'être inspecté, sauf qu'il lui aurait fallu mesurer quelques dizaines de centimètres de plus pour pouvoir l'atteindre. Son regard se fixa sur le coffre-fort. S'il réussissait à grimper dessus, il devrait pouvoir choper le sac de sport. Il mit soigneusement les deux mains en appui sur le sommet du coffre, propulsa son corps vers le haut, cala un genou sur le plateau d'acier et se hissa. Il avait écrasé deux ou trois casquettes et renversé la photo de sa mère au cours de la manœuvre, mais jusqu'ici tout se passait bien. Il tendit le bras vers le sac de sport, s'étira au maximum, mais le manqua de peu. Il se pencha davantage, en se tenant d'une main à l'étagère et en tirant sur l'autre à s'en déboîter l'épaule, et ce fut à cet instant qu'il perdit l'équilibre. Il se sentit partir sur le côté et entraîna le sac de sport dans sa chute. Il heurta le sol dans une pluie de chemises et de pantalons.

— Chiotte !

Ce fut en commençant à ramasser les vêtements qu'il avait fait tomber que Ben aperçut le coffret à cigares. Il devait être posé sur le sac de sport et était tombé en même temps. Une série de photos aux couleurs défraîchies, quelques écussons multicolores, et cinq écrins de plastique bleu s'en étaient échappés. Ben resta bouche bée. Il sentit tout de suite que les écrins étaient importants. Ils faisaient *important*. Chacun d'eux mesurait seize ou dix-sept centimètres de long, avec un filet doré vertical côté gauche, et une inscription dorée en relief dans le coin inférieur droit : UNITED STATES OF AMERICA.

Ben écarta les vêtements et s'assit en tailleur pour examiner sa découverte.

Les photos représentaient des soldats en uniforme et des hélicoptères. Un type était assis sur un lit de camp, hilare, une clope au coin de la bouche. Un mot était tatoué en haut de son bras gauche. Ben dut se pencher au maximum pour le

43

déchiffrer, car l'image était floue : « RANGER ». Ça devait être son nom. Sur une autre photo, cinq soldats posaient debout devant un hélicoptère. De vrais durs de chez dur : leur visage était peint en vert et noir ; ils avaient tous un sac à dos, des bandes de cartouches, des grenades, et une mitraillette en acier noir. Le deuxième soldat à partir de la droite tenait un petit écriteau sur lequel était inscrit un numéro. On distinguait mal leurs traits à cause de la peinture de camouflage, mais le dernier soldat à droite ressemblait comme deux gouttes d'eau à Elvis Cole. Ouah !

Ben mit les photos de côté et ouvrit un des écrins. Un ruban rayé rouge, blanc et bleu long d'à peu près quatre centimètres était épinglé sur le feutre gris. Dessous, un petit badge bleu, blanc et rouge évoquait une version miniature du ruban et, encore en dessous, une médaille. Une étoile dorée à cinq branches, fixée à un second ruban et protégée par une bulle de plastique transparent. Au centre de l'étoile dorée brillait une autre étoile, minuscule, en argent. Ben referma l'écrin et ouvrit les autres un par un. Chacun d'eux contenait une médaille.

Il laissa les médailles et passa en revue les photos restantes : l'une d'elles montrait une bande de mecs en tee-shirt noir en train de boire de la bière, plantés en demi-cercle devant une tente ; sur une autre, Elvis Cole posait assis, torse nu (et grave maigre !), sur un tas de sacs de sable avec une mitraillette en travers des cuisses ; sur la photo suivante, un homme au visage peint, armé et coiffé d'un chapeau de toile souple, debout dans une végétation tellement touffue qu'il avait l'air de sortir d'un mur vert. Il tenait son jackpot ! Exactement le genre de trucs mortels qu'il espérait trouver ! Il était tellement concentré sur sa trouvaille qu'à aucun moment il n'entendit de pas.

— Gaulé, lâcha Elvis.

Ben sursauta et se sentit aussitôt rougir.

Debout sur le seuil, les pouces à l'intérieur des poches, Elvis haussait les sourcils, l'air de dire : Qu'est-ce que c'est que ce plan, mecton ?

Ben était mort de honte. Il crut qu'Elvis allait l'engueuler grave, mais celui-ci se contenta de s'asseoir par terre à côté de lui et de fixer d'un air pensif les photos et les écrins. Ben sentit ses yeux se mouiller de larmes, sûr et certain qu'Elvis allait le détester jusqu'à la fin de ses jours.

— Excuse-moi, j'aurais pas dû fouiller dans tes affaires...

Ce fut tout ce qu'il trouva à dire pour ne pas pleurer.

Elvis ébaucha un vague sourire et lui passa une main dans les cheveux.

— Ça ira, petit. Tu sais, quand je t'ai dit hier que tu étais ici chez toi, je ne pensais pas que tu irais jusqu'à faire de la varappe dans ma penderie. Tu n'es pas obligé de fouiner. Si tu as envie de jeter un coup d'œil sur mes affaires, je préfère que tu demandes. D'accord ?

Ben avait toujours énormément de mal à regarder Elvis dans les yeux, mais il était dévoré de curiosité. Il prit la photo des cinq soldats devant l'hélicoptère.

— Le dernier sur la droite, là... c'est toi ?

Elvis fixa la photo, mais ne la toucha pas. Ben lui montra ensuite celle de l'homme sur la couchette.

— Et ce type qui s'appelle Ranger, c'est qui ?

— Il s'appelait Ted Fields, pas Ranger. Un ranger, c'est une catégorie de soldats. Certains gars étaient tellement fiers d'appartenir à ce corps qu'ils se faisaient tatouer le nom. Ted était de ceux-là.

— Ils font quoi, les rangers ?

— Des pompes.

Elvis reprit la photo des mains de Ben et la déposa dans le coffret à cigares. Craignant qu'il ne veuille plus répondre à ses questions, Ben attrapa un des écrins bleus et l'ouvrit

— Et ça, c'est quoi ?

Elvis lui reprit l'écrin, le referma, le déposa dans le coffret à cigares.

— Une Silver Star. À cause de la petite étoile d'argent qu'il y a au centre de l'étoile dorée.

— Tu en as deux ?

— L'armée avait du stock.

Elvis rangea un deuxième écrin dans le coffret. Ben sentit son malaise, mais il n'avait jamais rien vu d'aussi cool que ces médailles et ces photos, et il mourait d'envie d'en savoir un peu plus. Il souleva un troisième écrin.

— Et celle-là, pourquoi est-ce qu'elle est en forme de cœur avec un ruban violet ?

— Tu sais quoi ? On va ranger tout ça et finir de laver la voiture, d'accord ?

— C'est celle qu'on donne à ceux qui se font tirer dessus ?

— Il y a toutes sortes de façons d'être blessé.

Après avoir rangé le dernier écrin, Elvis rassembla les photos. Ben se rendit compte que finalement il ne savait pas grand-chose du mec de sa maman. Elvis devait avoir fait des trucs trop forts pour mériter toutes ces médailles, mais il n'en parlait jamais. Comment pouvait-on planquer des machins aussi top ? Ces médailles-là, à sa place, Ben les aurait portées sept jours sur sept !

— Qu'est-ce que tu as fait pour avoir la Silver Star ? Tu as été un héros ?

Les yeux toujours baissés, Elvis replaça la liasse de photos dans le coffret à cigares et ferma le couvercle.

— Loin de là, petit. Il n'y avait plus personne pour recevoir ces médailles, alors ils me les ont données.

— J'espère que moi aussi, un jour, on me donnera la Silver Star.

Les yeux d'Elvis se transformèrent soudain en pointes d'acier, et Ben eut très peur. C'était comme si l'Elvis qu'il avait toujours connu n'existait plus, mais heureusement ses yeux finirent par se radoucir, et Elvis redevint lui-même. Ben respira.

Elvis ressortit une des médailles à étoile d'argent du coffret et la lui tendit.

— Tu sais quoi, mecton... Je préfère te donner une des miennes.

Et là-dessus, sans autre formalité, Elvis Cole lui fit cadeau d'une de ses Silver Star.

Ben reçut la médaille comme le plus précieux des joyaux. Le ruban était lisse et brillant, et son poids était inattendu. Cette étoile d'or au centre argenté pesait hyperlourd, et ses pointes étaient grave piquantes.

— Je peux la garder ?

— Bien sûr. On me l'a donnée, et moi, maintenant, je te la donne.

— Ouah... ! Merci ! Tu crois qu'un jour je pourrai devenir ranger, moi aussi ?

Elvis paraissait un peu plus détendu. Avec un tas de salamalecs, il posa les mains sur le front de Ben, comme pour l'adouber chevalier.

— Et voilà, tu fais officiellement partie du corps des rangers de l'armée américaine. C'est la meilleure façon de devenir ranger. Ça t'évitera de devoir te farcir toutes les pompes.

Ben éclata de rire.

Elvis referma de nouveau le coffret à cigares et le replaça avec le sac de sport sur la plus haute étagère.

— Tu veux voir autre chose ? demanda-t-il. J'ai là-haut des bottes qui schlinguent vraiment, et peut-être aussi un reste de naphtaline moisie.

— Berk ! C'est trop dégueu !

Ils échangèrent un sourire, et Ben se sentit beaucoup mieux. Tout allait bien dans le meilleur des mondes.

Elvis l'attrapa par la nuque et l'entraîna vers l'escalier.

C'était un des trucs que Ben préférait chez le mec de sa maman ; il ne le traitait pas comme un gosse.

— Bon, on va finir de laver la bagnole, et ensuite on se choisira un film, d'accord ?

— Je pourrai tenir le tuyau ?

— Seulement si je mets mon imper.

Elvis fit une grimace débile, ils éclatèrent de rire tous les deux, et Ben l'accompagna au rez-de-chaussée. La Silver Star était dans sa poche, mais toutes les cinq minutes il en tâtait les pointes acérées à travers son jean en se disant que c'était vraiment trop cool.

Dans la soirée, Ben eut envie de réexaminer les autres médailles, et aussi les photos, mais Elvis avait eu l'air tellement secoué en les voyant un peu plus tôt qu'il n'osa rien lui demander. Il attendit qu'il soit sous sa douche pour escalader de nouveau le coffre-fort, mais le coffret à cigares n'y était plus. Ben ne réussit pas à découvrir où Elvis l'avait planqué, et il avait bien trop honte pour lui poser la question.

3

La police arriva à vingt heures vingt. Il faisait entièrement noir, l'air était mordant et sentait la poussière. Lucy se leva d'un bond au tintement de sonnette.

— J'y vais, dis-je. C'est Lou.

Les disparitions d'adultes sont traitées au Parker Center, dans le centre de Los Angeles, par le service des Personnes disparues, mais les affaires de disparition ou d'enlèvement d'enfants sont prises en charge au niveau de chaque division par les inspecteurs de la brigade des Mineurs. Si je m'étais contenté de contacter la police comme n'importe quel citoyen, j'aurais dû m'identifier et expliquer ce qui était arrivé à Ben au standardiste, puis au civil en service au bureau des inspecteurs, et une troisième fois encore après avoir été transféré par celui-ci sur le poste des Mineurs. Appeler mon ami Lou Poitras me permit de gagner un temps précieux. Poitras était lieutenant à la brigade criminelle de la Hollywood Division. Il mit sur le coup deux inspecteurs des Mineurs aussitôt après avoir raccroché et décida de les accompagner.

Poitras était une armoire à glace, dont le corps avait la forme d'un baril de pétrole et le visage la texture du jambon bouilli. Son blouson de cuir noir moulait un torse et des bras hypertrophiés par une vie entière passée à lever de la fonte. Maussade, il planta un petit baiser sur la joue de Lucy.

— Salut. Ça va, vous deux ?

— Ça pourrait aller mieux.

Deux inspecteurs des Mineurs émergèrent d'une seconde voiture garée derrière la sienne. D'abord, côté passager, un homme d'un certain âge, à la peau flasque et saupoudrée de taches de rousseur. Son chauffeur était une femme plus jeune, au visage en lame de couteau et au regard vif. Poitras se chargea des présentations au moment où ils franchirent le seuil.

— Je vous présente Dave Gittamon. Je ne connais personne qui soit sergent aux Mineurs depuis aussi longtemps que lui. Et voici l'inspectrice... Ah, excusez-moi, votre nom m'échappe.

— Carol Starkey.

Le nom de Starkey m'évoqua quelque chose, sans que je parvienne à le situer. Elle sentait la cigarette.

— Du nouveau depuis tout à l'heure ? me demanda Poitras.

— Non. Il y a eu ce coup de fil, et c'est tout. J'ai essayé le rappel automatique, mais il a dû téléphoner d'un portable à numéro bloqué. Je suis tombé sur une bande enregistrée des Télécom.

— Je m'en occupe. Je vais le faire retrouver par l'opérateur.

Poitras s'isola dans la cuisine avec son téléphone portable.

50

Lucy et moi accompagnâmes Gittamon et Starkey dans le séjour. Je leur racontai le coup de fil anonyme et la façon dont je m'y étais pris pour chercher Ben. Je leur montrai le Game Freak en expliquant qu'à mon avis Ben l'avait lâché au moment du rapt. S'il avait été enlevé dans la pente en dessous de chez moi, l'endroit où j'avais retrouvé ce jeu devenait la scène du crime. Gittamon observa le canyon à travers la baie vitrée tout en m'écoutant. Des lumières scintillaient un peu partout sur les crêtes ainsi qu'en contrebas, dans la vallée, mais il faisait trop sombre pour discerner quoi que ce soit.

— S'il n'a toujours pas reparu demain matin, j'irai inspecter les lieux où vous avez retrouvé ce machin, me dit Starkey.

J'étais dans un tel état d'angoisse et de frayeur que je n'avais aucune envie d'attendre.

— Pourquoi ne pas y aller tout de suite ? On pourrait prendre des lampes torches.

— Si c'était un parking, fit Starkey, je vous dirais d'accord, mais vu le relief et la quantité de broussailles, il est impossible d'éclairer correctement ce type de terrain. On aurait autant de chances de détruire des indices que d'en trouver. On ira demain matin, ça vaut mieux.

— Carol a une longue expérience de ce genre d'affaire, monsieur Cole, renchérit Gittamon. Et ne nous interdisons pas d'espérer que Ben sera revenu d'ici là.

Lucy nous rejoignit devant la porte-fenêtre.

— Si on appelait le FBI ? C'est le FBI qui s'occupe des kidnappings, non ?

Gittamon répondit du ton doux d'un homme qui a eu affaire toute sa vie à des parents et à des enfants terrorisés.

— On appellera le FBI si nécessaire, mais d'abord on a besoin d'établir avec précision ce qui s'est passé.

— On le sait, ce qui s'est passé : mon fils s'est fait enlever.

Gittamon s'éloigna de la baie vitrée pour aller s'asseoir sur le canapé. Starkey s'installa à côté de lui et sortit un petit carnet à spirale.

— Je sais que vous avez peur, madame Chenier, à votre place, j'aurais peur aussi. Mais il est important pour nous de bien cerner la personnalité de Ben et les circonstances quelles qu'elles soient qui pourraient avoir déclenché ce qui s'est passé.

— Rien n'a déclenché quoi que ce soit, Gittamon, lâchai-je. Ben s'est fait kidnapper par un salopard, point barre.

Lucy, qui avait l'expérience des tribunaux, était habituée à réfléchir à des choses compliquées en situation de stress. Cette situation-ci était infiniment pire, mais elle réussit néanmoins à rester concentrée. Sans doute mieux que moi.

— Je comprends votre point de vue, sergent, mais il s'agit de mon fils.

— Je sais, mais plus vite on aura fait le point, plus vite vous pourrez le récupérer.

Gittamon lui posa quelques questions d'ordre général qui n'avaient strictement rien à voir avec le fait que Ben venait d'être enlevé sur le flanc de mon canyon. Pendant qu'ils parlaient, je notai sur une feuille de papier tout ce que m'avait dit mon mystérieux interlocuteur, puis grimpai à l'étage récupérer un portrait de Ben et une des photos de moi soldat qu'il avait dénichées dans ma penderie. Je n'avais pas regardé ces clichés depuis des années. Je n'avais jamais eu envie de les revoir.

À mon retour, Poitras était assis dans un angle du séjour, sur ma chaise Eames.

— La PacBell est en train de bosser sur ton coup de fil,

m'annonça-t-il. On aura le numéro source dans quelques heures.

Je tendis les photos à Gittamon.

— Voilà Ben. Sur l'autre, c'est moi. J'ai noté tout ce que m'a dit le type, et je suis quasiment sûr de n'avoir rien oublié.

Gittamon jeta un coup d'œil sur les photos avant de les passer à Starkey.

— Pourquoi cette photo de vous ?

— Le type qui m'a appelé a dit deux fois « cinq-deux ». Vous voyez mon voisin de gauche, celui qui tient l'écriteau ? Cinq-deux, c'était notre numéro de patrouille. Je ne vois pas à quoi d'autre ce fumier aurait pu faire allusion.

Starkey détacha son regard des photos pour le poser sur moi.

— Vous ne faites pas l'âge d'un vétéran du Vietnam.

— Je n'avais pas l'âge.

— Bon, intervint Gittamon, qu'est-ce qu'il a dit d'autre ?

Je lui montrai mes notes.

— Je vous ai tout retranscrit mot pour mot. Il n'a pas dit grand-chose – juste cinq-deux, qu'il tenait le gosse, et que c'était le moment de payer pour ce que j'avais fait.

Gittamon parcourut mes notes, tendit la feuille à Starkey.

— Tu as reconnu sa voix ? me demanda Poitras.

— Je ne vois absolument pas qui ça peut être. Je me suis trituré les méninges, crois-moi, mais impossible de la reconnaître.

Gittamon reprit la photo militaire des mains de Starkey et l'examina en fronçant les sourcils.

— À votre avis, ça pourrait être un de ces soldats ?

— Non. Quelques minutes après avoir posé pour cette photo, nous sommes partis en mission, et tout le monde s'est fait tuer, sauf moi. C'est ce qui fait de cinq-deux un numéro si particulier. C'est pour ça que je m'en souviens.

Lucy soupira doucement. Starkey pinça les lèvres comme quelqu'un qui a très envie d'une cigarette. Gittamon se tortilla sur mon canapé, à croire que ça le gênait de creuser un sujet aussi embarrassant. Je n'y tenais pas plus que lui.

— Est-ce qu'il y aurait eu ce jour-là, euh, une forme d'incident ?

— Si vous me demandez s'ils sont morts par ma faute, la réponse est non. La mission a mal tourné, voilà tout. Je n'ai fait que survivre.

Je me sentais coupable de la disparition de Ben, et l'idée qu'il pût avoir disparu à cause de moi ne faisait qu'accentuer mon désarroi. Le cauchemar recommençait – une fois de plus déposé sur le paillasson de Lucy par votre serviteur.

— Je ne vois pas ce que ce mec aurait pu vouloir dire d'autre, repris-je après un silence. C'est forcément ça.

Starkey se tourna vers Gittamon.

— On devrait peut-être communiquer le signalement de Ben à toutes les patrouilles, suggéra-t-elle.

D'un hochement de tête, Poitras l'encouragea à mettre son idée à exécution.

— Tant que vous y êtes, appelez aussi les Télécom. Demandez-leur de mettre la ligne de M. Cole sur écoutes.

Starkey se retira dans l'entrée avec son portable. Pendant qu'elle passait ses coups de fil, Gittamon m'interrogea sur les quelques jours que je venais de passer avec Ben. Quand je lui racontai que je l'avais surpris en train de farfouiller dans ma penderie, il haussa les sourcils.

— Si je comprends bien, il connaissait le sens du numéro cinq-deux ?

— Je ne lui ai pas dit que les autres s'étaient fait tuer, mais il a vu la photo, effectivement.

— C'était quand ?

— Dans la semaine. Il y a trois jours, peut-être. Quel rapport avec le rapt ?

Gittamon se concentra sur le cliché comme s'il avait une pensée profonde au bord des lèvres. Après avoir jeté un coup d'œil sur Lucy, il me regarda.

— J'essaie simplement d'imaginer comment les choses peuvent s'assembler. Ce que suggère apparemment ce coup de fil, c'est que cet homme aurait enlevé le fils de Mme Chenier pour se venger de quelque chose que vous auriez fait – pas Mme Chenier, mais vous. Or, non seulement Ben n'est pas votre fils, mais il n'habite même pas sous votre toit, il y a juste passé quelques jours. J'ai bien compris ? Mme Chenier et vous vivez séparément ?

Lucy se redressa. Gittamon envisageait manifestement d'autres possibilités, et elle était tout ouïe.

— C'est exact, répondit-elle.

Gittamon hocha la tête et me fixa de nouveau.

— Pourquoi enlèverait-il le fils de Mme Chenier si c'est à vous qu'il en veut ? Il aurait pu se contenter de brûler votre maison, de vous tirer dessus ou plus légalement de vous attaquer en justice, non ? Vous voyez où je veux en venir ?

Je voyais, et ça ne me plaisait pas beaucoup.

— Vous n'y êtes pas du tout. Ben ne ferait jamais une chose pareille. Il n'a que dix ans.

Lucy dévisagea Gittamon, puis moi, et derechef Gittamon, sans comprendre.

— Qu'est-ce que Ben ne ferait jamais ?

— Lou, putain...

Poitras réagit à mon appel en hochant la tête ; il était de mon avis.

— Dave, intervint-il, ce n'est pas le genre de Ben. Je connais ce gamin.

— Quoi, vous êtes en train d'insinuer que Ben aurait mis en scène son propre enlèvement ? interrogea Lucy.

Gittamon déposa la photo sur la table basse, comme s'il l'avait assez vue.

— Non, madame, il est trop tôt pour le dire, mais j'ai vu des enfants mettre en scène leur enlèvement pour toutes sortes de raisons et de toutes sortes de manières, surtout quand ils souffrent d'un sentiment d'insécurité. Le coup de fil à M. Cole aurait pu être passé par le frère aîné d'un camarade.

Sentant la moutarde me monter au nez, j'allai me planter devant la porte-fenêtre. Une partie de moi espérait vaguement retrouver Ben sur la terrasse, en train de nous épier, mais il n'y avait personne.

La voix de Lucy claqua dans mon dos :

— Tu préférerais peut-être qu'il ait été enlevé ?

Elle avait tellement envie d'y croire que l'espoir faisait flamboyer ses yeux comme des charbons ardents.

Poitras s'arracha à sa chaise design.

— Dave ? Si tu as de quoi démarrer, allons-y. J'irais bien frapper à deux ou trois portes dans le fond du canyon. Peut-être que quelqu'un aura vu quelque chose.

Gittamon fit signe à Starkey qu'elle pouvait refermer son carnet et se leva pour rejoindre Poitras.

— Madame Chenier, s'il vous plaît, je n'insinue pas que Ben a mis en scène son enlèvement – vraiment, ce n'est pas du tout ce que je dis, monsieur Cole –, mais c'est une hypothèse que nous sommes obligés d'envisager. J'aimerais avoir une liste des amis de Ben, avec leurs numéros de téléphone. Il est encore suffisamment tôt pour passer quelques coups de fil.

Lucy se leva en même temps qu'eux ; je ne l'avais jamais vue aussi attentive.

— Il faut que j'aille chercher ça chez moi. Je m'en occupe tout de suite.

— Gittamon ? fis-je. Vous avez l'intention d'ignorer ce foutu coup de fil ?

— Non, monsieur Cole, nous avons l'intention de traiter ceci comme un enlèvement jusqu'à preuve du contraire. Pourriez-vous me fournir une liste de toutes les personnes concernées par cet épisode que vous avez vécu à l'armée, avec toutes les informations dont vous disposez à leur sujet ?

— Ils sont tous morts.

— Une liste des familles, alors. Il se peut qu'on ait besoin de parler aux familles. Carol, vous voulez bien voir ça avec M. Cole ?

Starkey me tendit sa carte pendant que nous nous dirigions tous les quatre vers la porte.

— Je repasserai demain matin, me dit-elle, pour aller voir l'endroit où vous avez retrouvé le Game Freak. Vous me donnerez votre liste à ce moment-là. Il y a une heure qui vous arrange ?

— L'aube.

Si Starkey décela de la colère dans ma voix, elle n'en laissa rien voir, se contentant de hausser les épaules.

— La lumière est meilleure à partir de sept heures.

— Parfait.

— S'il rappelle, dit Gittamon, prévenez-nous. Vous pouvez nous joindre n'importe quand.

— Comptez sur moi.

Ce fut tout. Gittamon déclara à Lucy qu'il attendrait son appel, et les flics se retirèrent. Lucy et moi assistâmes à leur départ sans mot dire, mais dès que nous fûmes seuls, l'absence de Ben s'imposa comme une force physique à l'intérieur de ma maison, aussi réelle qu'un corps pendu à une poutre de ma mezzanine. Nous étions trois, pas deux.

Lucy ramassa son attaché-case. Il était toujours là où elle l'avait laissé tomber.

— Il faut que j'aille chercher ces noms pour le sergent Gittamon.

— Je sais. Moi aussi, j'ai une liste à faire. Appelle-moi de chez toi, d'accord ?

Lucy regarda l'heure, ferma les paupières.

— Bon sang, il faut que j'appelle Richard. Ça va être atroce de devoir lui annoncer l'enlèvement de Ben.

Richard Chenier était l'ex-mari de Lucy et le père de Ben. Il vivait à La Nouvelle-Orléans, et il était absolument légitime qu'elle l'informe de la disparition de leur fils. Richard et Lucy s'étaient disputés un nombre incalculable de fois à mon sujet. Sans doute se disputeraient-ils une fois de plus.

Lucy tripota un moment ses clés et la poignée de son attaché-case, et fondit soudain en larmes. Je me mis à pleurer à mon tour. Nous nous enlaçâmes, sanglotant tous les deux, et j'enfouis mon visage dans ses cheveux.

— Pardonne-moi, dis-je. Je ne sais pas du tout ce qui s'est passé, ni qui a pu faire ça, ni pourquoi, mais je te demande pardon.

— Il ne faut pas.

Je ne trouvai rien à ajouter.

Je la raccompagnai à sa voiture et restai planté au milieu de la rue tandis qu'elle s'en allait. Il y avait de la lumière chez Grace, Grace et ses garçons. L'air froid du soir me fit du bien, l'obscurité aussi. Lucy avait fait preuve de magnanimité. Elle ne m'avait rien reproché – et pourtant, elle m'avait confié son fils, et son fils n'était plus là. Le poids de ce moment me broyait les épaules.

Au bout d'un certain temps, je rentrai chez moi. Je m'assis sur le canapé à côté du Game Freak de Ben et contemplai longuement la photo où je posais avec Roy

Abbott et les autres. Abbott avait l'air d'un gosse de douze ans. Je faisais à peine plus vieux. À l'époque, j'avais dix-huit ans. Huit de plus que Ben. Je ne savais ni ce qui lui était arrivé, ni où il était en ce moment, mais j'allais le ramener chez sa mère. Je fixai un par un les soldats de la photo.

— Je vais le retrouver. Je le ramènerai chez lui. Je le jure devant Dieu.

Ces mecs-là savaient que je tiendrais parole.

Entre rangers, on ne se laisse pas tomber.

4

Le rapt : séquence un

La dernière chose que vit Ben, ce fut la Dame du Blâme en train d'arracher les yeux d'un sous-fifre au crâne aplati. Alors qu'il jouait avec elle dans la pente, sous la maison d'Elvis, des mains invisibles se plaquèrent sur son visage et le soulevèrent de terre tellement vite qu'il n'eut pas le temps de comprendre ce qui lui arrivait. Les mains lui couvraient les yeux et la bouche. Une fois passé le moment de surprise initiale, Ben crut qu'Elvis lui faisait une blague, sauf que cette blague n'en finissait pas.

Il voulut se débattre, chercha à donner des coups de pied, mais quelqu'un le tenait si serré qu'il ne pouvait ni bouger ni appeler au secours. Il se sentit flotter en silence dans la descente et finit par atterrir dans un véhicule à l'arrêt. Une portière claqua – lourde. On lui colla de l'adhésif sur la bouche et on lui mit une cagoule autour de la tête ; il se retrouva enveloppé de ténèbres. Ses bras, ses jambes furent attachés avec de l'adhésif. Il essaya de se libérer, mais c'était maintenant quelqu'un d'autre qui le tenait. Ils étaient dans une camionnette. Ben sentit une odeur d'essence, avec une touche de ce truc parfumé au pin que sa mère utilisait pour nettoyer la cuisine.

La tôle se mit à vibrer. Ils roulaient.

— Quelqu'un t'a vu ? demanda l'homme qui le tenait.

Une voix râpeuse répondit, venue de l'avant du véhicule :

— Tout s'est passé pile-poil. Vérifie qu'il respire.

Ben en déduisit que la voix râpeuse appartenait au mec qui l'avait enlevé et que celui-ci était maintenant au volant. L'autre lui pinça le bras.

— Hé, petit, t'es encore là ? T'as qu'à grogner ou hocher la tête pour me répondre.

Ben était trop paniqué pour obtempérer, mais le mec fit comme s'il avait réagi.

— Ouais, il pète la forme. Putain, si t'entendais les battements de son cœur ! Hé, t'étais censé laisser une de ses godasses sur place, non ? Il a toujours les deux.

— Il jouait avec une de ces conneries du genre Game Boy. J'ai préféré laisser le jeu. C'est mieux qu'une godasse.

La camionnette descendit, puis remonta. Ben avait beau jouer frénétiquement des mandibules, l'adhésif l'empêchait d'ouvrir la bouche.

Le mec lui tapota le genou.

— Calme-toi, petit.

Après avoir roulé quelques minutes à peine, ils stoppèrent. Ben s'attendait qu'ils descendent, mais personne ne bougea. Il entendit au loin un mugissement de scie mécanique, et quelqu'un d'autre monta dans la camionnette.

Le troisième homme, que Ben n'avait pas entendu jusque-là, prit la parole :

— Il est sorti sur sa terrasse.

Toute sa vie, Ben avait entendu parler cajun et anglais avec divers accents d'origine française, et les intonations de cet homme, bien que tout à fait différentes, lui parurent avoir quelque chose de familier. On aurait dit un Français parlant anglais, mais avec encore un autre accent caché sous le français. Il était donc aux mains de trois hommes ; trois parfaits inconnus, qui venaient de le kidnapper.

— Exact, confirma l'homme à la voix râpeuse. Je le vois.

— On voit que dalle de l'arrière, grommela celui qui tenait Ben. Qu'est-ce qu'il fout ?

— Il descend dans le canyon.

Ben devina qu'ils parlaient d'Elvis. Les trois mecs étaient en train de l'épier. Elvis s'était mis à sa recherche.

— Ça me fait chier d'être derrière, fit celui qui le tenait.

— Il a retrouvé le jouet du gosse, enchaîna l'homme à la voix râpeuse. Il remonte en courant vers chez lui.

— Putain, ce que j'aimerais voir ça.

— Il n'y a rien à voir, Eric. Arrête un peu de râler et mets la sourdine. On n'a plus qu'à attendre la mère.

Le rapt : séquence deux

En entendant parler de sa mère, Ben fut secoué par une décharge de terreur ; l'idée qu'ils puissent lui faire du mal l'épouvantait. Les larmes lui montèrent aux yeux, et son nez se boucha. Il tenta de dégager ses bras, mais Eric l'immobilisa de tout son poids, aussi lourd qu'une ancre d'acier.

— Calmos, petit. Arrête ça, merde.

Ben aurait voulu prévenir sa maman, appeler les flics et frapper ces trois connards à coups de pied jusqu'à les faire chialer comme des mômes, mais rien de tout ça n'était possible. Eric serrait beaucoup trop fort.

— Arrête un peu tes sauts de carpe, bordel ! Tu vas te faire mal.

Au terme d'une attente interminable, l'homme à la voix râpeuse prit la parole :

— Je vais l'appeler.

Ben entendit la portière grincer et quelqu'un descendre. Au bout d'une minute, la portière se rouvrit et quelqu'un remonta à bord.

— Ça y est, lâcha la voix râpeuse.

La camionnette se dirigea jusqu'au pied de la montagne, puis négocia une série de virages en épingle à cheveux en montée. Au bout d'un certain temps, elle stoppa. Ben entendit le cliquetis métallique d'une porte de garage en train de basculer. La camionnette avança encore de quelques mètres, le moteur se tut, et la porte de garage redescendit derrière eux.

— On y va, petit, dit Eric.

Il sectionna l'adhésif qui lui entravait les chevilles. Ben sentit qu'on le tirait par les pieds.

— Ouille !

— Allez, debout, tu peux marcher. Je te dirai où mettre les pieds.

Une main se referma comme un étau sur son bras.

Ils étaient dans un garage. Sa cagoule s'étant un petit peu relevée, Ben eut tout juste le temps d'entrapercevoir la camionnette – blanche et sale, avec un logo bleu foncé peint sur le flanc. Mais Eric le força à pivoter sur lui-même avant qu'il ait pu le lire.

— Attention à la marche. Ça va monter. Allez, quoi, lève ton putain de pied !

Ben, prudent, commença par explorer le contour de la marche du bout des orteils.

— Merde, laisse tomber ! On va pas y passer trois plombes !

Eric le souleva et le transporta à l'intérieur de la maison

comme un nourrisson. Ben était fou de rage. Il aurait très bien pu marcher ! Il n'avait pas à être porté !

Ils traversèrent plusieurs pièces baignées d'ombre, sans le moindre mobilier, avant qu'Eric se décide enfin à le reposer.

— Je te repose. Tiens-toi sur tes guibolles.

Ben retrouva ses appuis.

— Bon, je vais approcher une chaise, là, juste derrière toi. Vas-y, assieds-toi. Je te tiens. Tu ne risques pas de te casser la figure.

Ben plia doucement les genoux jusqu'à sentir la chaise. Ce n'était pas facile de s'asseoir quand on avait les bras attachés le long du corps ; l'adhésif lui rentrait dans la peau.

— Voilà, on y est. Mike est dehors ?

Mike. Mike était donc son ravisseur, l'homme qui l'avait enlevé dans le canyon pendant qu'Eric attendait dans la camionnette. Ben connaissait maintenant le prénom de deux d'entre eux.

— Je veux voir sa tête, lâcha le troisième homme de sa voix mystérieuse, presque caressante.

— Ça ne va pas plaire à Mike.

— T'as qu'à rester derrière lui si ça te fait peur.

La voix n'était plus qu'à quelques centimètres.

— Et puis merde, bougonna Eric. Fais comme tu veux.

Ben ne savait ni où il était, ni ce qu'ils cherchaient à faire, mais sa peur remonta d'un seul coup, comme au moment où ils avaient parlé de sa maman. Il n'avait encore vu aucun de ces trois hommes, mais il savait que cela allait bientôt changer, et la seule idée de voir leur tronche le faisait flipper grave. Il ne voulait pas les voir. Il ne voulait rien voir du tout.

Sa cagoule lui fut retirée par-derrière.

Un Noir immense, debout devant lui, le fixait d'un œil

inexpressif. Cet homme était tellement grand que sa tête frôlait le plafond, et tellement noir que sa peau, luisante comme l'or, paraissait absorber entièrement le peu de lumière qu'il y avait dans la pièce. Une rangée de cicatrices violettes et arrondies, chacune de la taille d'une gomme de crayon, lui ornait le front au-dessus des arcades sourcilières. Trois autres cicatrices soulignaient le contour de ses pommettes sous chaque œil, avec chaque fois une espèce de renflement, comme s'il y avait un implant sous la peau. En les voyant, Ben paniqua ; il les trouva atroces, obscènes. Il voulut se dégager d'un coup de reins, mais Eric s'empressa de le plaquer sur sa chaise.

— C'est un Africain, petit. T'en fais pas, il te bouffera pas avant de t'avoir fait rôtir.

L'Africain arracha avec précaution l'adhésif qui lui barrait la bouche. Ben tremblait comme une feuille. Dehors, il faisait nuit. Nuit noire.

— Je veux rentrer chez moi !

Eric partit d'un rire doux, comme s'il trouvait l'idée comique. Il avait des cheveux roux coupés court et une peau laiteuse. La brèche qui séparait ses incisives rappelait un portail ouvert.

Ils étaient dans un salon vide, avec une cheminée à manteau de pierre blanche à un bout et des draps tendus devant les fenêtres. Une porte s'ouvrit dans le dos de Ben, et l'Africain recula. Eric prit la parole pendant qu'un troisième homme s'avançait dans la pièce.

— C'est Mazi, il a voulu lui faire son grigri d'Africain. Je lui ai dit que c'était une connerie.

La paume de Mike s'enfonça dans le plexus du géant noir, tellement vite que celui-ci bascula en arrière avant même que Ben se soit rendu compte que l'autre l'avait frappé. Mazi était grand et baraqué, mais Mike semblait encore plus costaud que lui avec ses poignets épais, ses doigts noueux et le tee-shirt noir qui lui moulait le torse et les biceps. On aurait dit un Action Man.

Mazi fit un effort pour garder l'équilibre, mais ne chercha pas à riposter.

— C'est toi le boss.

— Tu l'as dit, putain.

Mike poussa l'Africain une deuxième fois, et son regard tomba sur Ben.

— Ça va ?

— Qu'est-ce que vous avez fait à ma mère ?

— Rien. J'ai juste attendu qu'elle soit rentrée pour passer mon coup de fil. Je tenais à ce qu'elle sache que tu avais été enlevé.

— Je veux pas qu'on enlève ma maman ! Je veux rentrer chez moi !

— Je sais. On verra ça dès que possible. Tu veux quelque chose à becqueter ?

— Je veux rentrer chez moi.

— Tu as besoin de faire pipi ?

— Ramenez-moi chez ma maman. Je veux la revoir.

Mike lui tapota le sommet du crâne. Un triangle était tatoué sur le dos de sa main droite. Un tatouage ancien, dont l'encre commençait à s'effacer.

— Je m'appelle Mike. Lui, c'est Mazi. Et lui, Eric. On va passer un moment ensemble, alors, sois sympa. C'est comme ça et pas autrement.

Après avoir souri à Ben, Mike se tourna vers les autres.

— Mettez-moi ça en boîte.

Tout alla aussi vite que lorsqu'ils l'avaient cueilli entre les noyers du canyon. Ils le soulevèrent, lui entravèrent de nouveau les jambes, et le portèrent à travers la maison en le tenant tellement serré qu'il ne put émettre un son. Ils émergèrent dans la nuit froide, lui recouvrirent les yeux pour qu'il ne puisse rien voir. Ben rua des quatre fers et se

66

tortilla comme un démon pendant qu'ils le couchaient à l'intérieur d'une grande caisse de plastique rigide qui avait les dimensions d'un cercueil. Il tenta de s'asseoir, mais ils le maintinrent de force en position allongée. Le couvercle se referma avec un claquement sec juste au-dessus de sa tête. La caisse bougea, s'inclina d'un seul coup, et le sol se déroba sous lui comme s'ils venaient de le jeter dans un puits. Il heurta brutalement le fond.

Ben cessa de se débattre et tendit l'oreille.

Une gerbe de terre s'abattit avec un crépitement sec sur le dessus de la caisse, à quelques centimètres de son visage. Puis une autre.

Ben prit conscience avec une bouffée d'horreur de ce qu'ils étaient en train de faire. Il martela les flancs de sa prison de plastique, mais comprit vite qu'il n'avait aucun moyen d'en sortir. Les crépitements qui pleuvaient au-dessus de sa tête se firent de plus en plus assourdis à mesure que s'épaississait la couche de cailloux et d'argile, et Ben Chenier ne tarda pas à se retrouver enterré vivant.

5

Temps écoulé depuis la disparition :
6 heures, 16 minutes

Ted Fields, Luis Rodriguez, Cromwell Johnson et Roy Abbott étaient morts trois heures après avoir posé pour la photo de patrouille. Une photo de ce genre était prise avant chaque mission – tous les cinq devant l'hélico, comme une équipe de basket de lycée avant le grand match. Crom Johnson avait l'habitude de dire en rigolant que ces images serviraient à l'armée pour identifier nos corps. Ted les avait surnommées « nécros ». Je retournai le cliché découvert par Ben dans ma penderie, afin de ne plus voir ces visages.

J'avais pris deux ou trois cents photos de terres ocre, de jungles impénétrables, de plages, de rizières, de buffles d'eau, de bazars et de rues de Saigon noires de cyclistes, mais à mon retour aux États-Unis elles m'avaient paru tellement dénuées de sens que je les avais jetées à la poubelle. Ce pays avait perdu toute son importance à mes yeux, même si certaines personnes avaient vraiment compté. Je n'avais conservé qu'une douzaine de photos, et j'étais sur trois d'entre elles.

Je dressai d'abord une liste des personnes apparaissant sur les clichés restants, et m'efforçai ensuite de retrouver le nom de tous les autres hommes ayant servi dans ma compagnie, en vain. Au bout de quelque temps, l'idée même d'une liste m'apparut idiote ; Fields, Abbott, Johnson et Rodriguez étaient morts, et personne d'autre, au sein de ma compagnie, n'aurait eu la moindre raison valable de me détester – et encore moins d'enlever un enfant de dix ans. Personne, de tous ceux que j'avais connus au Vietnam, n'aurait commis une saloperie pareille.

Lucy téléphona juste avant onze heures. La maison était tellement silencieuse que la sonnerie claqua comme un coup de feu. La plume de mon stylo transperça le papier.

— Je n'ai pas pu attendre, dit-elle, il fallait que je sache. Il a rappelé ?

— Non, pas encore. Je t'aurais prévenue. Tu sais bien que te préviendrai à la seconde même, Luce.

— Mon Dieu, quelle horreur... C'est un cauchemar.

— Oui. Je suis en train d'établir cette liste, mais j'ai une boule à l'estomac. Et toi ?

— Je viens d'avoir Richard. Il prend l'avion dès ce soir.

— Il était comment ?

— Furieux, accusateur, paniqué, belliqueux – rien de très nouveau. C'est Richard.

Comme si perdre son fils n'était pas suffisant, il fallait qu'elle se coltine son ex en prime. Richard n'avait jamais accepté que Lucy déménage à Los Angeles et ne pouvait pas me sacquer ; ils s'étaient souvent querellés à ce propos et allaient sûrement en remettre une couche. Elle devait avoir besoin d'un peu de soutien moral.

— Il est censé me téléphoner de l'avion pour me donner

son heure d'arrivée, mais je ne sais vraiment pas... Bon Dieu, ce mec est tellement con !

— Tu veux que je passe chez toi demain matin quand Starkey sera repartie ?

Richard m'aboierait dessus au lieu de s'en prendre à elle.

— Je n'en sais trop rien. Peut-être. Écoute, je ferais mieux de libérer la ligne.

— On peut parler aussi longtemps que tu voudras.

— Non. J'ai trop peur que le ravisseur essaie de te rappeler. On se verra demain.

Le téléphone sonna juste après que j'eus raccroché. Cette fois, je ne sursautai pas, mais laissai filer deux sonneries, le temps de me ressaisir.

— Ici l'inspecteur Starkey. J'espère que je ne vous réveille pas.

— Le sommeil ne fait pas partie de mes options, Starkey. Je croyais que c'était lui.

— Désolée. Il n'a pas rappelé ?

— Toujours pas. Il est tard. Je ne pensais pas que vous seriez encore sur la brèche.

— J'attendais le retour des Télécom. Selon eux, vous avez reçu un appel à six heures cinquante-deux ce soir. Est-ce que l'heure colle ?

— Oui, c'est à cette heure-là qu'il a appelé.

— Bon. L'appel a été passé d'un portable enregistré au nom d'une certaine Louise Escalante, de Diamond Bar.

— Connais pas.

— Je m'en doutais. Son sac à main aurait été volé cet après-midi, avec son téléphone dedans. Elle dit qu'elle ne vous connaît pas et qu'elle n'est au courant de rien, et l'historique de ses communications montre que l'appel qui vous a été adressé se démarque totalement de l'usage habituel qu'elle fait de sa ligne. Désolée, mais j'ai bien peur que ce ne soit une fausse piste.

— Vous avez pensé à rappeler le numéro ?

— Oui, monsieur Cole, répondit-elle d'un ton nettement rafraîchi, je l'ai même fait cinq fois. Le téléphone est éteint.

Le vol de ce portable indiquait que le ravisseur de Ben était un criminel expérimenté, qui avait planifié son action. Les malfrats intelligents sont plus durs à pincer que les malfrats stupides. Ils sont aussi beaucoup plus dangereux.

— Monsieur Cole ?

— Je suis là. Je réfléchissais.

— Votre liste est faite ?

— Je suis en train de m'en occuper, mais je travaille aussi sur une autre possibilité. Vu mon métier, Starkey, il m'est arrivé de m'accrocher avec certains individus. J'ai contribué à en mettre quelques-uns à l'ombre ou hors d'état de nuire, et ces gens-là sont plutôt du genre rancunier. Si j'en dressais une liste, vous seriez d'accord pour tenter de voir ce qu'ils sont devenus ?

— Bien entendu. Aucun problème.

— Merci. J'apprécie.

— Je passerai demain matin. Tâchez de dormir un peu.

— Comme si c'était possible.

Les heures noires de la nuit s'étirèrent interminablement, mais le ciel finit par s'éclaircir à l'est. C'est à peine si je le remarquai. Quand Starkey arriva, j'avais noirci douze pages de noms et de notes. Il était six heures quarante-deux lorsque je lui ouvris ma porte. Elle était en avance.

Elle tenait entre les mains un plateau de carton avec deux gobelets de café de chez Starbucks.

— J'espère que vous aimez le moka. C'est comme ça que je m'envoie ma dose de chocolat.

— C'est gentil à vous, Starkey. Merci.

Elle me tendit un des gobelets. La lumière de l'aube drapait le canyon d'un halo satiné. Starkey l'admira un instant, avant que son regard tombe sur le Game Freak. Il

71

était posé sur la table de la salle à manger, à côté de mes notes.

— Vous avez retrouvé ce joujou à quelle distance d'ici ?

— Cinquante, soixante mètres. Vous voulez qu'on y aille tout de suite ?

— Avec un soleil aussi bas, on n'aura que de la lumière indirecte. C'est naze. Quand il sera un peu plus haut, ça sera plus facile pour repérer les petits détails et reconstituer les faits.

— Vous avez l'air de savoir de quoi vous parlez.

— En effet, ce n'est pas la première fois.

Elle déposa son café sur la table.

— Voyons votre liste, dit-elle. En commençant par les clients les plus plausibles.

Je lui montrai d'abord la liste de noms liés à mes activités dans le civil. Plus j'y réfléchissais, plus il m'apparaissait vraisemblable que l'un d'eux fût à l'origine de l'enlèvement de Ben. Nous les passâmes en revue en sirotant notre café. Pour chaque candidat, j'avais indiqué les crimes commis et les éventuelles peines de prison, en ajoutant une mention spéciale chaque fois que j'avais eu le malheur de tuer un membre de son entourage.

— Bon sang, Cole, ces gars-là sont tous des chefs de gang, des mafieux et des assassins. Et moi qui croyais que les privés ne faisaient que bétonner des demandes de divorce...

— Je dois choisir mal mes affaires.

— Sans déconner, vous avez des raisons de penser qu'un de ces individus pourrait être au courant de votre passé militaire ?

— À ma connaissance, aucun d'eux ne sait quoi que ce soit là-dessus, mais j'imagine qu'ils auraient pu se renseigner.

— D'accord. Je vais faire une recherche informatique

pour voir si l'un d'eux a été remis en liberté. Et maintenant, parlons des quatre soldats, ceux qui sont morts en mission. Serait-il possible qu'une des familles vous reproche leur mort ?

— Je n'ai rien fait qui puisse inciter qui que ce soit à me reprocher quoi que ce soit.

— Vous voyez ce que je veux dire, monsieur Cole. Leur fils est mort, vous non.

— Je vois ce que vous voulez dire, et ma réponse est non. J'ai écrit à toutes les familles après le drame. La mère de Luis Rodriguez et moi avons continué à échanger des lettres jusqu'à sa mort, il y a six ans. La famille de Teddy Fields m'envoie une carte de vœux à chaque Noël. Quand j'ai été démobilisé, je suis allé voir les Johnson et les parents de Ted. Tout le monde était bouleversé, évidemment, mais personne ne m'a rien reproché. C'était juste très triste.

Starkey me dévisagea comme si elle était convaincue qu'il y avait autre chose, sans toutefois être capable de mettre le doigt dessus. Je soutins son regard, et l'idée m'effleura pour la deuxième fois que ses traits ne m'étaient pas inconnus.

— On ne se serait pas rencontrés quelque part ? Déjà, hier soir, il m'a semblé vous reconnaître, et voilà que ça recommence. Votre visage me dit quelque chose, mais je n'arrive pas à vous remettre.

Starkey détourna les yeux, sortit de sa poche une petite plaquette de médicaments enrobée de papier aluminium et en détacha un comprimé blanc, qu'elle avala avec une gorgée de café.

— Je peux fumer ?

— Sur la terrasse. Vous êtes sûre qu'on ne s'est jamais rencontrés ?

— Absolument.

— Vous me rappelez quelqu'un.

Elle scruta la terrasse comme à regret et lâcha un soupir.

— OK, Cole, je vais vous dire où vous m'avez certainement vue : aux actualités, il n'y a pas très longtemps. Et la réponse est : *Badaboum.*

Je ne compris strictement rien à ses propos. Puis elle écarta les mains en signe d'impuissance, comme si elle se trouvait face à un demeuré.

— Quoi, vous ne regardez pas *Jeopardy* ? Attentat. Bombe. Il y a quelques mois, la brigade de Déminage a perdu une de ses spécialistes à Silver Lake.

— C'était *vous* ?

— Il faut que j'aille m'en griller une. Ça me tue.

Starkey tira un paquet de cigarettes de son blouson et sortit sur la terrasse. Je lui emboîtai le pas.

Carol Starkey avait coffré un tueur de flics en série qui prenait pour cible les démineurs de Los Angeles. M. Rouge avait fait la une de la presse locale, mais la plupart des articles parlaient surtout de Starkey. Trois ans avant l'entrée en scène de M. Rouge, Starkey elle-même travaillait dans le déminage. Un jour, alors qu'elle essayait de désamorcer une bombe dans un camping, une secousse sismique avait déclenché l'explosion. Starkey et son coéquipier avaient été tués sur le coup mais, après quelques minutes de mort clinique, Starkey avait été ressuscitée sur place. Elle s'était littéralement relevée d'entre les morts, ce qui lui avait valu quelques surnoms assez gratinés, comme « l'Ange de la Mort » ou « l'Ange sans Pitié ».

Peut-être lut-elle dans mes pensées. Une chose est sûre, elle secoua la tête en allumant sa cigarette et me fixa d'un œil mauvais.

— Ne me posez surtout pas la question, Cole. N'y pensez même pas. Ne me demandez pas si j'ai été enveloppée d'une belle lumière blanche ou si j'ai vu les portes du paradis. J'en ai par-dessus la tête, de toutes ces histoires.

— Je m'en fiche totalement, et je n'avais aucune intention de vous poser ce genre de question. Une seule chose compte pour moi, retrouver Ben.

— Parfait. C'est la seule chose qui compte pour moi aussi. Ce truc à la brigade de Déminage, c'est du passé. Aujourd'hui, je suis aux Mineurs.

— J'en suis ravi pour vous, Starkey, mais ce truc à la brigade de Déminage, comme vous dites, a eu lieu il y a seulement quelques mois. Vous y connaissez quelque chose en matière de disparition d'enfants ?

Exaspérée, elle exhala un geyser de fumée.

— Vous me demandez si je suis à la hauteur de mon job ?

Moi aussi, j'étais exaspéré. J'étais exaspéré depuis la veille au soir, et ma colère grimpait d'un cran à chaque seconde.

— Oui, c'est exactement ce que je vous demande.

— J'ai reconstitué toutes sortes de bombes et de scènes d'attentat, j'ai remonté des filières d'explosifs dans les milieux les plus tordus que vous puissiez imaginer. J'ai fait condamner les fils de pute qui fabriquaient ces bombes, et les fumiers qui avaient vendu les composants dont se servaient ces fils de pute. *Et* j'ai serré M. Rouge. Pas la peine de vous faire du souci, monsieur Cole. Je sais mener une enquête, et vous pouvez parier votre petit cul de privé que je vais retrouver ce gamin.

Le soleil montait. Le canyon devant chez moi était illuminé. D'une chiquenaude, Starkey expédia son mégot par-dessus la balustrade. Je surveillai l'endroit où il avait atterri.

— Hé, vous voudriez qu'on se retrouve en plus avec un incendie sur les bras ?

Elle me regarda comme si, de toute façon, ces montagnes étaient déjà un enfer et que ça ne pût pas être pire.

— On a largement assez de lumière. Montrez-moi où vous avez ramassé le jouet.

Temps écoulé depuis la disparition :
15 heures, 32 minutes

Starkey alla changer de chaussures à sa voiture, puis me rejoignit sur le côté de ma maison chaussée d'une paire d'Asics de cross et son pantalon retroussé jusqu'aux genoux. Ses chevilles étaient blanches. Elle promena sur la pente un regard circonspect.

— C'est raide.

— Vous avez le vertige ?

— Putain, Cole, on peut parler, non ? La terre est friable, je vois pas mal d'irrégularités en surface, et vous avez déjà piétiné un peu partout. Ça va nous compliquer la tâche. Je vous demanderai de faire attention à ne pas détériorer le site, ce qui veut dire que vous allez me montrer l'endroit où vous avez retrouvé le Game Freak, et ensuite : du balai. C'est clair ?

— Je me suis peut-être mal fait comprendre. Moi aussi, je m'y connais. Je pourrai vous être utile.

— Ça reste à voir. Passez devant.

Je m'engageai dans la pente, suivi de près par Starkey, empruntée et visiblement mal à l'aise.

Ben avait tellement joué dans cette pente qu'il avait fini par y tracer une sorte de sillon, dont la terre piétinée évoquait la surface d'un torrent de montagne. Ouvrant la marche, je pris soin de poser les pieds parallèlement à ce sillon afin de ne pas abîmer les empreintes déjà présentes. La terre était sèche et friable sous mes semelles ; au bout de quelques mètres, je remarquai que Starkey, elle, marchait dans les traces de Ben.

— Hé, vous êtes en train d'effacer ses empreintes. Faites plutôt comme moi.

Elle regarda ses pieds.

— Je ne vois que de la terre piétinée.

— Marchez dans mes traces. Par ici.

La piste de Ben fut très facile à suivre jusqu'au pied des noyers ; le terrain, au-delà, devenait rocheux. Ça n'avait guère d'importance ; je connaissais le chemin pour l'avoir déjà parcouru la veille, et décidai de descendre tout droit dans la pente pour gagner du temps. Starkey trébucha à deux reprises, dans un concert de jurons.

— Vous n'avez qu'à mettre les pieds là où vous me voyez mettre les miens, conseillai-je. On y est presque.

— Je hais la nature.

— Ça se voit.

Je lui montrai le buisson de romarin où j'avais retrouvé le Game Freak, et aussi un certain nombre d'empreintes de Ben. Starkey s'accroupit à l'endroit indiqué, comme si elle avait décidé de mémoriser chaque caillou, chaque tige de romarin. Après les glissades et les jurons, elle semblait avoir recouvré toutes ses facultés de concentration.

Elle jeta un coup d'œil sur mes chaussures.

— Vous portiez les mêmes hier soir ?

— Oui. Ce sont des New Balance. Tenez, on voit encore mes empreintes d'hier.

Après lui avoir indiqué du doigt une série de traces, je levai un pied pour qu'elle pût voir les sculptures triangulaires de ma semelle, avec le grand N au niveau du talon Les triangles et les N étaient parfaitement nets sur certaines empreintes. Starkey étudia le dessin de ma semelle, puis deux de mes empreintes, et me dévisagea en fronçant les sourcils.

— Bon, Cole, je n'ai pas oublié ce que j'ai dit là-haut, mais je suis plutôt du genre urbain, vous comprenez ?

Quand je pense « plein air », je vois un parking. Vous avez l'air de savoir ce que vous faites, je suis donc prête à accepter votre aide. Tâchez quand même de ne rien bousiller, d'accord ?

— Je vais faire de mon mieux.

— On essaie juste de comprendre ce qui s'est passé. Pour le reste, on fera venir la SID.

Les techniciens de la SID – la division d'investigation scientifique du LAPD – seraient chargés d'identifier, de recueillir et d'analyser tous les indices éventuels du crime.

Starkey divisa le secteur en plusieurs carrés approximatifs que nous explorâmes un par un. Elle opérait lentement à cause de son manque d'appuis, mais fit preuve de méthode et de compétence. Deux empreintes de Ben semblaient suggérer qu'il avait fait demi-tour pour remonter chez moi, mais elles étaient assez indistinctes pour qu'on puisse les interpréter à peu près n'importe comment ; d'autant qu'ensuite ses traces repartaient vers l'aval.

— Où allez-vous ? me demanda Starkey.

— Je suis les traces de Ben.

— Putain, c'est à peine si je vois quelque chose. Vous êtes chasseur, ou quoi ?

— Disons que j'ai déjà pratiqué ce genre de sport.

— Quand vous étiez petit ?

— À l'armée.

Starkey me décocha un coup d'œil oblique, comme si elle n'était pas sûre de savoir ce que ma réponse voulait dire.

Les empreintes de Ben s'enfonçaient dans les herbes sur huit ou neuf pas, mais ensuite, plus rien. Je revins à la dernière empreinte et entrepris de tourner autour en décrivant des cercles de plus en plus larges, sans repérer le moindre signe de son passage. À croire qu'il lui était poussé des ailes.

— Alors, Cole, qu'est-ce que vous voyez ?

— Si Ben a été enlevé, on devrait pouvoir retrouver des traces de lutte, ou au moins les empreintes de quelqu'un d'autre, mais je ne vois rien.

— C'est juste que vous ne les avez pas encore vues.

— Il n'y a rien à voir. Les empreintes de Ben s'arrêtent net, et cette terre ne montre aucune trace de piétinement ou de lutte, alors qu'on devrait forcément en trouver s'il s'était débattu.

Starkey descendit lentement jusqu'à moi, en étant attentive à ne pas perdre l'équilibre.

— Si ça se trouve, Gittamon a eu raison d'envisager que le gosse puisse être impliqué. Peut-être que si on ne trouve pas de traces de lutte, c'est parce qu'il a fugué.

— Ben n'a pas fugué.

— S'il n'a pas été enlevé...

— Regardez ses empreintes, elles arrivent jusqu'ici, puis elles s'interrompent. Ben n'est pas remonté. Il n'est pas descendu, et il n'a pas non plus continué dans la transversale ; ses traces s'arrêtent ici, point barre. Il n'a pas pu se volatiliser. S'il avait fugué, il aurait laissé d'autres traces, or, il n'y en a aucune ; il n'est pas parti d'ici à pied. Quelqu'un l'a porté.

— Et où sont les empreintes de ce quelqu'un ?

Je secouai la tête, les yeux rivés sur le sol.

— Je n'en sais rien.

— Ça ne tient pas la route, Cole. On finira bien par trouver quelque chose. Cherchez encore.

Starkey continua de descendre avec moi en suivant une trajectoire parallèle. Elle se trouvait à trois ou quatre mètres en amont quand je la vis s'accroupir pour étudier le sol.

— Hé, fit-elle, c'est l'empreinte du gamin, ou la vôtre ?

Je m'approchai. Une entaille imperceptible dans la terre suggérait le contour d'un talon nettement trop grand pour appartenir à Ben. La marque était très nette, sans aucun signe d'érosion, exempte de tout débris. Comme les empreintes de Ben. Elle remontait donc à peu près au même moment. Je la contournai par-derrière et, en étudiant la forme du talon, m'efforçai de déterminer sa direction. Elle semblait nettement orientée vers l'endroit où s'interrompait la piste de Ben.

— C'est lui, Starkey, dis-je. Ça y est, vous l'avez trouvé.

— Vous allez vite en besogne. Ça pourrait être un voisin venu zoner dans le coin.

— Personne n'est venu zoner dans le coin. Continuons.

Starkey planta une tige de romarin dans le sol pour marquer l'emplacement de la trace suspecte, et nous élargîmes progressivement notre cercle. Je passai au peigne fin la portion de terrain comprise entre cette nouvelle empreinte et les dernières traces de Ben, sans rien découvrir. Je repartis ensuite dans la direction opposée afin de couvrir la même portion de terrain une deuxième fois, toujours en vain. Ils se pouvait que des fragments d'empreintes distinctes soient entremêlés à celles de Ben comme les pièces chevauchées d'un puzzle. J'aurais dû en toute logique déceler des traces, de l'herbe aplatie, et autres signes manifestes du passage d'un second être humain sur cette terre, mais tout ce que nous avions, c'était une – une seule – empreinte partielle de talon. Ça paraissait impossible, pourtant c'était ainsi, et plus je pensais à cette absence d'indices, plus ma peur grandissait. Les indices sont l'histoire physique d'un crime, mais l'absence d'histoire physique constitue en soi un indice d'une espèce à part.

J'étudiai du regard les épaisses broussailles avoisinantes,

la configuration de la pente, et les noyers qui nous entouraient, avec leurs feuilles mortes éparpillées sur le sol. Un homme avait réussi à se couler jusqu'ici dans un silence tellement parfait, malgré les broussailles et les feuilles mortes, qu'à aucun moment Ben n'avait détecté son approche. Cet homme, dans l'impossibilité où il était de voir sa proie en raison de la végétation, avait localisé Ben à l'oreille, sûrement grâce au bruit du Game Freak. Et il avait agi tellement vite que Ben n'avait pas eu l'ombre d'une chance d'appeler à l'aide.

— Starkey, lâchai-je.

— Il y a des insectes, Cole. Je hais ces putains d'insectes.

Elle était en train de scruter le sol à quelques pas de moi.

— Starkey, vous pouvez faire une croix sur la liste des types que j'ai épinglés dans le civil. Aucun d'eux ne serait assez fort pour réussir un coup pareil.

Elle se méprit complètement sur le sens de mes paroles.

— Ne vous inquiétez pas, Cole. Je vais faire venir les gars de la SID. Eux sauront nous dire ce qui s'est passé.

— Je le sais déjà. Vous pouvez jeter ma liste de civils à la poubelle. Contentez-vous de chercher du côté de ceux qui ont fait l'armée avec moi, et oubliez tout le reste.

— Il me semble que vous m'avez dit qu'aucun d'eux ne pouvait avoir commis ce genre de crime.

J'observai le sol, les broussailles et le relief, en repensant de toutes les forces de ma mémoire aux hommes que j'avais connus et aux prodiges que les meilleurs d'entre eux étaient capables d'accomplir, et je sentis la chair de poule se répandre à toute vitesse dans mon dos. Les feuilles et les branches qui nous entouraient devinrent tout à coup les pièces fragmentées d'un puzzle indistinct. Un homme doté des compétences nécessaires aurait parfaitement pu être tapi à dix pas de nous en ce moment même ; il aurait pu se cacher au cœur du puzzle et nous épier entre les pièces sans que nous ayons la moindre chance de suspecter sa présence, même à l'instant où son doigt aurait pressé la détente. Sans m'en rendre compte, je baissai le ton.

— L'homme qui a enlevé Ben a l'expérience du combat, Starkey. Vous ne pouvez peut-être pas le voir, mais moi, si. Il n'en est pas à son coup d'essai. Ce type a été entraîné pour traquer les êtres humains, et il est très fort.

— Vous allez me donner la chair de poule. On va souffler un peu, d'accord ? Je vais demander à la SID de prendre le relais.

Je jetai un coup d'œil sur ma montre. Ben avait disparu depuis seize heures et douze minutes.

— Gittamon est chez Lucy ?

— Oui, il voulait fouiller la chambre de Ben.

— J'y vais. Il faut que je leur dise à qui on a affaire.

— Allons, Cole, essayez de ne pas trop flipper quand même. On ne sait pas encore de qui il s'agit. Si vous attendiez plutôt l'arrivée de la SID ?

— Vous êtes capable de retrouver votre chemin toute seule ?

— Laissez-moi deux minutes, et je remonte avec vous.

Je grimpai illico. Starkey me suivit à distance, en me criant de temps à autre de me calmer, mais à aucun moment je ne ralentis assez pour lui permettre de me rattraper. Les ombres d'un passé qui aurait dû être définitivement enterré s'étiraient sur le sentier qui serpentait jusque chez moi. Ces ombres étaient trop nombreuses pour que je puisse les affronter seul ; j'allais avoir besoin d'aide. Arrivé chez moi, je filai à la cuisine et composai le numéro de téléphone d'une armurerie de Culver City.

— Passez-moi Joe.

— Il n'est pas ici.

— Trouvez-le, c'est urgentissime. Dites-lui de me

rejoindre chez Lucy, tout de suite. Dites-lui que Ben Chenier a disparu.

— OK. Autre chose ?

— Dites-lui que j'ai peur.

Je raccrochai, ressortis, montai dans ma voiture. Je mis le moteur en marche et restai immobile, les deux mains sur le volant, cherchant vainement à stopper leur tremblement.

Le ravisseur de Ben s'était montré efficace et silencieux. Il avait étudié nos heures de départ et de retour. Il connaissait ma maison et mon canyon, il savait que Ben aimait descendre jouer dans la pente, et il avait tellement bien exécuté son coup que je n'y avais vu que du feu. Il nous surveillait sans doute depuis plusieurs jours. La chasse aux humains requiert des qualités et un entraînement spécifiques. J'avais côtoyé des hommes dotés de ces qualités-là, et ils me faisaient terriblement peur. J'avais été des leurs.

6

Temps écoulé depuis la disparition :
17 heures, 41 minutes

Beverly Hills évoque en général des images de belles villas et de nouveaux riches un peu déjantés, mais la partie en plaine, au sud de Wilshire, accueille surtout des alignements de bungalows et de modestes immeubles de stuc qui ne dépareraient pas la plus anonyme des villes américaines. Lucy et Ben vivaient là, dans un immeuble de deux étages en forme de U dont la base faisait face à la rue et dont les branches embrassaient une cour en espalier où poussaient des oiseaux de paradis et deux palmiers de haute taille. Ce n'était pas une rue à limousines, pourtant une longue limousine noire de type présidentiel était stationnée devant l'accès pompiers de l'immeuble.

Je fis mon créneau à un demi-bloc de distance et revins à pied sur le trottoir. Le chauffeur de la limousine feuilletait un magazine derrière son volant, vitres fermées et moteur en marche Deux hommes fumaient dans une Mercury Marquis garée en face, juste devant la voiture de

84

Gittamon. Deux mecs massifs, la quarantaine finissante, au visage rougeaud et aux cheveux courts, dont la mine blasée laissait entendre qu'ils avaient l'habitude de se trouver au mauvais endroit au mauvais moment et que ça ne les dérangeait pas plus que ça. Ils me suivirent des yeux comme font souvent les flics.

Je grimpai l'escalier quatre à quatre et sonnai à la porte de Lucy. Un homme m'ouvrit. Richard.

— Vous désirez ?

— Salut, Richard, dis-je en lui tendant la main. J'aurais préféré qu'on se revoie dans d'autres circonstances.

Une ombre envahit ses traits. Il ignora ma main.

— J'aurais préféré qu'on ne se revoie pas du tout.

Lucy passa devant lui, gênée et en colère. Richard avait le don de la mettre en colère.

— Ne commence pas, l'avertit-elle.

— Je t'avais dit que ça finirait par arriver, hein ? Combien de fois est-ce que je te l'ai répété ? Seulement voilà, tu ne m'as jamais écouté !

— Richard, s'il te plaît, arrête.

— Oui, intervins-je, ce serait un bon moment pour arrêter.

Une étincelle de rancœur crépita dans les yeux de Richard, qui tourna casaque et se replia dans l'appartement. Il avait l'âge de Lucy mais commençait à perdre ses cheveux, qui grisonnaient à la hauteur des tempes. Il portait une chemise de coton noire, un pantalon kaki fripé par son voyage en avion, et des mocassins Bruno Magli qui coûtaient sûrement plus cher que ce que je parvenais à me faire en une bonne semaine de boulot. Même fripé et après une nuit blanche, Richard suintait la richesse. Il était propriétaire d'une compagnie de gaz naturel de stature internationale.

Pendant que je la suivais à l'intérieur, Lucy me glissa à mi-voix :

— Ils viennent d'arriver. J'ai essayé de t'appeler pour te dire que son avion avait atterri, mais je suppose que tu étais déjà en route.

Richard rejoignit dans le salon de Lucy un homme solidement bâti, en costume sombre. Ses cheveux gris acier étaient taillés si court qu'il en paraissait presque chauve, et ses yeux me firent penser au mauvais bout d'un canon de fusil. Il me tendit la main.

— Leland Myers. Je suis responsable de la sécurité de la compagnie de Richard.

— J'ai demandé à Lee de venir nous aider à retrouver Ben puisque vous vous êtes démerdé pour le perdre, embraya Richard.

Tandis que Myers et moi échangions une poignée de main, Gittamon émergea du couloir avec dans les bras l'iMac orange de Ben. Il le déposa en haletant sur une petite table à côté de la porte d'entrée.

— On aura récupéré ses mails d'ici la fin de journée, dit-il. Vous seriez surpris de voir tout ce que les enfants peuvent raconter à leurs amis.

Bien que passablement énervé de constater que Gittamon s'obstinait à suivre la piste du faux enlèvement, je tenais à ne pas être trop brutal dans ma manière d'annoncer à Lucy ce que Starkey et moi avions découvert en dessous de chez moi.

— Vous ne trouverez rien dans ses mails, sergent. Starkey et moi avons exploré la pente ce matin. Nous avons repéré une empreinte d'adulte tout près de l'endroit où Ben a laissé tomber son jeu. Elle provient probablement de son ravisseur, et c'est selon toute vraisemblance quelqu'un qui a combattu avec moi au Vietnam.

Lucy secoua la tête :

— Je croyais que tous les autres étaient morts ?

— Ils sont morts, mais je suis maintenant convaincu que celui qui a fait le coup a une expérience du combat d'un type très particulier. J'ai remis à Starkey une liste de noms, et je vais tâcher d'en retrouver d'autres. Elle a demandé à la SID de tenter de réaliser un moulage de cette empreinte. Avec un peu de chance, on devrait pouvoir obtenir une estimation raisonnable de sa taille et de son poids.

Richard et Myers se consultèrent du regard.

— Si j'en crois Lucy, dit Richard en croisant les bras, l'homme qui vous a appelé hier soir a fait allusion au Vietnam, et l'enlèvement de Ben aurait un rapport avec votre passé. Est-ce que quelqu'un aurait contesté cette piste ?

— On peut raconter n'importe quoi au téléphone, Richard. À présent, je sais qu'il ne plaisante pas.

— Qu'est-ce que vous entendez par « une expérience du combat d'un type très particulier » ? s'enquit Myers.

— On n'apprend pas à se déplacer de la façon dont cet homme s'est déplacé dans le canyon en chassant le daim le week-end ou en suivant les stages de la réserve. Ce type a opéré dans des zones de combat où il était entouré de gens qui l'auraient abattu sans hésiter une seconde s'ils s'étaient aperçus de sa présence, donc il sait bouger sans laisser de trace. J'ajoute que nous n'avons retrouvé aucun signe de lutte, ce qui montre que Ben ne l'a absolument pas vu venir.

J'expliquai ensuite que les traces de Ben s'interrompaient brusquement et que nous n'avions trouvé qu'une seule empreinte autre que les siennes. Myers prit des notes pendant que je décrivais le lieu du crime ; Richard, lui, croisa et décroisa plusieurs fois les bras, en proie à une agitation grandissante. Vers la fin de mon laïus, il commença à tourner comme un lion en cage dans le petit séjour de Lucy.

— Putain, Cole, c'est vraiment formidable ! Vous êtes en train de nous dire que mon fils a été enlevé par un genre de béret vert détraqué à la Rambo ?

Gittamon vérifia son bip, visiblement navré de mon intervention.

— On n'a aucune certitude là-dessus, monsieur Chenier. Quand la SID sera sur place, on pourra enquêter de manière plus approfondie. Il se peut que M. Cole ait précipité ses conclusions en l'absence d'éléments concluants.

— Je n'ai rien précipité du tout, Gittamon. Si je suis venu ici, c'est justement pour vous inciter à aller vous rendre compte sur place. À l'heure qu'il est, la SID doit être en route.

Après un bref coup d'œil sur Gittamon, Richard planta son regard dans celui de Lucy.

— Je suis sûr que M. Cole a raison, dit-il. Je suis sûr que cet homme est aussi dangereux qu'il vient de le dire. Pour ce qui est d'attirer ce type de personnage, M. Cole n'en est pas à son coup d'essai. Grâce à M. Cole ici présent, un nommé Rossier a déjà failli tuer mon ex-femme en Louisiane.

Les coins de la bouche de Lucy se plissèrent.

— On a assez parlé de tout ça, Richard.

Mais son ex était lancé.

— Ensuite, elle s'est installée ici, à Los Angeles, ce qui a permis à un autre fou furieux, un certain Sobek, d'essayer de s'en prendre à notre fils – combien de personnes ce détraqué a-t-il assassinées, hein, Lucille ? Sept, huit ? C'était un tueur en série, ou quelque chose comme ça !

Lucy vint se planter devant lui et lâcha d'une voix sourde :

— Arrête. Tu n'es pas obligé de te conduire en permanence comme le dernier des cons

— Cent fois j'ai tenté de lui expliquer qu'en maintenant sa relation avec Cole elle les mettait tous les deux en danger, insista Richard en haussant le ton, mais est-ce qu'elle m'a écouté ? Non, évidemment ! Elle ne m'a pas écouté, parce que la sécurité de notre enfant comptait moins à ses yeux que le besoin d'avoir ce qu'elle avait envie d'avoir !

Lucy le gifla – un aller simple, qui claqua comme un pétard sur la joue de son ex.

— Je t'avais dit d'arrêter.

Gittamon se dandina comme s'il regrettait profondément d'être là. Myers posa une main sur l'avant-bras de son patron.

— Richard...

Richard ne bougea pas.

— Il est temps qu'on s'y colle, Richard.

La mâchoire inférieure de Richard se contracta à plusieurs reprises, comme s'il mourait envie d'ajouter quelque chose mais s'efforçait dans le même temps de mâcher ses mots pour les empêcher de sortir. Il jeta un regard noir sur Lucy et détourna la tête ; peut-être se sentait-il soudain gêné et honteux de son éclat.

— Je m'étais promis de ne pas me laisser aller, Lucille, dit-il à mi-voix. Je te présente mes excuses.

Elle ne répondit pas. Sa narine gauche frémissait à chaque inspiration. J'entendais le bruit de son souffle à l'autre bout de la pièce.

Richard s'humecta les lèvres. Son malaise lui donnait un faux air de petit garçon surpris en train de faire quelque chose de honteux. Il se détourna de Lucy, regarda Gittamon en haussant les épaules.

— Elle a raison, sergent, je suis un con, mais j'aime mon

fils plus que tout, et je suis très inquiet pour lui. Je ferai tout ce qui est en mon pouvoir pour le retrouver. C'est pour ça que je suis ici, et c'est pour ça que j'ai amené Lee.

Myers s'éclaircit la gorge.

— On devrait peut-être aller voir ce canyon dont a parlé Cole, suggéra-t-il. Les scènes de crime, Debbie ne connaît que ça. Je propose qu'on le mette sur le coup.

— Qui est Debbie ? interrogea Gittamon.

Richard lança un nouveau regard à Lucy, s'assit sur une chaise dans un coin de la pièce et se massa le visage.

— Debbie DeNice, répondit-il. Un diminutif de Debulon, ou quelque chose comme ça. C'est un inspecteur à la retraite de la police de La Nouvelle-Orléans. Il était à la Criminelle, c'est ça, Lee ?

— La Crim, oui. Un taux d'affaires élucidées phénoménal.

— Le meilleur flic de la ville, renchérit Richard en se relevant. Tous ceux que j'ai amenés sont les meilleurs dans leur branche. Je vais retrouver Ben, bon Dieu, même si je dois débaucher tout Scotland Yard !

Le regard de Myers s'arrêta sur Gittamon, puis sur moi.

— J'aimerais que mes gars puissent jeter un coup d'œil chez vous, Cole. J'aimerais aussi avoir votre liste de noms.

— C'est Starkey qui l'a. Vous n'aurez qu'à la photocopier.

Myers revint ensuite à Gittamon.

— Puisque la SID est en route, on ferait mieux d'y aller tout de suite, mais je voudrais également avoir un petit topo sur tout ce qu'on sait à ce stade des opérations et sur les mesures qui ont été prises, sergent. Je peux compter sur vous ?

— Absolument.

Je leur indiquai le trajet pour se rendre chez moi. Après l'avoir noté sur son Palm Pilot, Myers proposa à Gittamon de porter l'ordinateur de Ben jusqu'à sa voiture. Ils sortirent ensemble. Richard les suivit, mais marqua un temps d'hésitation en passant à la hauteur de Lucy. Il m'adressa un bref regard, et ses lèvres se tordirent comme sous l'effet d'une remontée acide.

— Vous venez ?

— Dans une minute, répondis-je.

Richard fixa Lucy, et les coins de sa bouche s'adoucirent. Il lui effleura le bras.

— Je suis au Beverly Hills, sur Sunset. Je n'aurais pas dû dire tout ça, Lucille. Je le regrette, et je te présente mes excuses, mais c'est la vérité.

Il me décocha un nouveau coup d'œil et s'en alla.

Lucy porta une main à son front.

— Mon Dieu, quel cauchemar... !

Temps écoulé depuis la disparition :
18 heures, 5 minutes

Le soleil du milieu de matinée rayonnait, une vraie fusée éclairante, tellement violent qu'il délavait la couleur du ciel et faisait miroiter les palmiers. Gittamon était déjà parti quand je me retrouvai dans la rue, mais Richard attendait à côté de la limousine noire avec Myers et les deux types de la Marquis. Sans doute des hommes à lui qu'il avait fait venir de La Nouvelle-Orléans.

Leur conversation cessa dès que j'émergeai des oiseaux de paradis, et Richard se posta devant les autres pour m'accueillir. Il ne se donnait plus la peine de masquer ses sentiments, son visage était rageur et déterminé.

— J'ai quelque chose à vous dire.

— Laissez-moi deviner : vous n'allez pas me demander où j'ai acheté ma chemise, si ?

— C'est votre faute, Cole. Mon fils ou mon ex finira par se faire tuer à cause de vous, ce n'est qu'une question de temps, et je n'ai pas l'intention de rester les bras croisés en attendant que ça arrive.

Myers s'avança nonchalamment et lui toucha l'avant-bras.

— On n'a pas le temps, Richard.

Richard se dégagea.

— Il faut que je lui parle.

— Suivez son conseil, Richard, dis-je. S'il vous plaît.

Debbie DeNice et Ray Fontenot se plantèrent à hauteur de Richard. DeNice était une armoire à glace, dont les yeux gris rappelaient la couleur d'une eau de vaisselle savonneuse. Comme lui, Fontenot était un ancien des services de police de La Nouvelle-Orléans. Grand et anguleux, il arborait une vilaine balafre au cou.

— Sinon quoi ? me lança DeNice.

La nuit avait été longue. La pression accumulée sous mon crâne commençait à me faire mal au fond des yeux. Je répondis d'un ton calme :

— La matinée démarre tout juste. On risque de devoir passer pas mal de temps ensemble, les gars.

— Sûrement pas si je peux l'éviter, riposta Richard. Je ne vous aime pas, Cole. Je n'ai aucune confiance en vous. Vous attirez les problèmes comme la merde attire les mouches, et je veux que vous vous teniez à l'écart de ma famille.

Je m'obligeai à respirer. Un peu plus haut dans la rue, une dame d'un certain âge promenait son carlin. Il zigzaguait en cherchant un endroit où pisser. Cet homme était le père de Ben, l'ex-mari de Lucy. Si je lui disais ou si je lui faisais quelque chose, ils en subiraient le contrecoup. Nous n'avions pas de temps à perdre avec ces conneries. Il fallait retrouver Ben.

— Je vous retrouve devant chez moi, lâchai-je.

Quand je fis mine de contourner le groupe, DeNice fit un pas de côté pour me bloquer le passage.

— Tu ne sais pas à qui tu as affaire, mon pote.

— Ça ouais, acquiesça Fontenot avec un petit sourire en coin, t'as pas l'air de piger.

— Debbie, fit Myers. Ray

Ni l'un ni l'autre ne bougea. Richard leva les yeux vers l'appartement de Lucy, s'humecta les lèvres comme il l'avait déjà fait là-haut. Il semblait plus déboussolé qu'en colère.

— Elle a fait preuve de bêtise et d'égoïsme en déménageant à Los Angeles, reprit-il. De bêtise parce qu'elle s'est mise avec quelqu'un comme vous, et d'égoïsme parce qu'elle a emmené Ben. J'espère qu'elle s'en rendra compte avant que l'un d'eux n'y ait laissé la vie.

DeNice était très costaud ; son visage rouge me fit penser à un clown meurtrier. Il avait plusieurs petites cicatrices sur l'arête du nez. Ça devait être chaud à La Nouvelle-Orléans, mais il avait l'air d'être le genre de type pour qui plus c'est chaud, meilleur c'est. J'aurais pu essayer une deuxième fois de le contourner, mais je ne le fis pas.

— Sortez de mon chemin.

DeNice écarta son blouson pour me laisser entrapercevoir l'éclat d'un calibre ; je me demandai s'il arrivait à impressionner la racaille du Ninth Ward avec ce genre de grigri.

— T'as pas bien capté, on dirait.

Quelque chose scintilla dans la clarté solaire ; un bras aux veines saillantes se referma comme un étau sur le cou de DeNice ; l'épais canon bleuté d'un Colt Python 357 apparut sous son aisselle droite, et le chien en s'armant fit entendre un crac de phalange brisée. DeNice perdit totalement ses appuis dès que Joe Pike entreprit de le faire basculer en arrière.

— Capte ça, murmura Joe.

Fontenot plongea une main sous son blouson. Pike lui expédia le canon de son 357 en pleine figure. Fontenot tituba. La maîtresse du carlin jeta un coup d'œil dans notre direction, mais ne vit que six hommes regroupés sur le trottoir, dont l'un se tenait le visage entre les mains.

— Richard, dis-je, on n'a vraiment pas de temps à perdre. Il faut retrouver Ben.

Pike portait un tee-shirt gris sans manches et des lunettes noires qui étincelaient sous le soleil. Les muscles de son bras étaient contractés, durs comme le granit, autour de la gorge de DeNice. La flèche rouge tatouée sur son deltoïde s'étirait sous l'effet d'une violente tension intérieure.

Myers fixait Pike à la façon d'un lézard, sans vraiment le voir, plutôt comme s'il attendait l'événement qui déclencherait sa réaction innée : attaque, combat défensif, retraite.

— C'était stupide, Debbie, lâcha-t-il d'un ton calme. Stupide et improductif. Vous voyez, Richard ? On peut difficilement faire du bon travail avec des gens pareils.

Paraissant reprendre ses esprits comme s'il émergeait d'un brouillard, Richard secoua la tête.

— Merde, Lee, quelle mouche l'a piqué ? Je voulais juste parler à Cole. Je n'ai pas besoin de ce genre de connerie.

Myers posa une main sur l'avant-bras de DeNice, que Pike n'avait toujours pas lâché.

— Je suis désolé, Richard. Je vais lui parler.

Il tira sur le bras de DeNice et regarda de nouveau Pike.

— Tout va bien, maintenant. Lâchez-le.

Joe resserra encore un peu plus son étau.

— Richard, intervins-je, écoutez-moi. Je sais que vous êtes à cran, mais moi aussi. On doit se concentrer sur Ben.

Retrouver Ben passe avant tout. Vous devez absolument garder ça en tête. Maintenant, remontez dans votre limousine. Et je ne veux pas que cette conversation revienne sur le tapis.

Les mâchoires de Richard se crispèrent à plusieurs reprises, mais il finit par se diriger vers sa voiture.

Myers observait toujours Pike.

— Vous allez le lâcher ?

— Tu ferais mieux de me lâcher, connard, grogna DeNice.

— C'est bon, Joe, dis-je. Lâche-le.

— Puisque vous le dites, soupira Pike.

DeNice aurait pu jouer la carte de l'intelligence, mais non. À peine Pike l'eut-il lâché qu'il fit volte-face et lui envoya un direct. Nettement plus vif que sa corpulence ne le laissait supposer, il pivota tout à coup sur ses jambes, les coudes bien calés contre le corps. DeNice avait dû en surprendre plus d'un par sa vitesse d'exécution, et c'est sans doute pour cette raison qu'il s'imagina pouvoir y arriver cette fois encore. Pike esquiva son direct, lui emprisonna le bras et, dans le même mouvement, lui balaya les deux jambes. DeNice tomba en arrière sur le trottoir. Sa tête heurta le béton.

— Bon sang, Lee ! s'exclama Richard par une portière de la limousine.

Myers souleva une paupière de DeNice. Ses yeux étaient vitreux. Il le remit debout et le traîna vers la Marquis. Fontenot était déjà au volant, un mouchoir sanguinolent plaqué sur la figure.

— Ce ne sont que des flics, soupira Myers en regardant Pike, puis moi.

Il rejoignit la limousine, et les deux voitures démarrèrent en même temps.

En me retournant vers Joe, j'aperçus un reflet sombre à la commissure de ses lèvres.

— Hé... C'est quoi, ça ?

Je m'approchai. Une petite perle rouge brillait au coin de sa bouche.

— Tu saignes. Ce connard t'a touché ?

Pike ne se laissait jamais toucher. Pike était beaucoup trop rapide pour qu'on puisse le toucher. Il essuya la perle de sang et monta dans ma voiture.

— Parle-moi de Ben.

Le petit garçon et la Dame

— Au secours !

Ben colla l'oreille contre le minuscule orifice aménagé dans le couvercle de la caisse mais n'entendit qu'un *chhhuttt* lointain, un peu comme quand on écoute la mer dans un coquillage.

Il approcha ensuite la bouche du trou.

— *Est-ce que quelqu'un m'entend ?*

Personne ne répondit.

Une lumière était apparue ce matin-là au-dessus de sa tête, vacillante comme une étoile lointaine. Sa caisse était équipée d'un minuscule tuyau d'aération. En collant son œil à l'orifice, Ben aperçut un minuscule disque de ciel bleu à l'autre bout du tuyau.

— *Je suis là ! Au secours ! À l'aide !*

Personne ne répondit.

— AU SECOURS !

Il avait réussi à arracher l'adhésif de ses poignets et de ses chevilles et il avait passé la nuit à flipper comme un malade : il avait flanqué des coups de pied dans les parois de la caisse comme un bébé qui pique sa crise, cherché à

96

décoller le couvercle en s'arc-boutant à quatre pattes, et s'était convulsé comme une larve sur un trottoir brûlant, persuadé que des hordes d'insectes étaient en train de le bouffer vivant. Ben était archi, mégacertain que Mike, Eric et l'Africain avaient été transformés en chair à pâté par un autobus lancé à pleine vitesse alors qu'ils étaient en chemin vers le fast-food du coin. Qu'ils n'étaient plus qu'une infâme bouillie gluante mêlée d'éclats d'os, et que plus personne, maintenant, ne savait qu'il était enfermé dans cette saleté de caisse. Il allait crever de faim, mourir de soif et finirait par ressembler à un personnage de *Buffy contre les vampires*.

Il avait perdu toute notion du temps et dérivait aux confins du sommeil. Il ne savait plus trop s'il était éveillé ou endormi.

— *AU SECOURS, JE SUIS LÀ, PITIÉ, FAITES-MOI SORTIR* !

Personne ne répondit.

— *MA-MAAAAAAAAN* !

Quelque chose lui toucha le pied, et il fit un bond aussi violent que si dix mille volts venaient de lui traverser le corps.

— Bon sang, le mioche ! Arrête de pleurnicher !

La Dame du Blâme le fixait, en appui sur un coude, à l'autre bout de la caisse : une bombe atomique, aux cheveux noirs et soyeux, aux longues jambes dorées, dont les seins voluptueux débordaient d'un haut microscopique. Elle n'avait pas l'air enchantée.

Ben couina ; la Dame se boucha les oreilles.

— Sapristi, tu en fais du boucan !

— T'es même pas vraie ! T'es rien qu'un jeu !

— Alors, ceci ne te fera pas mal.

Elle lui tordit le pied. *Fort.*

— Ouille !

Ben voulut battre en retraite, glissa, dérapa, mais il

n'avait nulle part où aller. Elle ne pouvait pas être vraie ! Il était pris au piège d'un cauchemar !

La Dame esquissa un sourire féroce et lui donna un petit coup de la pointe de sa botte de vinyle étincelant.

— Tu crois que je ne suis pas réelle, grand malin ? Vas-y. Touche.

— Non !

Haussant les sourcils d'un air entendu, elle passa la pointe de sa botte le long de la jambe de Ben.

— Tu sais combien de garçons aimeraient toucher cette botte ? Touche-la. Vois si je suis réelle.

Ben approcha un doigt. La botte de la Dame était aussi lisse qu'une carrosserie de voiture vernie de frais et aussi palpable que le plastique de la caisse dans laquelle on l'avait enfermé. Elle remua les orteils. Ben retira aussitôt sa main.

La Dame éclata de rire.

— Tu ne tiendrais pas deux secondes contre Modus !

— J'ai dix ans ! J'ai peur, je veux rentrer chez ma maman !

La Dame s'examina les ongles à la façon de quelqu'un qui s'ennuie. Chacun de ses ongles était une émeraude scintillante et acérée comme une lame de rasoir.

— Alors va-t'en. Tu peux partir quand tu voudras.

— Je passe mon temps à essayer ! On est *enfermés* !

La Dame haussa de nouveau les sourcils.

— Vraiment ?

Elle le dévisagea d'un air inexpressif, tout en faisant glisser ses ongles sur un ventre aussi plat qu'un carrelage de cuisine. Ils étaient tellement aiguisés qu'ils lui rayèrent la peau.

— Tu peux partir quand tu voudras.

Ben crut qu'elle se moquait de lui ; ses yeux s'embuèrent.

— C'est même pas drôle ! J'ai appelé au secours toute la nuit, et personne ne m'entend !

Le beau visage de la Dame devint soudain cruel. Ses yeux flamboyèrent comme deux globes jaunes hallucinés, et sa main griffa l'air comme une patte de fauve.

— Sers-toi de tes GRIFFES, pauvre crétin ! Regarde comme elles sont TRANCHANTES !

Ben se recroquevilla, terrorisé.

— Laisse-moi !

La Dame se pencha sur lui en agitant ses doigts comme des serpents. Ses ongles étaient des lames.

— SENS LEURS POINTES ! SENS COMME ILS COUPENT !

— Va-t'en !

Elle lui sauta dessus.

Ben mit les bras en protection au-dessus de sa tête. Il hurla en sentant les pointes aiguisées comme des rasoirs s'enfoncer dans sa jambe.

Et se réveilla.

Il était prostré dans un coin de la caisse, tremblant comme une feuille. Il cligna des yeux dans l'obscurité, tendit l'oreille. La caisse était silencieuse et vide. Il était seul. Ce n'était qu'un cauchemar, sauf qu'il sentait encore la douleur des ongles que la Dame lui avait plantés dans la cuisse.

Il bascula sur le côté, et les pointes lui piquèrent encore plus la chair.

— Aïe !

Il porta une main à sa jambe pour voir ce qui l'avait piqué. La Silver Star d'Elvis Cole, au fond de sa poche. Il la sortit, suivit du bout de l'index le contour des cinq branches. Elles étaient dures et acérées, comme des lames de couteau. Il en appuya une contre le couvercle de plastique au-dessus de sa tête et imprima à l'étoile un mouvement de va-et-vient. À tâtons, il examina le plastique. Une fine entaille rayait désormais son ciel.

Ben répéta un certain temps son mouvement de va-et-vient, et l'entaille s'accentua. Il se mit à scier plus fort et plus vite, en bougeant les bras comme des pistons. Une pluie d'infimes particules de plastique tomba dans l'obscurité.

7

L'opérateur

Michael Fallon était nu, à l'exception d'un short bleu délavé. Avec les stores baissés et la climatisation éteinte pour éviter que les voisins ne l'entendent ronronner, la maison était un four. Ça ne le dérangeait pas. Fallon était passé par toutes sortes de trous à rats du tiers-monde où ce type de température était une bouffée d'air frais.

Schilling et Ibo étaient sortis voler une voiture, et il s'était donc mis à poil pour ses exercices. Il tâchait de s'y coller tous les jours parce que le moindre manque d'entraînement risquait d'être fatal, et Mike Fallon ne devait se faire avoir par personne.

Il enchaîna deux cents pompes, deux cents abdos, deux cents ciseaux, et deux cents flexions sans marquer de pause entre les séries, répéta deux fois le cycle, et courut sur place pendant vingt minutes, en levant les genoux à hauteur de poitrine. Le glacis de sueur qui lui recouvrait le corps ne tarda pas à mouiller le sol comme une pluie d'orage – et pourtant, il n'avait pas forcé ; Fallon courait régulièrement quinze bornes avec un sac de trente kilos sur le dos.

Il était en train de s'éponger avec une serviette quand la porte du garage se releva en grondant comme le tonnerre. Sûrement Schilling et Ibo, mais il attrapa tout de même son calibre 45, par précaution.

Ils entrèrent par la cuisine avec deux sacs de supermarché ; Schilling l'appela comme un blaireau qui rentre chez lui le soir dans sa banlieue.

— Mike ? Hé, Mike ?

Fallon surgit de l'ombre dans leur dos. Il tapota l'omoplate de Schilling avec son flingue.

Celui-ci sursauta comme une pétasse.

— Putain, merde ! Tu m'as foutu une de ces trouilles !

— Tâche de faire gaffe la prochaine fois. Si j'avais été un gars d'en face, tu n'aurais même pas droit à une prochaine fois.

— Ouais, bon, ça va...

Schilling et Ibo déposèrent leurs commissions. Schilling faisait la tronche parce qu'il s'était laissé surprendre. Ibo lança une pomme verte à Fallon et ouvrit pour lui-même une bouteille d'Orangina. Il fallait toujours que ce soit un truc à l'orange – jus d'orange, soda à l'orange, Orangina : Ibo n'aurait rien bu d'autre. Fallon chambra de nouveau Schilling sur sa faute d'inattention, même s'ils savaient l'un comme l'autre qu'Eric était bon. Il était même excellent. Mais Fallon était encore meilleur.

— C'est réglé pour la bagnole ? demanda Fallon.

— Mazi s'en est occupé. On est descendus à Inglewood. La moitié des bagnoles qui circulent là-bas viennent d'ailleurs ; même si le proprio porte plainte, les flics n'y feront pas attention.

— Une bonne voiture, précisa Ibo. Des sièges confortables.

Schilling sortit deux téléphones portables d'un sac et les lança à Fallon – un Nokia et un Motorola. La voiture et ces deux portables seraient nécessaires pour mettre leur plan à exécution.

Fallon regarda les deux autres sortir la bouffe, puis :

— Écoutez-moi bien, les gars.

Schilling et Ibo se retournèrent en même temps. Ils préparaient ce coup depuis longtemps et touchaient enfin au but. D'ici quelques heures, ça passerait ou ça casserait.

— Une fois qu'on aura doublé ce connard, on ne pourra plus reculer. C'est clair pour tout le monde ?

— Et comment, répondit Schilling. J'ai besoin de ce pognon. Mazi aussi. Putain, ton opé, c'est du billard par rapport à ce qu'on a fait là-bas ; ces blaireaux n'auront qu'à penser ce qu'ils veulent, on s'en bat la race.

Schilling et Ibo se touchèrent le poing en souriant tous deux à belles dents. Fallon s'attendait à cette réaction, mais il était tout de même satisfait de leur avoir posé la question. Ils travaillaient pour le fric, en bons professionnels.

— Hou, lâcha-t-il.

— Hou ! répondirent en chœur Schilling et Ibo.

Fallon s'assit à même le sol pour enfiler ses chaussettes et ses chaussures. Il aurait bien pris une douche, mais il n'en avait pas le temps.

— Je sors chercher une ZO, dit-il. Quand vous aurez fini de vous taper la cloche, allez jeter un coup d'œil au môme. Vérifiez qu'il est toujours en place.

La ZO, ou zone d'opération, était le site qu'ils allaient devoir sécuriser pour doubler le connard.

— Aucun risque. Il est sous un mètre de terre.

— Vérifie quand même, Eric. Je reviendrai vers la tombée de la nuit. On le remontera à ce moment-là pour passer l'appel. Il faudra sûrement leur faire entendre sa voix pour les décider.

Fallon glissa son flingue sous la ceinture de son pantalon et se dirigea vers le garage.

— Hé, Mike ! appela Schilling. Qu'est-ce qu'on fera du gosse s'ils veulent pas raquer ?

Fallon ne se donna la peine ni de se retourner ni même de raccourcir sa foulée.

— On le remet dans sa caisse et on débranche le tuyau.

8

Temps écoulé depuis la disparition :
18 heures, 38 minutes

Laurence Sobek avait assassiné sept personnes. Joe Pike aurait dû être la huitième. Sept êtres humains innocents, à qui Sobek reprochait d'avoir fait condamner un pédophile nommé Leonard DeVille pour le viol avec sodomie de Ramona Escobar, une fillette de cinq ans. Comme cela arrive parfois aux « pointeurs », DeVille avait été tué par des codétenus. Les faits remontaient à quinze ans. Joe Pike, qui à l'époque était policier en uniforme au LAPD, avait procédé à l'arrestation de DeVille, et les sept futures victimes de Sobek avaient témoigné contre celui-ci au procès. Sobek avait atteint Pike de deux balles, le laissant pour mort, mais Pike s'était relevé et avait réussi à le tuer. Joe avait mis du temps à s'en remettre, et je me demandais parfois s'il s'était vraiment remis. Il devait se le demander aussi, mais avec lui on ne peut jamais savoir. Comparé à Pike, le sphinx est un moulin à paroles.

Je lui racontai la disparition de Ben et le mystérieux coup de fil à mon retour.

— Il n'a formulé aucune exigence ? s'enquit Joe.

— Il m'a dit que c'était le moment de payer. C'est tout. Juste ça, c'est le moment de payer pour ce que tu as fait au Vietnam.

— À ton avis, c'est sérieux ?

— Je n'en sais rien.

Pike grogna. Lui savait ce qui s'était passé ce jour-là au Vietnam. Il était même la seule personne à qui j'en avais parlé en dehors de ma hiérarchie militaire et des familles de mes quatre camarades morts. Peut-être avons-nous tous besoin de faire le sphinx, de temps en temps.

Quand nous arrivâmes, une camionnette bleu pâle de la SID était stationnée devant chez moi sur le bord opposé de l'allée, et Starkey aidait un technicien dégingandé répondant au nom de John Chen à sortir son matériel. Gittamon était en train de changer de godasses, plié en deux sur la banquette arrière de sa voiture. Richard et ses hommes s'étaient réunis sur le côté de ma maison ; ils avaient tombé la veste et s'étaient retroussé les manches. Un vilain hématome violet fleurissait sous l'arcade de Fontenot. DeNice nous jeta ostensiblement un regard noir.

Je me garai un peu plus loin sur le bas-côté, et nous revînmes à pied jusqu'à la camionnette. Starkey décocha un regard exaspéré vers Gittamon. Elle avait encore une cigarette entre les doigts.

— Vous voyez tous ces mecs ? me glissa-t-elle à mi-voix. Gittamon va les laisser descendre avec nous dans le canyon.

— Je vous présente mon associé, Joe Pike. Il vient aussi.

— Putain, Cole, c'est une scène de crime, pas un safari !

John Chen émergea de la camionnette, muni d'un petit sac à dos et d'une mallette de matériel d'analyse qui ressemblait à une grosse boîte à outils. En nous voyant, il se mit à dodeliner de la tête.

— Hé, mais on se connaît ! Salut, Elvis. Comment va, Joe ? On a bossé ensemble sur l'affaire Sobek !

Starkey téta son bout filtre avant de gratifier Pike d'un regard oblique.

— Ah, c'est vous ? J'ai entendu dire que Sobek vous en avait collé deux dans le buffet et que vous étiez salement amoché.

Starkey n'était pas du genre à donner dans la sensiblerie. En la voyant expulser un énorme champignon de fumée, Pike se décala du côté de Chen. Sous le vent.

Myers nous rejoignit et demanda à Starkey ma liste de noms.

— Je l'ai dictée par téléphone en attendant les renforts. Avec un peu de pot, on devrait avoir un retour dans la journée.

— Cole m'a dit que je pourrais y avoir accès, insista Myers. Nous voulons mener nos propres vérifications.

Après m'avoir jeté un regard sévère entre deux volutes, Starkey sortit la liste de sa poche et me la tendit. Je la passai à Myers.

— Qu'est-ce qu'on attend ? demanda celui-ci.

Starkey lorgna du côté de Gittamon, visiblement irritée de sa lenteur, puis, histoire de le stimuler :

— C'est quand vous voudrez, sergent !

— J'y suis presque, grogna-t-il, écarlate à force de se pencher sur ses chevilles.

Myers alla rejoindre ses petits camarades.

— Quel gland, soupira Starkey en tirant de nouveau sur sa clope.

Le chat noir avec qui je cohabite émergea à l'angle de la maison. Il est vieux, hirsute, et marche la tête inclinée depuis qu'il s'est pris une balle de 22. Il se pointa sans doute parce qu'il avait senti l'odeur de Pike mais, en découvrant la petite foule en position devant chez moi, il arqua le dos et se mit à gronder. Même DeNice tourna la tête.

— Qu'est-ce qui lui prend ? demanda Starkey.

— Il n'aime pas les gens. Ne le prenez pas pour vous. Il n'aime personne à part Joe et moi.

D'une chiquenaude, elle balança dans sa direction son mégot, qui heurta le sol avec une gerbe d'étincelles.

— Hé, Starkey, vous êtes cinglée ?

Le chat ne s'enfuit pas comme l'auraient fait la plupart de ses congénères. Son pelage hérissé se transforma en masque d'épouvante, il gronda de plus belle et s'avança vers Starkey en diagonale.

— Bon Dieu de merde, marmonna-t-elle, regardez-moi ce petit enfoiré !

Pike s'approcha du chat et le caressa. Il se laissa tomber sur le flanc, puis roula carrément sur le dos. Ce chat vénère Joe Pike. Starkey fronça les sourcils comme si elle trouvait la scène du plus mauvais goût.

— Je hais les chats.

Gittamon, qui en avait enfin terminé avec ses chaussures, s'extirpa péniblement de sa voiture.

— Bien, Carol. Allons voir ce que vous avez découvert. John, vous êtes prêt ?

— Oui, sergent.

— Monsieur Chenier ?

— Passez devant, Cole, dit Starkey. Vous connaissez le chemin.

Pike et moi fûmes les premiers à nous engager dans la pente, en marchant parallèlement aux traces de Ben comme je l'avais déjà fait ce matin. Starkey était plus à l'aise cette fois-ci, bien que chargée d'une partie du matériel de Chen, mais Gittamon et DeNice semblaient avoir quelque peine à progresser. Quant à Myers, il avait l'air exaspéré de devoir attendre ses petits camarades.

Nous passâmes entre les noyers, contournâmes le talus et arrivâmes dans le secteur où j'avais retrouvé le Game Freak. Les tiges de romarin que Starkey avaient utilisées pour marquer les traces étaient fichées dans le sol comme des stèles miniatures. Je montrai du doigt aux autres l'endroit où s'interrompaient les traces de Ben, puis l'empreinte partielle non identifiée. Je m'accroupis une nouvelle fois devant ce fragment de talon et leur expliquai que le pied était orienté vers les dernières empreintes de Ben. John Chen ouvrit sa mallette et marqua l'emplacement de la trace à l'aide d'un petit fanion orange. Pike se pencha à côté de moi pour examiner l'empreinte et, sans dire un mot, descendit un peu plus bas dans la pente.

— Hé, faites attention où vous mettez les pieds ! lui cria Starkey. Ne touchez à rien !

Gittamon et Richard se faufilèrent entre Chen et Starkey pour voir l'empreinte, DeNice et Fontenot sur leurs talons. Myers la considéra d'un œil inexpressif.

— Vous n'avez rien trouvé d'autre ? demanda-t-il.

— Pas encore, répondit Starkey.

Richard fixait l'empreinte, tétanisé. Il s'accroupit, palpa la terre sèche, et embrassa longuement du regard la végétation de romarins et de manzanitas, comme s'il cherchait à graver ce lieu dans sa mémoire.

— C'est ici que mon fils a été enlevé, Cole ? C'est ici que vous l'avez perdu ?

Je ne répondis pas. Après avoir observé l'empreinte, j'arpentai une fois de plus le terrain qui la séparait des traces de Ben. C'était au moins la troisième fois que j'explorais cette surface, qui s'étirait sur trois mètres environ. La terre meuble aurait logiquement dû être parsemée d'empreintes.

— Ben est là-bas, dis-je, autant à moi-même qu'aux autres, en indiquant du doigt ce que je visualisais mentalement. Il nous tourne le dos. Il joue avec son Game Freak.

Je vis l'ombre de Ben Chenier passer à notre hauteur sur le flanc du canyon, en laissant derrière lui les traces qui étaient déjà incrustées dans la terre. Penché sur son jeu vibrant de cris et d'impacts. Une deuxième ombre, plus noire, me traversa l'esprit puis s'approcha de lui par-derrière, à pas de loup. Son pied droit, en frôlant la terre, créa l'empreinte partielle que j'avais sous les yeux.

— Ben ne s'est rendu compte de rien avant que l'autre n'ait atteint ce point, ici. Il se peut qu'il ait entendu quelque chose ou qu'il se soit retourné sans motif – en tout cas, le type a eu peur qu'il n'essaie d'appeler au secours.

La deuxième ombre prit son élan dans la terre meuble et se jeta sur Ben. La scène se déroula sous mes yeux.

— Ben ne se rend toujours pas bien compte de ce qui se passe, en tout cas pas entièrement, sans quoi on verrait des traces de piétinement. Il a le dos tourné. L'autre le ceinture par-derrière et le soulève du sol. Il lui plaque tout de suite une main sur la bouche pour l'empêcher de hurler.

L'ombre entraîna vers les broussailles un petit garçon qui se débattait follement, et se désagrégea. Je m'aperçus que je tremblais.

— Voilà ce qui s'est passé, lâchai-je.

Myers me fixait. Starkey et Chen aussi.

— Dans ce cas, me demanda Myers, secouant la tête sans que je puisse déchiffrer son expression, montrez-nous ses autres empreintes.

— C'est justement ce qui prouve qu'il est très fort, Myers. Il n'en a pas laissé. Celle-ci est sa seule erreur.

Écœuré, Richard secoua la tête et se redressa. Myers fit de même.

— Je n'arrive pas à croire que ce soit là tout ce que vous

110

ayez, grommela Richard, ce petit bout de trace de merde, et tout ce que vous trouvez à dire pour vous justifier, c'est que mon fils a été enlevé par une sorte de Rambo. Bon Dieu !

DeNice balaya le canyon du regard.

— Peut-être qu'ils n'ont pas assez regardé.

Fontenot hocha la tête.

— Ça c'est envoyé, frangin !

Myers leur adressa un signe du menton ; Fontenot et DeNice se déployèrent aussitôt à travers les broussailles.

Gittamon se pencha sur l'empreinte.

— Vous pourriez nous en faire un moulage, John ?

Chen prit une pincée de terre et la regarda s'écouler entre ses doigts. Ce qu'il vit ne parut pas lui plaire, et il fronça les sourcils d'un air lugubre.

— Vous voyez à quel point cette terre est fine et sèche, un peu comme du sel ? Avec ce type de sol, on risque de perdre un tas de détails en versant le liquide. Le poids du plastique a tendance à déformer l'empreinte.

— Il faut toujours que tu dramatises, dit Starkey. J'ai bossé sur cinquante scènes d'explosion avec ce mec, et pour lui, c'est chaque fois la fin du monde.

— Je vous préviens, c'est tout, se défendit Chen. Je peux poser un cadre autour de l'empreinte pour consolider sa structure, et mettre un fixateur avant d'envoyer la sauce, mais je ne sais pas trop ce que ça va donner.

Starkey se releva.

— Ça donnera un moulage. Arrête de pleurnicher et mets-toi au boulot, John. Putain de merde !

Richard suivit un instant des yeux DeNice et Fontenot qui avaient commencé à explorer les broussailles, secoua la tête, et jeta un coup d'œil sur sa montre.

— À ce train-là, Lee, dit-il, on en a pour une éternité. Vous savez ce que vous avez à faire. Engagez des renforts

111

s'il le faut, faites appel à toutes les personnes dont on pourrait avoir besoin. Je me fiche de ce que ça me coûtera.

Starkey fixa longuement Gittamon, comme si elle s'attendait à une réaction de sa part, et finit par prendre la parole après avoir constaté qu'il restait muet :

— Si vous faites encore venir du monde, ça va devenir un vrai zoo, ici. Il y a déjà assez de bordel comme ça.

Richard enfonça les mains dans ses poches.

— Ce n'est pas mon problème, inspecteur. Mon problème, c'est que mon fils a disparu. Si vous voulez m'arrêter pour entrave ou une connerie de ce genre, je suis sûr que ça fera des titres tout à fait intéressants aux informations.

— Personne n'a parlé de ça, intervint Gittamon. Mais vous devez comprendre notre souci de préserver les indices, monsieur Chenier.

Myers toucha le bras de Richard. Après une brève messe basse, il s'adressa à Gittamon.

— Vous avez raison, sergent, il est important de préserver la crédibilité des pièces à conviction, mais nous devons aussi penser au futur dossier d'accusation contre le ravisseur de Ben. Cole n'a rien à faire ici.

Je dévisageai Myers, mais son expression était toujours aussi indéchiffrable. Gittamon semblait déboussolé.

— Je ne vous comprends pas, Myers, répondis-je. Je suis déjà venu ici. J'ai déjà passé cette pente au peigne fin ce matin et hier soir, quand je suis descendu chercher Ben.

Richard remua les épaules, frétillant d'impatience.

— Qu'est-ce que vous n'arrivez pas à comprendre, Cole ? Je n'ai jamais exercé au pénal, mais je m'y connais assez en droit pour savoir que vous serez cité comme témoin, quelle que soit l'orientation de l'enquête. Vous pourriez même être cité comme suspect. Dans un cas comme dans l'autre, votre présence ici pose un problème.

— Pourquoi serait-il suspect ? intervint Starkey.

— C'est la dernière personne à avoir vu mon fils vivant.

Le canyon devint tout à coup étouffant. La sueur jaillit de mes pores, et mon sang se mit à pulser violemment contre mes tempes. Seul Chen bougeait encore. Il enfonça verticalement dans le sol une feuille de plastique blanc rigide à quelques centimètres de l'empreinte partielle. Il allait l'encadrer complètement grâce à cette méthode pour consolider la terre, et pulvériser ensuite un fixateur qui n'était pas sans ressemblance avec de la laque capillaire pour durcir la surface. La stabilité était primordiale.

— Qu'est-ce que vous venez de dire, Richard ? lâchai-je.

Myers toucha de nouveau l'avant-bras de son patron.

— Il ne vous accuse pas, Cole. Ce n'est rien de ce genre, mais il est évident que le ravisseur a une dent contre vous. Quand cette affaire aura été élucidée, il s'avérera peut-être que vous le connaissiez et que votre inimitié était réciproque.

— Je ne comprends toujours pas ce qu'il veut dire, Myers.

— Myers a parfaitement raison, reprit Richard. Si son avocat a la moindre possibilité d'établir que votre inimitié était réciproque, il vous reprochera d'avoir sciemment introduit des éléments à charge dans le dossier. Il pourrait même vous accuser d'avoir fabriqué des preuves. Regardez l'affaire O.J.

— C'est de la connerie en barre, bougonna Starkey.

— J'ai été avocat, inspecteur. Laissez-moi vous dire que face à un jury, la connerie se vend bien.

Gittamon se dandinait, de plus en plus mal à l'aise.

— Aucune irrégularité ne sera commise ici, déclara-t-il.

— Sergent, insista Richard, je suis de votre côté – je suis même du côté de Cole, même si ça me fait mal au cœur de l'admettre –, mais cette question pose un vrai problème. S'il vous plaît. Parlez-en à vos supérieurs, ou à quelqu'un du bureau du procureur. Voyez ce qu'ils en pensent.

Gittamon observa Pike, puis les deux privés de Richard en train de fouiller les taillis. Il jeta un coup d'œil sur Starkey, qui se contenta de hausser les épaules.

— Ma foi, monsieur Cole…, vous pourriez peut-être aller nous attendre chez vous.

— Qu'est-ce que ça changerait, Gittamon ? J'ai déjà arpenté cette pente en long et en large, ça ne changera strictement rien que je continue à chercher avec vous.

Gittamon hésita. Il me rappela le carlin de tout à l'heure, désesperement en quête d'un bon coin pour pisser.

— J'en toucherai un mot à mon capitaine, finit-il par répondre. Je verrai ce qu'il en pense.

Richard et Myers nous quittèrent sur-le-champ et s'en allèrent rejoindre Fontenot et DeNice dans les broussailles. Gittamon s'accroupit à côté de Chen pour ne pas avoir à croiser mon regard.

Après avoir examiné tout le monde pendant quelques secondes, Starkey se tourna vers moi.

— Écoutez, me dit-elle avec un haussement d'épaules, j'aurai probablement une réponse sur les noms que vous m'avez donnés d'ici deux ou trois heures. Un brave citoyen de Des Moines ne se décide pas à faire un coup aussi tordu du jour au lendemain ; celui qui a fait ça est un fils de pute, et les fils de pute ont un casier Si on a le moindre début d'info sur un des noms en question, ça nous donnera une base de travail. Attendez-moi là-haut, je vous tiendrai au courant.

Je secouai la tête.

— Si vous vous figurez que je vais me contenter d'attendre, grondai-je, vous êtes à côté de vos pompes.

— On n'a rien d'autre à se mettre sous la dent pour l'instant, Cole. Que pourriez-vous faire de plus ?

— Me mettre à sa place.

Je fis signe à Pike de me suivre, et nous remontâmes tous les deux vers ma maison.

9

Temps écoulé depuis la disparition :
19 heures, 8 minutes

Quand les gens regardent Joe Pike, ce qu'ils voient en général, c'est l'ex-flic, l'ex-marine, les muscles, l'encre du tatouage, et la paire de lunettes noires qui barre un visage énigmatique. Pike a grandi aux confins d'un petit bourg et passé son enfance à se terrer dans les bois. Il se cachait de son père, qui adorait le frapper jusqu'au sang à coups de poing après s'être défoulé sur sa mère. Les marines n'ont pas peur des brutes alcooliques, et Pike s'engagea donc chez les marines. En voyant avec quelle déconcertante facilité il se mouvait dans la forêt et les sous-bois, ses supérieurs décidèrent de lui apprendre certaines choses. Pike avait fini par devenir le meilleur que j'aie jamais rencontré pour ces choses-là, et tout ça parce qu'il avait été autrefois un petit garçon terrorisé qui se cachait dans les bois. Quand on est face à quelqu'un, on ne voit que ce qu'il vous donne à voir.

Pike scruta le canyon de ma terrasse. On entendait sans

116

les voir Starkey et les autres en bas. Le canyon portait leurs voix jusqu'à nous – tout comme il aurait porté celle de Ben s'il avait appelé au secours.

— Il ne pouvait pas savoir à l'avance à quelle heure Ben sortirait de la maison, dis-je, ni quand il serait seul. Il a donc eu besoin d'une planque sûre pour nous observer. À mon avis, il était posté ailleurs jusqu'à ce que Ben descende dans le canyon ; c'est à ce moment-là qu'il est venu.

Pike m'indiqua d'un coup de menton la ligne de crête dominant le versant opposé du canyon.

— À cause des arbres, on ne voit pas ta maison d'en bas, et il lui fallait une vue dégagée. Il était forcément en face, avec des jumelles ou un télescope.

— C'est aussi comme ça que je vois la chose.

La crête opposée dessinait une sorte de doigt crochu et noueux dont la dernière phalange s'abîmait progressivement dans le ravin. Un réseau de rues résidentielles était accroché à son flanc, et là où la pente était trop instable ou trop raide pour supporter des constructions, la nature avait poursuivi son œuvre.

— Il a choisi un endroit d'où il pouvait voir ta terrasse. Donc, sa planque est visible d'ici.

Je rentrai chercher mes jumelles et mon *Guide Thomas* de Los Angeles. Ayant trouvé la page correspondant aux rues du versant d'en face, j'orientai le plan de manière à le faire correspondre à la géographie de la crête telle qu'elle se présentait à nous. À première vue, il y avait toutes sortes de planques possibles.

— Si c'était toi, demandai-je, tu te serais installé où ?

Pike consulta le plan, puis leva les yeux vers la crête.

— Oublie toutes les rues habitées. Je choisirais un endroit où je ne risquerais pas d'être repéré par les gens du coin. Et aussi où je puisse me garer sans attiret leur attention.

— Bref, tu ne laisses pas ta bagnole devant une maison. Tu la gares plutôt sur un chemin coupe-feu, ou tu la planques carrément dans les broussailles.

— Oui, mais il faut quand même que je puisse la récupérer rapidement. Une fois Ben repéré, je n'ai pas beaucoup de temps pour me remettre au volant, revenir de ce côté-ci, me garer quelque part, et remonter la pente à pied pour l'enlever.

Ça faisait effectivement une trotte. Le temps pour le ravisseur d'arriver sur ce versant-ci du canyon, Ben pouvait très bien être déjà remonté chez moi.

— Suppose qu'ils aient agi à deux ? Un pour faire le guet, et l'autre qui attend Ben de ce côté, chacun avec son portable ?

Pike haussa les épaules.

— Dans un cas comme dans l'autre, ça implique que quelqu'un ait planqué en face. S'il y a des indices à découvrir, c'est là-bas qu'on les trouvera.

Nous sélectionnâmes plusieurs points de repère faciles à identifier, par exemple une maison de couleur orange qui ressemblait à un temple martien et six palmiers barbus alignés dans un jardin, et marquâmes soigneusement leur situation sur le plan. À l'aide de ces points de repère, nous nous relayâmes pour analyser à la jumelle le versant opposé, avec une attention particulière pour les maisons en travaux, les bosquets d'arbres et les zones en friche, ainsi que pour tous les autres lieux susceptibles d'accueillir un homme ayant besoin d'attendre de longues heures sans être vu. Nous les cochâmes l'un après l'autre sur le plan et notâmes leur situation par rapport à nos points de repère.

Gittamon émergea du canyon tandis que nous scrutions le canyon à la jumelle et nous adressa un signe de tête avant de rejoindre sa voiture. Sans doute s'imaginait-il que nous tuions le temps. Myers et DeNice apparurent peu après et se dirigèrent vers la limousine. Myers dit quelque chose à DeNice, et DeNice nous gratifia d'un doigt d'honneur. Mature. Fontenot arriva quelques minutes plus tard ; DeNice et lui s'en allèrent dans la Marquis. Quant à Myers, il redescendit dans le canyon pour retrouver Richard.

Après que nous eûmes étudié le versant d'en face pendant près de deux heures, Pike se tourna vers moi.

— On part à la chasse.

Ben avait disparu depuis vingt et une heures.

J'envisageai un instant de prévenir Starkey de nos intentions, mais décidai qu'il valait mieux qu'elle n'en sache rien pour le moment. Richard allait piquer sa crise, et elle se sentirait obligée de nous rappeler que Gittamon nous avait demandé de ne rien faire qui puisse compromettre l'enquête. Eux se souciaient peut-être de la constitution d'un dossier bétonné sur le plan légal, mais pour moi une seule chose comptait : retrouver Ben.

Nous descendîmes en voiture dans le canyon jusqu'au versant opposé ; l'école n'était pas encore finie, les parents travaillaient, et tous les autres habitants se cachaient derrière leurs portes closes. Il n'y avait nulle part aucun signe de ce qu'un enfant avait été enlevé.

Tout est très différent à mille mètres de distance. De près, les arbres, les habitations étaient méconnaissables. Nous dûmes vérifier plusieurs fois sur le plan l'emplacement de nos points de repère pour retrouver notre chemin.

Nous commençâmes par explorer une zone en friche située au bout d'un chemin coupe-feu. Les pistes de ce type irriguent les montagnes de Santa Monica comme les veines d'un corps, essentiellement pour permettre aux équipes du comté de débroussailler et d'éliminer les combustibles potentiels avant la saison sèche. Je roulai jusqu'au bout de l'asphalte et me garai entre deux allées privées ; nous allions contourner le portail à pied.

Avant même que nous soyons descendus de voiture, Pike rendit son diagnostic :

— Ce n'est pas ici. Il faudrait vraiment avoir envie de se faire repérer pour se garer entre ces deux bicoques.

Nous nous engageâmes tout de même dans le chemin de terre, en trottinant côte à côte pour gagner du temps, avec le vague espoir de trouver quelque part un point de vue sur ma maison. Mais les broussailles et les chênes étaient si denses que pas une fois nous n'aperçûmes l'autre versant ; à vrai dire, on ne voyait que le ciel, et nous avions l'impression de courir dans un tunnel. Après avoir fait demi-tour, nous allongeâmes notre foulée pour rejoindre ma voiture.

Sept endroits qui nous avaient paru plausibles de ma terrasse étaient en réalité trop exposés aux regards du voisinage. Nous les rayâmes du plan. Quatre autres n'étaient accessibles qu'à condition de se garer devant une habitation. Nous les éliminâmes eux aussi. Chaque fois que nous tombions sur une maison à vendre, nous cherchions à vérifier si elle était occupée. Si elle était vide, nous enjambions le portail pour voir si elle offrait une vue dégagée sur l'autre versant. Deux de ces maisons auraient pu éventuellement servir de planque, mais ni l'une ni l'autre ne montrait la moindre trace de ce type d'usage.

Joe Pike est mon ami et associé depuis de nombreuses années ; nous avons l'habitude de travailler ensemble et nous ne perdions pas de temps, mais on aurait dit que le soleil, ce jour-là, avait décidé de parcourir le ciel au sprint. Chaque lieu potentiel nous prenait une éternité, et c'était encore plus long pour le fouiller. La circulation s'intensifia nettement à l'heure habituelle où les mères au foyer ramènent leur progéniture de l'école ; des mioches à skateboard et aux cheveux luisants de gel nous regardaient passer de leur perron. Des adultes rentrant du boulot nous jetaient des coups d'œil suspicieux par la vitre de leur 4 × 4 rutilant.

— Regarde tout ce monde, Joe. Quelqu'un a forcément vu quelque chose. C'est obligé.

Pike haussa les épaules.

— Tu crois qu'on te verrait, toi ?

Je levai les yeux vers le soleil ; le crépuscule était imminent.

— Calme-toi, Elvis. Je sais que tu as peur, mais vas-y doucement. On avance, mais sans forcer. Tu connais la musique.

— Je sais, oui.

— Si tu vas trop vite, tu manqueras quelque chose. On va faire ce qu'on peut et on reviendra demain.

— Je te dis que je sais.

La plupart des rues suivaient un tracé en forme de fer à cheval et étaient bordées de maisons datant des années soixante construites pour des ingénieurs de l'industrie aérospatiale et des designers, mais certaines, par endroits, traversaient un secteur soit trop pentu, soit trop instable pour supporter des fondations. Nous recensâmes trois secteurs de ce type qui offraient une vue dégagée sur ma maison.

Dans les deux premiers cas, la pente, prise dans l'étau d'un virage en épingle, dévalait quasiment à la verticale vers le fond du canyon. À la rigueur, notre homme aurait pu s'y mettre en planque, mais il lui aurait fallu un piolet et des pitons pour s'accrocher à la paroi. Le troisième secteur semblait plus prometteur. Il occupait la sortie extérieure d'un virage, dominée par un talus qui plongeait ensuite vers le bas du ravin. À l'entrée du virage, il y avait un chantier résidentiel, et nous vîmes quelques maisons à l'autre bout, mais le talus lui-même était vierge de tout bâtiment. Nous nous garâmes au bord de la chaussée et descendîmes. Starkey et Chen, réduits à deux minuscules points colorés, étaient en train de remonter vers chez moi. Impossible de les distinguer à cette distance, mais ça n'aurait posé aucun problème avec une paire de jumelles.

— Jolie vue, commenta Pike.

Deux voitures de faible cylindrée et une camionnette poussiéreuse étaient stationnées non loin de là sur le bas-côté. Elles appartenaient sans doute aux ouvriers qui bossaient sur le chantier. Un véhicule de plus ou de moins ne risquait guère d'attirer l'attention.

— On ira plus vite en se répartissant le boulot, dis-je. Tu n'as qu'à prendre ce côté-ci du talus. Je vais monter au sommet et je redescendrai sur le versant opposé.

Pike se mit en marche sans un mot. J'escaladai le talus parallèlement à la rue en cherchant des traces de pas ou autres. Je ne vis rien.

Des touffes de broussailles grises envahissaient la pente comme de la moisissure, moins denses au voisinage des chênes et des pins rachitiques. J'attaquai la descente en zigzag, suivant les failles provoquées par l'érosion et les sentiers naturels qui serpentaient entre les énormes bouquets d'armoise. Par deux fois, je repérai une trace qui pouvait avoir été laissée par le passage d'un être humain, mais toutes deux étaient trop indistinctes pour que je puisse en avoir la certitude.

La pente était escarpée. Je ne voyais plus ni ma voiture ni aucune des maisons bâties à la sortie du virage, ce qui impliquait que leurs habitants ne pouvaient pas me voir non plus. Mon regard se porta vers l'autre versant du canyon. Les fenêtres de Grace Gonzalez étaient éclairées. Ma maison en forme de A était cramponnée à la pente, avec sa terrasse en saillie qui ressemblait à un plongeoir. On n'aurait pas pu rêver meilleur poste de guet.

Pike émergea sans bruit des broussailles.

— Je suis descendu aussi loin que possible, me dit-il, mais très vite, ça tombe à pic. C'est beaucoup trop raide de l'autre côté.

— Aide-moi à regarder par ici.

Après avoir étudié le sol entre deux sapins, nous descendîmes encore plus bas, en direction d'un petit chêne isolé. Nous progressions en parallèle, à dix mètres de distance, pour couvrir un maximum de terrain. Le temps nous était compté. Des ombres pourpres s'étalaient autour de nous en flaques grandissantes. Le soleil effleurait la ligne de crête. Il descendait de plus en plus vite, talonné par la nuit.

— Ici, fit Pike.

Je stoppai net. Il s'agenouilla. Toucha la terre, en soulevant ses lunettes noires pour mieux voir dans la clarté faiblissante.

— Qu'est-ce que c'est ?

— J'ai une empreinte partielle ici, et une autre là. Orientées vers toi.

Je sentis mes paumes devenir moites. Ben avait disparu depuis vingt-six heures – plus d'un jour entier. Et le soleil était en train de sombrer comme un cœur naufragé.

— Elles pourraient correspondre à celle qu'on a retrouvée en bas de chez moi ?

— Je ne l'ai pas vue d'assez près.

Pike enjamba les deux empreintes tandis que je m'approchais du chêne. J'eus beau me dire que ces empreintes pouvaient avoir été laissées par n'importe qui : des gosses du quartier, des randonneurs, un ouvrier du chantier venu chercher un coin tranquille pour pisser, je sentis sur-le-champ qu'elles appartenaient au ravisseur de Ben

Chenier. Je le sentis dans ma chair comme on éprouve la caresse d'un brouillard trop dense.

En passant au-dessus d'une faille argileuse qui serpentait entre deux touffes de sauge, je repérai une empreinte fraîche dans l'anfractuosité. Elle était orientée vers le haut, comme si elle venait du chêne.

— Joe...

— J'ai vu.

Nous nous approchâmes encore du chêne, Pike par la gauche, moi par la droite. Son tronc était ridé, ses feuilles, toutes sèches, s'accrochaient encore à ses branches tourmentées. Un tapis d'herbes frêles poussait au pied de l'arbre, dans la lumière morcelée que laissaient passer ses frondaisons. Il était très distinctement aplati dans la montée, comme si quelqu'un s'était assis là.

Je ne m'avançai pas davantage.

— Joe...

— J'ai vu. Il y a aussi des empreintes dans la terre, sur la gauche. Tu les vois ?

— Je les vois.

— Je peux m'approcher encore un peu, si tu veux.

Derrière nous, le soleil fut avalé par la montagne. Des flaques d'ombre jaillirent un peu partout ; les fenêtres du versant opposé s'allumèrent.

— Pas maintenant. Allons plutôt prévenir Starkey. Chen se chargera de comparer les empreintes, et ensuite, de notre côté, on fera du porte-à-porte. On a trouvé ce qu'on cherchait, Joe. Il est venu ici. C'est ici qu'il a attendu Ben.

Nous rebroussâmes chemin en suivant nos propres traces jusqu'au sommet du talus, et rentrâmes chez moi en voiture pour prévenir Starkey. Nous l'avions vue remonter de loin près de deux heures plus tôt, et pourtant, en sortant du dernier virage, je découvris sa voiture garée devant ma

124

porte. Il n'y avait personne d'autre, juste Starkey, assise au volant de sa Crown Vic, une clope au bec.

Je mis ma Corvette au garage et ressortis dans la rue avec Pike pour lui parler.

— Je crois qu'on sait où il a fait le guet, Starkey, annonçai-je. On a retrouvé des traces de pas et de l'herbe foulée. Il va falloir envoyer Chen sur place pour qu'il voie si les empreintes collent, et ensuite on ira poser des questions aux gens du quartier. Il se peut qu'un habitant ait repéré un véhicule suspect, et pourquoi pas noté son numéro de plaque.

J'avais parlé d'une seule traite, presque comme si je m'attendais que Starkey pousse un cri de joie, ce qui ne fut pas le cas. Elle garda son air lugubre ; son visage était aussi sombre qu'un orage en formation.

— Je crois qu'on tient quelque chose, Starkey, insistai-je. Qu'est-ce qui ne va pas ?

Elle tira une dernière fois sur sa cigarette, l'écrasa du bout de sa chaussure.

— Il a rappelé.

Il y avait forcément autre chose, mais j'avais trop peur qu'elle ne m'annonce la mort de Ben pour oser la relancer. Peut-être sentit-elle mon inquiétude. Elle haussa les épaules, comme en réponse à la question que je n'étais pas assez courageux pour poser.

— Pas chez vous, ajouta-t-elle. Chez votre amie.

— Qu'est-ce qu'il a dit ?

Starkey me dévisagea d'un air circonspect, comme si elle espérait que je lirais aussi la réponse à cette question-là dans son regard, ce qui lui éviterait de devoir s'expliquer.

— Vous allez bientôt l'entendre vous-même. Elle a eu la présence d'esprit de déclencher la fonction d'enregistrement de son répondeur, on a donc l'essentiel de l'appel.

Suivez-moi, on a besoin que vous nous disiez s'il s'agit du même homme.

Je ne bougeai pas.

— Il a dit quelque chose sur Ben ?

— Non, rien sur Ben. Venez, tout le monde nous attend au commissariat. Prenez votre bagnole. Je ne veux pas avoir à vous ramener après.

— Est-ce qu'il a fait du mal à Ben, Starkey ? Répétez-moi ce qu'il a dit, bon Dieu !

Starkey se rassit dans sa voiture et me répondit après un long silence :

— Il vous accuse d'avoir massacré vingt-six civils et assassiné vos camarades pour éliminer les témoins. Voilà ce qu'il a dit, Cole, c'est vous qui avez insisté pour le savoir. Et maintenant, suivez-moi. Il faut que vous entendiez sa voix.

Elle démarra, et je me retrouvai dans l'obscurité.

Temps écoulé depuis la disparition :
27 heures, 31 minutes

Le commissariat de police de la Hollywood Division est un immeuble long et bas de briques rouges construit à un bloc au sud de Hollywood Boulevard, à mi-chemin entre les studios Paramount et le Hollywood Bowl. À mon arrivée, les rues du quartier étaient congestionnées par des milliers de véhicules qui roulaient vers nulle part à une vitesse d'escargot. Des cars touristiques allaient et venaient le long du Hall of Fame et d'autres étaient alignés devant le Chinese Theatre, plein à craquer de touristes qui payaient trente-cinq dollars pour passer un moment assis au milieu d'un embouteillage monstre. Il faisait complètement noir quand je m'engageai dans le parking situé derrière le commissariat. La limousine de Richard était stationnée le long d'une palissade. Starkey m'attendait à côté de sa Crown Vic, une cigarette à la main.

— Vous portez une arme ?

— Je l'ai laissée chez moi.

— On n'a pas le droit d'entrer ici enfouraillé.

— Allons, Starkey, vous croyez peut-être que je vais assassiner un témoin ?

Elle jeta sèchement son mégot en direction d'une voiture de patrouille. Une pluie d'étincelles rebondit sur le pare-chocs.

— Pas la peine de prendre la mouche, fit-elle. Où est Pike ?

— Je l'ai déposé devant chez Lucy. Si ce fumier a son numéro de téléphone, il doit aussi savoir où elle habite. Quoi, vous avez peur que ça foute la merde dans votre dossier, ça aussi ?

Elle ne chercha pas à argumenter.

— C'était Gittamon, Cole. Pas moi.

Nous entrâmes par une double porte vitrée et empruntâmes un couloir carrelé jusqu'à une salle dont la porte arborait l'inscription ENQUÊTES. Cette salle était divisée en box par un certain nombre de demi-cloisons, et la plupart des chaises étaient vides ; soit la criminalité était rampante, soit tout le monde était rentré chez soi. Gittamon et Myers, une mince serviette en cuir sous le bras, discutaient à voix basse à l'autre bout de la pièce. Gittamon s'excusa et vint vers nous.

— Carol vous a mis au courant de ce qui s'est passé ? me demanda-t-il.

— Elle m'a parlé de l'appel. Où est Lucy ?

— Nous nous sommes installés dans une salle d'audition. Je dois vous avertir que cet enregistrement risque de vous déranger. Le ravisseur affirme certaines choses...

— Avant d'en arriver là, interrompit Starkey, il serait peut-être bon que Cole vous parle de ce qu'il a trouvé. Il se peut qu'ils tiennent une piste, Dave.

Je parlai brièvement des empreintes et de l'herbe aplatie que Pike et moi avions découvertes, en expliquant ce que cela signifiait à mon sens. À la façon dont Gittamon écouta mon exposé, on aurait dit que cela l'encombrait plus qu'autre chose.

— Cole n'a pas tort de dire que quelqu'un a dû faire le guet sur l'autre versant du canyon, enchaîna Starkey quand j'eus terminé. Je vérifierai ça demain avec Chen dès qu'on aura une lumière suffisante. Il se peut que les empreintes correspondent.

Intrigué par notre conciliabule, Myers s'approcha et me lorgna par en dessous.

— Décidément, Cole, vous attirez les indices comme un aimant, lâcha-t-il. Vous volez de découverte en découverte. C'est de la chance, ou quoi ?

Je l'ignorai. C'était soit ça, soit l'attraper au collet.

— Alors, Gittamon, vous me faites écouter cette bande ?

On me conduisit dans la salle d'audition où Lucy et Richard attendaient devant une table grise et nue. La pièce était peinte en beige parce qu'un psychologue du LAPD avait décrété que le beige était une couleur apaisante, mais personne n'avait l'air en paix.

— Enfin ! grommela Richard. Ce fils de pute a appelé Lucy, Cole. Il l'a appelée chez elle, bordel de merde.

Il tenta de poser une main dans le dos de Lucy, qui la chassa d'un haussement d'épaules.

— Richard, vous commencez à me faire sérieusement chier avec vos remarques insidieuses.

Ses mâchoires se crispèrent, et il regarda ailleurs. Je tirai une chaise à côté de Lucy et, baissant le ton :

— Comment est-ce que tu te sens ?

Elle s'adoucit un bref instant mais, presque aussitôt, une lueur de férocité lui embrasa les traits.

— Je vais retrouver ce salaud moi-même. Je vais tout régler et, quand je serai sûre que Ben ne risque plus rien, je m'occuperai de lui.

— Je sais. Moi aussi.

Elle m'observa brièvement de ses yeux féroces, secoua la tête et regarda le lecteur de cassettes. Gittamon prit un siège en face d'elle pendant que Starkey et Myers restaient debout près de la porte.

— Madame Chenier, commença Gittamon, vous n'avez pas besoin de réentendre ça. Ça n'est vraiment pas indispensable.

— Je tiens à le réentendre. Je suis prête à le réentendre toute la nuit.

— Comme vous voudrez. Monsieur Cole, pour votre gouverne, Mme Chenier a reçu cet appel à cinq heures quarante cet après-midi. Elle a enregistré l'essentiel de la conversation, sauf le début. Ce que vous êtes sur le point d'entendre est donc une conversation incomplète.

— Starkey m'a prévenu. Est-ce que l'appel a été passé du même numéro ?

— La compagnie des Télécom travaille là-dessus en ce moment même. L'enregistrement que vous allez entendre est une copie, la qualité du son n'est donc pas excellente. L'original est parti à la SID. On pourra peut-être tirer quelque chose du fond sonore, même s'il ne faut pas trop y compter.

— D'accord. Je comprends.

Gittamon mit l'appareil en marche. Le haut-parleur bon marché déversa un chuintement audible, puis une voix masculine prit brusquement la parole :

La voix : ... sais que vous n'avez rien à voir là-dedans, mais cet enculé doit payer pour ce qu'il a fait.

Lucy : Je vous en supplie, surtout ne lui faites aucun mal ! Rendez-le-moi !

La voix : La ferme, écoutez-moi ! Écoutez-moi ! Cole les a tués ! Je sais ce qui s'est passé, pas vous, alors ÉCOUTEZ-MOI !

Gittamon interrompit le défilement.

— C'est l'homme qui vous a appelé hier soir ?

— Oui, c'est lui.

Tout le monde dans la pièce m'observait, Richard et Lucy encore plus que les autres. Richard était affalé sur sa chaise, les bras croisés, l'air renfrogné, tandis que Lucy était penchée au-dessus du bord de la table, prête à bondir comme une nageuse sur son plot de départ. Jamais je ne l'avais vue me regarder de cette façon.

Gittamon nota ma réponse sur son calepin.

— Bien. C'est la deuxième fois que vous écoutez cette voix, est-ce qu'elle vous rappelle quelqu'un cette fois-ci ? Est-ce que vous savez qui c'est ?

— Non. Je ne sais pas qui c'est.

— Tu en es sûr ? interrogea Lucy.

Les tendons de sa main étaient tendus comme des câbles, et son souffle était aussi laborieux que si elle venait de porter un énorme fardeau.

— Je ne connais pas cet homme, Luce.

Gittamon posa de nouveau une main sur le lecteur.

— On continue.

À peine eut-il pressé le bouton que les deux voix se chevauchèrent, chacune tentant de couvrir l'autre :

Lucy : S'il vous plaît, je vous en supplie.

La voix : J'y étais, ma petite dame, je sais de quoi je parle !

Ils ont massacré vingt-six personnes, putain, vingt-six inno-
cents ! Je ne sais pas comment le truc a démarré... !

Lucy : Ben n'est qu'un enfant ! Il n'a jamais fait de mal à
personne ! S'il vous plaît !

La voix : Ils rôdaient dans la jungle, livrés à eux-mêmes,
alors ils se sont dit et puis merde, personne ne saura rien si
on la boucle, et ils se sont juré mutuellement de garder le
secret, mais Cole ne leur faisait pas confiance...

Lucy : Dites-moi ce que vous voulez ! Par pitié, rendez-moi
mon fils...

La voix : Johnson, Rodriguez, les autres... il les a tous
liquidés pour qu'il n'y ait pas de témoins ! Il a descendu ses
coéquipiers !

Lucy : Ce n'est qu'un bébé... !

La voix : Désolé si ça tombe sur votre fils, mais Cole va
payer. C'est de sa faute.

Fin du message.

Le lecteur de cassettes chuinta quelques secondes dans
le silence, et Gittamon déclencha le rembobinage.
Quelqu'un bougea dans mon dos, Starkey ou Myers.
Gittamon s'éclaircit la gorge.

— Diantre, lâchai-je. J'ai dû en rater un pour que ce
mec sache tout ça.

Je vis frémir les paupières de Lucy.

— Comment oses-tu plaisanter ?

— Je plaisante parce que c'est totalement absurde.
Qu'est-ce que tu veux que je réponde à un mensonge
pareil ? Il n'y a rien de vrai dans ce qu'il dit. Il a tout
inventé.

Richard tapota nerveusement la table.

— Comment pourrions-nous être sûrs de ce qui s'est
vraiment passé là-bas et du rôle exact que vous y avez
joué ?

Lucy lui lança un coup d'œil exaspéré Elle faillit dire quelque chose, mais se ravisa.

— Nous ne sommes pas ici pour proférer des accusations, monsieur Chenier, intervint Gittamon.

— C'est ce salaud qui l'accuse, pas moi, et pour vous dire la vérité, je me fous comme de ma première chemise de ce que Cole a pu faire au Vietnam. La seule chose qui m'importe, c'est que Ben a été enlevé, et qu'il a été enlevé parce que ce fils de pute… (il vrilla l'index sur le lecteur) a des comptes à régler avec Cole.

— Calme-toi, Richard dit Lucy Tu ne fais que jeter de l'huile sur le feu.

Richard soupira, comme s'il etait fatigué de revenir sans cesse sur le sujet.

— Comment peux-tu être à ce point aveugle sur Cole, Lucille ? Tu ne sais rien de lui !

— Je sais que j'ai confiance en lui.

— C'est parfait. Vraiment parfait. Bien sûr ! Comment aurais-tu pu dire autre chose ?

Richard fit un signe de la main à Myers.

— Passez-la-moi, Lee.

Myers lui tendit sa serviette. Richard en retira une chemise cartonnée brune qu'il fit claquer sur la table.

— Pour ton information, puisque tu sais tellement de choses : si Cole s'est engagé dans l'armée, c'est parce qu'un juge lui a donné le choix, la prison ou le Vietnam. Tu savais ça, Lucille ? Il te l'a dit ? Bon Dieu, tu t'exposes et tu exposes notre fils à toute une faune d'individus dépravés et dangereux depuis que tu fréquentes ce type, et tu te conduis comme si ça ne me regardait pas. Eh bien, j'ai décidé que ça me regardait parce que, figure-toi, tout ce qui touche à mon fils me regarde.

Lucy fixa la chemise brune sans y toucher. Richard se

132

tourna vers moi, mais c'était toujours à elle que s'adressaient ses paroles :

— Tant pis si tu es devenue folle, et tant pis si ça ne te plaît pas. J'ai fait prendre des renseignements sur lui, et voilà le résultat : ton petit ami a toujours eu le don de s'attirer des ennuis, depuis son enfance – voies de fait, coups et blessures, vol de voiture aggravé... Vas-y, lis ce dossier.

Un torrent de sang bouillant m'inonda le visage. J'avais l'impression d'être un enfant pris en flagrant délit de mensonge parce que cet autre moi était quelqu'un d'entièrement différent, tellement éloigné dans le temps que je l'avais mis au rancart. Je m'efforçai de me rappeler si oui ou non j'en avais déjà parlé à Lucy, et je compris à la dureté de son regard que la réponse était non.

— Et mes notes au bac, Richard ? Vous les avez aussi ?

Richard parlait toujours ; il ne m'avait pas quitté des yeux une seule seconde.

— Il te l'a dit, Lucille ? Est-ce que tu lui as seulement posé la question avant de lui confier notre fils ? Ou étais-tu tellement prise au piège de tes petits désirs égoïstes que tu n'as jamais voulu te soucier de ça ? Réveille-toi, Lucille, bon sang !

Il se leva, contourna la table sans attendre que Lucy ou quiconque ait esquissé une réponse et sortit. Myers resta un moment sur le seuil, dardant sur moi ses yeux de poisson. Je soutins son regard. Mon pouls vrombissait contre mes tympans, et je mourais d'envie qu'il me dise quelque chose. Tant pis si nous étions chez les flics. J'attendais qu'il parle, mais il ne parla pas. Il pivota sur lui-même et suivit Richard.

Lucy regardait fixement la chemise brune, mais je ne crois pas qu'elle la voyait. J'eus envie de lui prendre la main, mais ma fièvre était trop intense pour que je m'y risque. Gittamon respirait avec une sorte de sifflement rauque.

Starkey se décida enfin à rompre le silence :

— Je suis navrée, madame Chenier. Ça n'a pas dû être facile pour vous.

Lucy opina.

— Non. Effectivement.

— J'ai fait deux ou trois conneries quand j'avais seize ans, dis-je. Qu'est-ce que vous voulez que je dise de plus ?

Personne ne me regardait. Gittamon tendit la main au-dessus de la table pour tapoter celle de Lucy.

— C'est toujours dur quand un enfant disparaît. C'est dur pour tout le monde. Vous voulez que quelqu'un vous ramène ?

— Je m'en charge, dis-je.

— Je sais que c'est très pénible, monsieur Cole, mais nous aimerions vous poser quelques questions supplémentaires.

Lucy se leva, les yeux toujours fixés sur la chemise.

— J'ai ma voiture, répondit-elle. ça va aller.

Je lui touchai le bras.

— C'est moins grave que ce qu'il a laissé entendre, dis-je. J'étais gamin.

Elle hocha la tête. Posa sa main sur la mienne, mais toujours sans me regarder.

— Ça va aller, répéta-t-elle. C'est fini, sergent ?

— En ce qui vous concerne, oui, madame. Vous êtes sûre que ça ira pour ce soir ? Vous feriez peut-être mieux d'aller dormir chez des amis, ou à l'hôtel ?

— Non, je tiens à être chez moi au cas où il rappellerait. Merci à vous deux. J'apprécie votre travail.

— Comme vous voudrez.

Lucy contourna la table et marqua un temps d'arrêt sur

le seuil. Elle me regarda, mais je sentis que c'était un effort pour elle.

— Je suis navrée. Il a vraiment été en dessous de tout.

— Je passerai dans la soirée.

Elle s'en alla sans me répondre. Après l'avoir suivie un moment des yeux, Starkey se laissa tomber sur une des chaises vacantes.

— Putain, elle a épousé un connard de première.

Gittamon s'éclaircit de nouveau la gorge.

— Si on prenait un petit café avant de continuer ? Monsieur Cole, au cas où vous en auriez besoin, je peux vous montrer où sont les toilettes.

— Ça ira.

Gittamon partit chercher son café. Starkey soupira et m'offrit un de ces pauvres petits sourires que les gens vous adressent quand ils ont pitié de vous.

— Dur, hein ?

Je hochai la tête.

Starkey attrapa la chemise en la faisant glisser sur la table. Elle l'ouvrit et parcourut rapidement son contenu.

— Putain, Cole, vous étiez un vrai fouteur de merde à l'adolescence.

Je hochai la tête.

Personne ne desserra les dents avant le retour de Gittamon.

Je leur parlai ensuite d'Abbott, de Rodriguez, de Johnson, de Fields, et de la façon dont tous étaient morts. Je n'avais plus évoqué ces événements depuis que j'avais rendu visite à leurs familles ; non pas parce que j'en avais honte, ni parce que c'était trop douloureux, mais parce qu'il faut laisser les morts tranquilles, sans quoi ils vous entraîneront au fond du trou. Parler d'eux, c'était un peu comme observer la vie de quelqu'un d'autre par le mauvais bout d'une lorgnette.

— Cet homme connaît votre numéro de patrouille, dit Gittamon, il connaît le nom d'au moins deux de vos camarades, et il sait que tout le monde s'est fait tuer sauf vous. Qui pourrait être au courant de tout ça ?

— Les familles. Tous ceux qui ont servi dans ma compagnie à cette époque-là. L'armée.

— Cole m'a remis tout à l'heure une liste de noms, intervint Starkey. J'ai demandé à Hurwitz de lancer une recherche sur le NLETS[1], y compris pour les morts. Résultat : zéro.

— L'un d'eux pourrait avoir eu un frère cadet, suggéra Gittamon. L'un d'eux pourrait avoir eu un fils. À un moment donné, le type dit : « Il a fait de ma vie un enfer. » Il nous dit qu'il a souffert.

— Il nous dit aussi qu'il était là-bas, objectai-je, mais nous n'étions que cinq, et les quatre autres sont morts. Appelez les militaires et demandez-leur. Ma citation et le rapport de mission vous diront exactement ce qui s'est passé ce jour-là.

— Je les ai appelés, dit Starkey. Je lirai tout ça ce soir.

Gittamon opina et jeta un coup d'œil sur sa montre. Il se faisait tard.

— Bien. Demain, on contacte les familles. Ça nous permettra peut-être d'y voir plus clair. Carol ? Autre chose ?

— Je pourrais avoir une copie de l'enregistrement ? demandai-je. Je voudrais le réécouter.

— Rentrez chez vous, Dave, proposa Starkey. Je m'occupe de sa copie.

Gittamon me remercia d'être venu et se leva. Il eut un

---

1. Le NLETS (National Law Enforcement Telecommunications System) est un système informatique centralisant au niveau national des informations sur la délinquance. (N.d.T.)

136

instant d'hésitation, comme s'il envisageait d'emporter chez lui la chemise brune laissée par Richard, et me regarda de nouveau.

— Je tiens à m'excuser pour cet éclat, moi aussi. Si j'avais pensé une seule seconde qu'il se comporterait comme ça, je ne l'aurais pas laissé faire.

— Je sais. Merci.

Après un dernier coup d'œil sur la chemise, Gittamon rentra chez lui. Starkey s'en alla avec la cassette – et ne revint pas. Quelques minutes plus tard, un inspecteur que je n'avais jamais vu m'en apporta une copie, m'escorta jusqu'à la double porte vitrée et me mit dehors.

Je restai immobile sur le trottoir, regrettant de ne pas avoir pris la chemise. J'aurais voulu savoir ce que Richard savait de moi, mais je ne voulais pas retourner dans cette salle d'audition. La fraîcheur du soir me parut accueillante. Peu après ma sortie, la double porte se rouvrit sur un inspecteur qui vivait lui aussi au sommet du canyon, pas très loin de chez moi. Il abrita une cigarette au creux de sa paume, et je vis flamboyer son briquet

— Salut, dis-je.

Il lui fallut plusieurs secondes pour me remettre. Quelques années auparavant, sa maison avait été endommagée par le grand tremblement de terre. À l'époque, je ne le connaissais pas et j'ignorais qu'il était au LAPD, mais peu de temps après, en faisant mon jogging, j'étais passé devant chez lui pendant qu'il empilait les débris et j'avais remarqué le petit rat tatoué sur son épaule. Ce tatouage signifiait qu'il avait été rat de tunnel[1] au Vietnam. Je m'approchai et lui tendis la main. Peut-être à cause de ce lien qui nous unissait.

---

1. Troupes chargées de nettoyer les réseaux de galeries souterraines creusés par le Vietcong. (N.d.T.)

— Ah, oui, ça y est, fit-il. Comment ça va ?

— J'ai entendu dire que vous aviez laissé tomber.

Il considéra sa cigarette avec un froncement de sourcils, tira une longue bouffée dessus et la jeta sur le trottoir.

— C'est vrai.

— Je ne parlais pas de la clope. J'ai entendu dire que vous aviez démissionné.

— Exact. Je suis repassé signer les papiers.

Il était temps de rentrer, mais nous ne bougeâmes ni l'un ni l'autre. J'avais envie de lui parler d'Abbott et de Fields, de lui raconter que j'avais fait semblant d'être malade après leur mort parce que j'avais peur de repartir en mission. J'avais envie de lui dire que je n'avais commis aucun massacre, que la rage que j'avais lue dans les yeux de Lucy m'avait fichu une trouille bleue, et j'avais envie de lui révéler toutes les autres choses que j'avais tues jusque-là, parce qu'il était plus âgé, qu'il avait été là-bas et que je pensais qu'il pourrait me comprendre, mais je me contentai de regarder le ciel.

— Eh bien, reprit-il, passez donc chez moi un de ces soirs. On boira une petite bière.

— D'accord. Vous aussi, n'hésitez pas.

Il contourna l'immeuble à pied et disparut. Je m'attardai, songeant à son silence et au mien.

Un jour, Joe Pike et moi avions roulé jusqu'à la pointe de la péninsule de Baja California avec deux filles de notre connaissance. Nous avions pêché du poisson et campé sur une plage de Cortez. Sous cette latitude, l'été, les rayons du soleil chauffent la mer de Cortez à la température d'un bain chaud. L'eau est tellement salée que, si l'on ne se rince pas après, on ne tarde pas à avoir la peau couverte de flocons blancs. Elle est tellement dense qu'elle nous rejette à la surface, comme si elle refusait de nous absorber. Elle a aussi le pouvoir de bercer, cette eau. Elle donne une impression de sécurité même quand il n'y en a aucune.

Ce premier après-midi, la mer était d'huile, plate comme un étang. Nous allâmes nager tous les quatre mais, tandis que les autres revenaient à la brasse vers la plage, je restai dans l'eau lisse. Je flottais sur le dos sans effort, fixant l'azur limpide dans un état proche de la béatitude.

Peut-être m'endormis-je. Peut-être avais-je trouvé la paix.

J'étais absolument tranquille dans mon monde intérieur quand, tout à coup, une poussée formidable me souleva sans préavis en même temps que je sentais la mer se dérober sous moi. Je tentai de battre des jambes, mais la pression était trop forte. Je tentai de redresser le buste, mais la vague montait trop vite. Le temps d'un battement de cœur, je sentis que j'allais vivre, mourir, ou disparaître, sans rien pouvoir y changer. J'étais perdu, aux mains d'une force inconnue à laquelle je n'avais aucune chance de résister.

La mer se calma et redevint lisse.

Pike et les filles avaient tout vu. Quand j'eus rejoint le rivage, ils m'expliquèrent : la mer de Cortez grouille de requins pèlerins. Ils sont inoffensifs, mais leur taille est monstrueuse, pouvant atteindre quinze mètres, et leur poids se mesure en tonnes. Ils aiment croiser à la surface quand l'eau est chaude. J'avais eu le malheur de faire la planche sur la trajectoire de l'un d'eux. Il avait plongé au lieu de me contourner. La turbulence m'avait soulevé dans son sillage.

J'avais oublié le sentiment de peur qui m'avait saisi durant cette poignée de secondes où mon corps et mon destin s'étaient trouvés sous l'emprise d'une force inconnue ; un sentiment d'impuissance et de solitude à l'état pur.

Jusqu'à ce soir.

10

Rat de tunnel

La sueur s'accumulait dans les orbites de Ben. Il devait régulièrement tourner la tête sur le côté pour s'essuyer les yeux contre son épaule. Dans l'obscurité sans fond de sa prison de plastique, il tenta de travailler les yeux fermés, mais son instinct le poussait sans cesse à les rouvrir comme s'il attendait une vision. Ses vêtements étaient trempés, ses épaules lui faisaient mal, il avait des crampes aux doigts, mais il connaissait une sorte d'extase : l'école était finie, Noël approchait, il fonçait vers la victoire finale. Ben Chenier allait franchir la ligne d'arrivée et il était *heu-reux* !

— Je vais me sortir de là. *JE VAIS ME SORTIR DE LÀ* !

La fente transversale de son ciel de plastique s'ouvrit comme une plaie dont on aurait arraché les points de suture. Ben avait besogné comme un furieux toute la nuit et toute la journée. La Silver Star mordait sans relâche dans le plastique épais, et la terre meuble n'en finissait pas de lui tomber dessus en pluie fine.

— Ouais, c'est ça ! *OUAIS* !

Il avait usé trois des cinq pointes de l'étoile, mais dans le courant de l'après-midi la fente était devenue une sorte de sourire en dents de scie qui s'étirait à présent sur toute la largeur de la caisse. Ben introduisit ses doigts dedans et tira de toutes ses forces. Des graviers minuscules rebondirent autour de lui lorsqu'un nouveau flot de terre coula à travers la fente, mais le plastique était costaud et ne se laissait pas tordre facilement.

— Et MERDE !

Ben perçut un murmure, suivi d'un vague piétinement, et se demanda s'il était encore en train de rêver. Il ne voyait pas d'inconvénient à ce que la Dame du Blâme revienne lui rendre visite ; elle était vraiment trop canon. Il interrompit son labeur pour tendre l'oreille.

— Réponds-moi, petit. Je t'entends bouger.

Eric ! Sa voix s'était déversée par le tuyau, caverneuse et lointaine.

— Réponds-moi, merde !

La rondelle de ciel bleu n'était plus visible ; Eric devait être tellement près du tuyau qu'il bloquait la lumière du jour.

Ben retint son souffle, soudain plus effrayé qu'au moment où ils l'avaient enfermé dans cette caisse. Et dire que quelques heures plus tôt il priait encore pour qu'ils reviennent ! Alors qu'il était maintenant à deux doigts de la liberté ! S'ils le surprenaient en train de chercher à s'évader, ils lui confisqueraient sa médaille, lui ligoteraient les poignets et le réenterreraient – et, cette fois, il serait vraiment pris au piège !

La rondelle de ciel bleu reparut ; quand Eric parla, sa voix était plus distante.

— Ce petit empaffé ne veut pas répondre. Tu crois qu'il va bien ?

Ben entendit clairement la réponse de Mazi.

— Ça ne change pas grand-chose.

Eric fit une nouvelle tentative.

— Petit ? Tu veux de l'eau ?

Dans l'obscurité de sa caisse, Ben se fit tout petit. Le seul moyen pour eux de savoir s'il était mort ou vivant, c'était de le déterrer, mais ils ne s'y risqueraient certainement pas en plein jour. Ils attendraient qu'il fasse noir. Personne ne voit les gens faire leurs sales coups dans le noir.

— Petit ?

L'obscurité retomba. Ben demeura parfaitement immobile.

— Espèce de petit merdeux !

La lumière réapparut dès qu'Eric se fut redressé. Ben compta jusqu'à cinquante et, au cas où ce ne serait pas assez, compta de nouveau jusqu'à cinquante avant de se remettre à l'ouvrage. Il était lancé dans une espèce de course contre la montre ; il fallait qu'il soit sorti avant que les autres ne reviennent le déterrer. Les mots de l'Africain résonnèrent longtemps dans le noir : *Ça ne change pas grand-chose*

Il explora à tâtons les lèvres de la fente jusqu'à trouver tout près de son centre une minuscule déchirure perpendiculaire qu'il entreprit d'agrandir. Il maniait la Silver Star avec de petits gestes secs, comme quelqu'un qui signe un contrat. Inutile de forcer ; il avait juste besoin d'une encoche pour avoir une meilleure prise.

Plus le tranchant de l'étoile mordait dans le plastique, plus l'encoche grandissait. Il gratta un peu la terre au-dessus du couvercle, agrippa les deux côtés de l'entaille et tira. Une pluie argileuse s'abattit aussitôt dans la caisse. Ben éternua, chassa la terre de ses yeux. La fente s'était transformée en un petit orifice triangulaire.

— OUAIS !

142

Il chassa des pieds la terre au fond de la caisse, rangea la Silver Star dans sa poche. Après avoir relevé son tee-shirt sur le bas de son visage en guise de masque de protection, il se remit à gratter. Réussit à passer une main dans l'orifice, puis le poignet, puis le coude. Creusa la terre aussi haut qu'il put, jusqu'à créer une importante cavité en forme de dôme. Tira de tout son poids sur le plastique de chaque côté de l'orifice triangulaire, comme s'il faisait une traction. Le triangle refusa de s'ouvrir davantage.

— Saloperie ! Putain de connerie de ta race !

Il insulta l'orifice.

— *Lopette !*

Il avait créé une porte ; il ne lui restait plus qu'à l'ouvrir. *OUVRE LA PORTE !*

Ben se mit en boule en ramenant les genoux contre sa poitrine. Il cala un genou sous le côté gauche du triangle et empoigna le côté droit à deux mains. Il tira tellement fort que son dos se décolla du plancher.

Le plastique céda lentement, comme une barre de caramel qu'on coupe en deux.

Ben lâcha prise et retomba.

— *OUAIS-OUAIS-OUAIS !*

Il s'essuya les mains et répéta l'opération. Il fit un tel effort que ses tempes se mirent à vrombir, et le couvercle céda d'un seul coup, comme si le plastique avait décidé d'abandonner le combat. Un torrent de terre se déversa par la brèche, mais Ben s'en fichait grave – sa prison était ouverte.

Il repoussa la terre et les cailloux au fond de la caisse et acheva d'éventrer le couvercle. Une quantité de terre toujours croissante s'entassait autour de lui. Il réussit à glisser un bras, puis la tête dans l'ouverture. L'argile fraîchement retournée se laissait facilement creuser. En se tortillant, il parvint à passer les épaules à travers la brèche et se retrouva bientôt à l'extérieur jusqu'à la taille. Il se mit à griffer la terre au-dessus de sa tête pour la faire tomber sur les côtés, tel un nageur de brasse, mais plus il griffait, plus la terre se tassait le long de son corps. Ses mouvements devinrent frénétiques. Il s'élevait petit à petit, mais la terre de plus en plus compacte autour de lui semblait chercher à l'étouffer comme une mer glacée.

Il n'arrivait plus à respirer !

Il allait se faire broyer !

La panique le submergea, l'absolue certitude qu'il allait mourir...

... quand, soudain, il creva la surface. L'air frais de la nuit lui effleura la joue. Un canevas d'étoiles piquetait le ciel au-dessus de sa tête. Il était libre !

— *Je savais que tu finirais par lui botter le train*, chuchota la voix de la Dame.

Ben s'efforça de se repérer. Il faisait nuit, et il venait d'émerger dans un jardin clos, quelque part dans la montagne. Quelle montagne, il n'en avait pas la moindre idée, mais les lumières de la ville scintillaient dans le lointain.

Il se tortilla sur le sol jusqu'à ce que ses pieds soient enfin dégagés. Il était sorti au milieu d'un parterre de fleurs, au bord de la terrasse d'une belle villa, même si le jardin attenant avait l'air sec et plutôt mal en point. Des murs recouverts de lierre masquaient les maisons voisines.

Il craignait d'être repéré par Mike et les autres, mais la maison était dans le noir, et tous les stores étaient baissés. Il courut jusqu'à la façade et se pelotonna dans l'ombre comme si c'était un vieux manteau très confortable.

Une allée bordait le côté de la maison jusqu'à l'avant. Ben la longea sur la pointe des pieds, si discrètement qu'il n'entendit pas une fois le bruit de ses pas. Ayant atteint un portillon grillagé, il faillit l'ouvrir en grand d'un seul coup et prendre ses jambes à son cou, mais il avait trop peur que ses ravisseurs ne le rattrapent. Il l'entrouvrit tout doucement. Les gonds grincèrent légèrement, et ensuite le battant pivota sans résister. Ben tendit l'oreille, prêt à détaler à la moindre alerte, mais la maison était toujours plongée dans le silence.

Il franchit le portillon. Il était maintenant tout proche de l'avant de la villa. Son regard se posa sur une maison illuminée de l'autre côté de la rue, avec deux voitures garées dans l'allée. Il y avait sûrement une famille à l'intérieur, pensa-t-il ; une maman, un papa, des adultes qui pourraient lui venir en aide ! Il ne lui restait plus qu'à traverser la rue sans faire de bruit et à frapper à leur porte.

Arrivé à l'angle de la villa, il jeta un coup d'œil. L'allée en pente était courte, et surtout déserte. La porte du garage, baissée. Toutes les fenêtres, éteintes.

Ben sourit à belles dents. Il s'était évadé ! Au moment où il s'avançait dans l'allée, deux mains d'acier se plaquèrent sur sa bouche et le firent basculer en arrière.

Il essaya de hurler, sans succès. Il donna des coups de pied et se débattit autant qu'il put, mais d'autres mains d'acier, surgies de nulle part, lui saisirent les bras et les jambes.

— Arrête de gigoter, petit con !

Eric n'était qu'un murmure rauque au creux de son oreille ; Mazi, un géant d'ébène tapi à ses pieds. Des larmes brouillèrent son champ de vision. *Ne me remettez pas dans cette caisse*, tenta-t-il de supplier. *S'il vous plaît, ne m'enterrez plus !* Mais ses mots ne purent franchir le barrage de la paume d'Eric.

Mike émergea de l'ombre et serra le bras d'Eric. La brusque défaillance de celui-ci fit indirectement sentir à Ben la force terrifiante de la poigne de son chef.

145

— Un gosse de dix ans, et il vous fait marrons. Ça me donne envie de vous en coller une, putain.

— Mike, merde, on l'a rattrapé... Et puis ça nous évitera la peine de le déterrer.

Mike palpa de ses grosses mains les jambes de Ben, fouilla dans ses poches et en extirpa la Silver Star, qu'il observa en la tenant par le ruban.

— C'est Cole qui t'a refilé ça ?

Ben ne put que hocher la tête.

Mike agita la médaille sous le nez de Mazi et d'Eric.

— Voilà avec quoi il a éventré le couvercle. Vous voyez comme les pointes sont émoussées ? Vous avez sacrément merdé, les gars. Vous auriez dû le fouiller.

— C'est qu'une médaille, merde, pas un couteau.

Mike attrapa Eric à la gorge avec une telle vitesse que Ben ne vit même pas partir sa main. Leurs visages n'étaient plus qu'à quelques centimètres l'un de l'autre, et il était pris en sandwich entre les deux !

— Encore une connerie de ce genre, et je te fume.

— Oui... chef..., gargouilla Eric.

— Fais gaffe, mec. Tu vaux mieux que ça.

Eric voulut répondre, mais aucun son ne sortit. Mike avait encore accentué son étau.

— Arrête, dit Mazi en lui agrippant le bras. Tu vas le tuer.

Mike lâcha prise. Il regarda la Silver Star et la remit dans la poche de Ben.

— Tu l'as méritée.

Mike recula d'un pas, ce qui donna à Ben le temps d'entrapercevoir la maison d'en face et d'imaginer la famille qui y vivait. Ses yeux se brouillèrent de larmes. Il était si près du but !

Mike se retourna vers les deux autres.

— Ramenez-le à l'intérieur. On va lui faire passer ce coup de fil.

À trente mètres de là, les membres de la famille Gladstone savouraient un pâté de viande en se racontant les événements de la journée. Emile était le père, Susse la maman ; Judd et Harley, les deux fils. Leur maison était douillette et brillamment éclairée, des rires fusaient à tout instant. Aucun d'eux ne vit ni n'entendit les trois hommes et l'enfant ; tout juste avaient-ils la vague impression que des travaux mineurs avaient été effectués dans la journée sur le terrain de la maison d'en face, sans doute en vue de l'entrée dans les lieux des nouveaux propriétaires. Pour les Gladstone, cette maison était encore inoccupée. Il n'y avait personne.

DEUXIÈME PARTIE

Le diable est lâché

11

Temps écoulé depuis la disparition :
28 heures, 2 minutes

Joe Pike

Pike était tapi, immobile, entre les branches rigides et les feuilles lustrées comme le cuir d'un gros caoutchouc planté face à l'immeuble de Lucy. Les interstices du feuillage lui offraient une vue directe sur la cage d'escalier menant à son appartement, et une vue un peu moins dégagée sur la rue et le trottoir. Il portait un Colt Python 357 Magnum dans un étui à la ceinture du côté droit, un couteau de combat SOG à lame de six pouces, un Beretta de poche de calibre 25 fixé le long de sa cheville droite et un nerf de bœuf en cuir. Pike avait rarement besoin de faire usage de ses armes. Lucy ne craignait rien.

Un peu plus tôt dans la soirée, Cole l'avait déposé à trois blocs de là, et il s'était rendu à pied jusqu'à l'immeuble de Lucy. Il n'était pas exclu que le ravisseur de Ben ait lui aussi organisé une surveillance, aussi Pike contrôla-t-il

méticuleusement les immeubles, les toitures et les véhicules. Lorsqu'il eut acquis la conviction que personne
d'autre que lui ne planquait dans le voisinage, il contourna
le bloc jusqu'à se retrouver derrière le bungalow qui faisait
face à l'immeuble de Lucy. Il se glissa dans l'épaisse végétation d'arbustes et de buissons qui l'entourait et devint
une ombre parmi les ombres. Pike aurait aimé savoir ce
qui s'était passé au commissariat de police de Hollywood,
mais Elvis lui avait demandé d'attendre et d'ouvrir l'œil
– ce qu'il fit.

La Lexus blanche de Lucy arriva environ une heure plus
tard. Lucy se gara le long du trottoir et monta l'escalier en
hâte. Pike ne l'avait pas revue depuis sa sortie de l'hôpital,
quelques mois plus tôt ; plus petite que dans ses souvenirs,
elle marchait avec une sorte de raideur qui trahissait son
désarroi.

La limousine noire de Richard apparut dix minutes après
le retour de Lucy et se gara en double file à hauteur de la
Lexus. Richard en sortit seul et monta à son tour. Quand
Lucy lui ouvrit, un halo doré enveloppa sa silhouette. Ils
discutèrent quelques instants, et Richard entra. La porte se
referma.

La Marquis surgit dans l'autre sens, avec Fontenot au
volant et DeNice à la place du mort. Ils stoppèrent au beau
milieu de la chaussée, en laissant le moteur au ralenti.
Myers sortit de la limousine et s'approcha d'eux. Pike
essaya d'écouter leur conversation, mais ils parlaient à voix
basse. À un moment donné, Myers, énervé, abattit une
paume rageuse sur le toit de la Marquis. « *... c'est de la
foutaise ! Bougez-vous le cul et ramenez-moi ce môme !* » Sur
ce, il s'éloigna au trot vers la cage d'escalier. DeNice sortit
de la Marquis et monta dans la limousine. Fontenot
démarra en trombe, engagea la Marquis dans une allée
d'immeuble à un bloc de distance, fit demi-tour et se gara

dans l'ombre entre deux grands arbres. Pendant qu'il effectuait sa manœuvre, Richard et Myers redescendirent à pas vifs et prirent place dans la limousine, qui redémarra illico. Pike s'attendait que Fontenot les suive, mais il resta assis sans bouger derrière son volant. Ils étaient maintenant deux à surveiller l'appartement de Lucy. Ou plutôt un et demi.

Pike avait un talent particulier pour l'attente, ce qui était une des raisons pour lesquelles il avait brillé chez les marines. Il était capable d'attendre des jours sans bouger ni s'ennuyer parce qu'il ne croyait pas à l'existence du temps. Le temps était ce qui emplissait les moments, et dès lors qu'un moment était vide, le temps ne signifiait rien. Le vide ne s'écoulait pas, il n'avait pas de durée ; il se contentait d'être. Accepter les moments vides, c'était comme se mettre soi-même au point mort : dans ces moments-là, Pike était.

La Corvette jaune de Cole s'immobilisa le long du trottoir. Comme toujours, elle aurait eu besoin d'un lavage. Pike veillait à ce que sa Jeep Cherokee rouge soit toujours d'une propreté impeccable, comme son appartement, ses armes, ses vêtements et sa personne. Aux yeux de Pike, l'ordre apportait la paix, et il ne comprenait pas comment Cole pouvait conduire une voiture aussi sale. La propreté c'était l'ordre, et l'ordre, c'était le contrôle. Pike avait passé l'essentiel de sa vie à tenter de garder le contrôle.

Elvis Cole

Les jacarandas qui bordaient la rue de Lucy étaient éclairés par de vieux réverbères jaunis par les ans. L'air, plus froid qu'à Hollywood, était chargé d'une senteur de jasmin. Pike devait faire le guet quelque part, mais je ne le vis pas et ne cherchai pas à le voir. Fontenot fut facile à repérer, planqué dans sa bagnole au bout du bloc à la façon d'un détective de film comique. Sans doute Richard tenait-il lui aussi à ce que quelqu'un veille sur Lucy.

Je gravis l'escalier et frappai deux fois à la porte, tout doucement. Je ne me sentais pas assez en confiance pour utiliser ma clé.

— C'est moi.

Le verrou tourna avec un léger cliquetis.

Lucy m'accueillit en peignoir en tissu-éponge blanc. Ses cheveux étaient humides et ramenés en arrière. Elle était toujours très mignonne dans cette tenue, même avec les traits fermés.

— Ils t'ont gardé longtemps, fit-elle.

— On avait pas mal de choses à se dire.

Elle s'effaça pour me laisser entrer, ferma la porte, remit le verrou. Elle tenait à la main son téléphone sans fil. La télévision diffusait un truc sur les végétariens aux os fragiles. Elle l'éteignit et s'approcha de la table de la salle à manger – sans me regarder, tout comme elle s'était abstenue de me regarder en quittant le bureau de Gittamon.

— J'ai à te parler, commençai-je.

— Je sais. Tu veux du café ? Ce n'est pas du frais, mais j'ai de l'eau chaude et des sachets dégustation.

— Non, ça ira.

Elle posa le combiné sur la table mais garda une main dessus.

— Je me promène partout avec ce téléphone, dit-elle en regardant l'appareil. Depuis que je suis rentrée, je n'ose plus le lâcher. Ils ont installé un de ces systèmes d'écoute sur ma ligne, au cas où il rappellerait, mais je ne sais pas trop… Ils me disent de continuer à me servir du téléphone comme en temps normal, de ne pas me soucier de ça. Ha ! Comme en temps normal…

Sans doute ce téléphone était-il plus facile à regarder que moi. Je mis ma main sur la sienne.

— Luce, ce qu'il a dit... ce n'est pas vrai. Il ne s'est rien passé de ce genre, tout est faux.

— Tu parles du type au téléphone ou de Richard ? Tu n'as pas à te sentir obligé de me dire ça. Je sais pertinemment que tu n'as pas pu faire des choses aussi horribles.

— Nous n'avons commis aucun massacre. Nous n'étions pas des assassins.

— Je sais. Je sais ça.

— Ce qu'a dit Richard...

— *Chut !*

Ses yeux me lancèrent un éclair d'acier ; ce *chut* était un ordre.

— Je ne veux pas que tu t'expliques, reprit-elle. Je ne t'ai jamais posé de questions, tu ne m'as jamais parlé de ça, et tu n'as pas à le faire maintenant.

— Lucy...

— Non. Ça ne m'intéresse pas.

— Luce...

— Je t'ai entendu discuter avec Joe. J'ai vu ce que tu gardes dans ton coffret à cigares. Ces histoires te regardent, pas moi, je comprends, c'est un peu comme pour les anciens amants et les bêtises qu'on a pu faire étant gosse...

— Je ne t'ai rien caché.

— ... Je me disais, il m'en parlera s'il en éprouve le besoin, mais aujourd'hui tout ça paraît tellement dérisoire par rapport à ce que...

— Je n'ai pas de secret. Simplement, il vaut mieux laisser certaines choses derrière soi, passer son chemin, aller de l'avant. C'est ce que je me suis efforcé de faire, et ça ne concerne pas seulement la guerre.

Elle retira sa main et s'assit.

— Ce qu'a fait Richard – commander une enquête sur

ton passé – est inqualifiable. Je te présente mes excuses. La façon qu'il a eue de laisser tomber cette chemise sur la table...

— Je me suis attiré quelques ennuis quand j'étais ado, c'est vrai. Rien de monstrueux. Je n'ai jamais cherché à m'en cacher.

Secouant la tête pour me faire taire, elle souleva le téléphone à deux mains, presque comme un objet d'étude.

— Je me raccroche si fort à ce foutu téléphone que je ne sens plus mes mains. Je me demande si je reverrai mon bébé, et je me disais tout à l'heure que si seulement je pouvais me glisser à l'intérieur du combiné par un de ces tout petits trous et ressortir à l'autre bout de la ligne...

Elle se raidit, envahie par une tension qui me la fit soudain paraître fragile comme du verre. Je me penchai vers elle, pour la toucher, mais elle se rétracta.

— ... pour récupérer mon bébé ; je me suis vue sortir de là comme on se voit dans les rêves, et quand je me suis retrouvée à l'autre bout, Ben dormait dans un joli petit lit douillet, indemne, avec son visage magnifique et paisible d'enfant de dix ans, tellement paisible que je n'osais pas le réveiller. Je regardais ce beau visage et j'essayais de m'imaginer à quoi tu ressemblais au même âge...

Elle leva sur moi un regard empreint d'une tristesse qui confinait à la douleur.

— ... mais je n'ai pas pu. Je n'ai jamais vu aucune photo de toi petit, Elvis. Tu ne parles jamais de ta famille, ni de l'endroit d'où tu viens, ni de ton enfance, sauf en blaguant. Tu sais, je te charrie souvent sur Joe, sur cette façon qu'il a de ne jamais desserrer les dents, Monsieur Mur-de-Briques, mais tu n'es pas plus bavard que lui, en tout cas pour les choses importantes, et ça me fait un drôle d'effet... Enfin, je suppose que ça fait partie de ce que tu appelles « aller de l'avant ».

— Ma famille n'était pas tout à fait normale, Luce...

— Je ne veux pas que tu m'en parles.

— ... C'est mon grand-père qui m'a élevé, essentiellement, mon grand-père et aussi ma tante, et quelquefois je n'avais personne...

— Tes secrets sont à toi.

— Ce ne sont pas des secrets. Quand j'étais avec ma mère, on déménageait tout le temps. J'aurais eu besoin de règles, et il n'y en avait aucune. J'aurais voulu avoir des amis et je n'en avais pas à cause de notre mode de vie absurde, alors j'ai fait quelques mauvais choix, j'ai fréquenté des voyous...

— Chut. Chut.

— J'avais besoin que quelqu'un soit là, et il n'y avait qu'eux. Un jour, ils se sont pointés avec une voiture volée, et je suis monté dedans pour faire un tour avec eux. C'est trop con, non ?

Elle me mit un doigt en travers des lèvres.

— Je le pense, insistai-je. On garde son passé au fond de soi comme une galerie de petites créatures secrètes. On fait tous ça, j'imagine, mais aujourd'hui c'est différent, nous sommes différents, et tout ça n'a plus la même signification pour moi.

Elle me toucha la poitrine, juste au-dessus du cœur.

— Combien de créatures secrètes est-ce que tu caches là-dedans ?

— Je vais retrouver Ben, Luce. Je te jure devant Dieu que je le retrouverai et que je te le ramènerai.

Elle secoua la tête, si imperceptiblement que je faillis ne rien voir.

— Non.

— Si, je vais le retrouver. Je vais te le ramener.

Sa tristesse se mua en une souffrance tellement manifeste qu'elle me brisa le cœur.

— Je ne te reproche pas ce qui est arrivé, de toute façon ça n'a plus grande importance. La seule chose qui compte, c'est que mon fils a disparu, et que j'aurais dû le prévoir.

— Qu'est-ce que tu veux dire ? Comment est-ce que tu aurais pu le prévoir ?

— Richard a raison, Elvis. Je ne devrais pas être avec toi. Je n'aurais jamais dû te confier mon fils.

Une brûlure atroce m'embrasa l'estomac. J'aurais voulu qu'elle s'arrête.

— Luce...

— Je t'assure, très sincèrement, je ne t'en veux pas, mais toute cette violence – c'est comme ce qui s'est passé en Louisiane, et encore l'année dernière avec Laurence Sobek –, elle n'a vraiment pas sa place dans ma vie.

— Lucy. Je t'en prie...

— Mon fils avait une enfance normale avant qu'on se connaisse. J'avais une vie normale. Je me suis laissé aveugler par l'amour que j'ai pour toi, et résultat, mon fils a disparu.

Des larmes perlèrent au bord de ses cils et roulèrent sur ses joues. Elle ne m'accusait pas ; elle s'accusait elle-même.

— Luce, ne dis pas ça.

— Je me fiche totalement de ce que cet homme a pu raconter au téléphone, mais j'ai senti la haine qu'il a contre toi. Il te hait, et Ben est entre ses mains. Il te hait tellement que tu ne pourrais qu'aggraver le mal. Laisse faire la police.

— Je ne peux pas rester les bras croisés. Il faut que je retrouve Ben.

Elle me saisit le bras ; ses ongles s'enfoncèrent dans ma peau.

— Tu n'es pas le seul à pouvoir le retrouver, Elvis. Il n'y a pas que toi.

— Je n'ai pas le droit de le laisser tomber. Tu ne comprends pas ça ?

— Tu ne réussiras qu'à le faire tuer ! Tu n'es pas le seul à pouvoir mener à bien cette enquête, Elvis ; tu n'es pas le dernier détective de Los Angeles ! Laisse faire les autres. Promets-le-moi.

J'aurais voulu l'aider à ne plus souffrir. J'aurais voulu la serrer contre moi et sentir la chaleur de son étreinte, mais mes yeux se mouillèrent et je secouai la tête.

— Je vais te le ramener, Luce. Je ne peux pas faire autrement.

Elle me lâcha le bras, s'essuya les yeux. Son visage était aussi sombre et dur qu'un masque mortuaire.

— Va-t'en.

— Ben et toi, vous êtes ma famille.

— Non. Nous ne sommes pas ta famille.

Je me sentis tout à coup invraisemblablement lourd, comme si j'avais un corps de pierre et de plomb.

— Vous êtes ma famille.

— VA-T'EN !

— Je le retrouverai.

— TU LE FERAS TUER !

Je la quittai sur ces mots et redescendis jusqu'à ma voiture. Je ne sentais plus le froid. La senteur suave du jasmin s'était évanouie.

Joe Pike

Elvis monta dans sa voiture et demeura un long moment assis sans démarrer. Pike écarta délicatement une feuille de caoutchouc pour élargir son champ de vision. Une fraction de seconde, la joue d'Elvis avait capté un peu de lumière, et Pike vit qu'il pleurait. Il inspira profondément. Il faisait de gros efforts pour préserver ses moments vides, mais ce n'était pas toujours facile.

159

Après le départ d'Elvis, il se faufila parmi les ombres végétales qui bordaient le bungalow jusqu'à rejoindre le fond du jardin. Il traversa sans bruit le terrain des voisins, longea la rue parallèle, prit la perpendiculaire et revint dans celle de Lucy un pâté d'immeubles derrière Fontenot. Il traversa la rue. En ne se déplaçant qu'à l'ombre, il passa à cinq mètres de la voiture de Fontenot sans que celui-ci s'en rende compte. Il se faufila entre les oiseaux de paradis et grimpa l'escalier menant à la porte de Lucy. La menace Fontenot était éliminée. L'immeuble lui bloquait la vue.

Pike se planta bien en arrière du judas. Lucy ayant pris ses distances avec lui après l'affaire Sobek, il tenait à ce qu'elle le voie avant d'ouvrir. Il frappa. Doucement.

La porte s'ouvrit.

— Je suis désolé pour Ben, dit Pike.

Même anéantie comme elle l'était, Lucy restait une fille solide et séduisante. Avant que Ben et elle aient quitté la Louisiane, et bien avant l'affaire Sobek, Pike les avait rencontrés un jour, Elvis et elle, sur un court de tennis. Pike et Elvis ne connaissaient pas grand-chose au tennis, mais ils avaient essayé de jouer contre elle, pour voir, tous les deux d'un côté contre Lucy de l'autre. Pike l'avait trouvée adroite et véloce ; ses balles claquaient au ras du filet avant de rebondir hors d'atteinte. Elle les avait taillés en pièces en riant avec une belle assurance. Ce soir, en revanche, elle respirait le doute.

— Où est Elvis ? demanda-t-elle.

— Parti.

Lucy jeta un coup d'œil vers la rue par-dessus l'épaule de Pike.

— Quand est-ce que tu es revenu d'Alaska ?

— Il y a quelques semaines. Je peux entrer ?

Elle s'effaça devant lui. Après avoir refermé la porte, elle attendit qu'il parle, une main sur la poignée. Pike sentit qu'elle était mal à l'aise. Il ne s'attarderait pas.

— Je suis en face. J'ai pensé qu'il fallait que tu le saches.

— Richard a laissé un homme dehors.

— Je sais qu'il est là. Lui ne sait pas que je suis là.

Lucy ferma les yeux et s'adossa à la porte, comme si elle n'aspirait plus qu'à dormir jusqu'à ce que tout soit fini. Pike eut l'impression de la comprendre. La disparition de Ben devait être quelque chose de terrible pour elle. Il repensa à sa propre mère, qui s'interposait autrefois pour prendre à sa place les coups que lui destinait son père. Tous les soirs.

Pike n'était pas sûr de savoir pourquoi il était venu la trouver, ni ce qu'il avait à lui dire. Dans la vie, il valait mieux être sûr. Or, ces temps-ci, il y avait trop de choses dont il n'était pas sûr.

— J'ai vu Elvis repartir, lâcha-t-il.

Elle secoua la tête, les paupières toujours closes, toujours adossée à la porte.

— Je ne veux plus que vous vous mêliez de ça, ni lui, ni toi. Ça ne ferait qu'aggraver la situation de Ben.

— Il souffre.

— Nom d'un chien, je souffre aussi, et ça ne te regarde pas. Je sais qu'il souffre. Je le sais. Ça me désole, crois-moi.

Pike s'efforça de trouver les mots justes.

— J'ai quelque chose à te dire.

Le poids écrasant de son silence incita Lucy à rouvrir les yeux.

— Quoi ?

Il ne savait pas comment s'y prendre.

— Je veux te dire...

Sentant la moutarde lui monter au nez, elle s'écarta de la porte.

— Nom d'un chien, Joe, tu ne dis jamais rien, et voilà ! Si tu as quelque chose à dire, dis-le !

— Il t'aime.

— Oh, c'est vraiment sublime ! Dieu sait ce que Ben est en train de subir, mais pour toi il n'y a qu'Elvis qui compte.

Pike l'observa.

— Tu ne m'aimes pas.

— Je n'aime pas cette violence qui te suit à la trace ; toi et lui. J'ai fréquenté des policiers toute ma vie, et aucun d'eux ne vit de cette façon. Je connais des procureurs de l'État, je connais des procureurs fédéraux qui ont passé des années à enquêter sur des assassins et des parrains de la mafia, et pas un seul ne s'est fait enlever ses enfants – c'était à *La Nouvelle-Orléans*, bon Dieu, et pourtant aucun d'eux n'a jamais déchaîné autant de violence que vous ! J'ai été complètement folle de me laisser entraîner là-dedans !

Pike l'examina quelques secondes, puis haussa les épaules.

— Je n'ai pas entendu l'enregistrement, dit-il. J'en ai juste entendu parler par Starkey. Tu crois ce que t'a dit cet homme ?

— Non. Bien sûr que non. Je le lui ai dit en long et en large. Nom de Dieu, Joe, tu ne vas pas m'obliger à reprendre cette conversation depuis le début ?

Elle cligna des yeux, croisa nerveusement les bras.

— Et merde ! Je déteste pleurer.

— Moi aussi, fit Pike.

— Je n'arrive pas à deviner si c'est une plaisanterie. Je ne sais jamais si tu plaisantes.

— Si tu n'y crois pas, fais-lui confiance.

— Il s'agit de *Ben* ! s'écria-t-elle. Il ne s'agit pas de moi, de lui ou de toi ! Je dois protéger mon fils et me protéger, moi ! Je ne veux plus de toute cette folie dans ma vie. Je suis *normale* ! Je veux vivre une vie *normale* ! Est-ce que tu es tellement perverti que ça te paraît normal, tout ça ? Ça ne l'est pas, Joe ! C'est totalement dément !

Elle leva les poings, comme pour lui frapper le torse. Pike l'aurait laissée faire, mais elle se figea, les poings à mi-hauteur, en larmes.

Pike ne trouva rien à répondre. Après avoir dévisagé Lucy un certain temps, il éteignit la lumière.

— Rallume quand je serai parti.

Il sortit. Redescendit l'escalier comme un chat et se glissa à travers les buissons, en repensant à tout ce qu'avait dit Lucy jusqu'à ce qu'il parvienne à la Marquis. Les vitres étaient baissées. Fontenot était ramassé derrière son volant comme un furet devant un terrier. Pike était à dix pas de lui, et Fontenot n'en savait rien. À cause de ça, Pike le détesta. Fontenot avait vu Elvis ressortir de chez Lucy, et Pike le détesta aussi d'avoir vu son ami dans une telle souffrance. Les moments vides de Joe Pike s'emplirent soudain de rage, et leur poids grandissant se mua rapidement en lame de fond. Il aurait pu tuer Fontenot dix minutes plus tôt et se sentait prêt à le faire maintenant.

Il s'approcha de la Marquis, posa une main sur la portière arrière. Fontenot ne s'en rendit pas compte. Pike abattit son poing sur le toit avec un fracas de tonnerre. Fontenot sursauta en grognant et plongea une main à l'intérieur de sa veste, cherchant son arme.

Pike le visa à la tête. Fontenot se figea dès qu'il vit le Colt. Il se détendit imperceptiblement en reconnaissant Pike, mais sa peur l'empêchait de bouger.

— Putain, qu'est-ce que vous faites ?

— Je vous surveille.

Le visage de Fontenot flottait au bout du canon de Pike comme un ballon de stand de tir. Il voulait parler, mais la pesanteur de la situation l'en empêchait. Comme une vague qui menaçait de l'emporter.

— Je veux vous dire quelque chose, réussit-il à souffler.

Le regard de Fontenot s'échappa vers le trottoir, comme s'il espérait voir arriver quelqu'un.

— Vous m'avez foutu une putain de trouille, espèce de connard. D'où est-ce que vous sortez ? Qu'est-ce que vous foutez ici ?

Pike réussit à vider les moments au fur et à mesure qu'ils déferlaient sur lui. Il réussit à contenir la vague.

— Je veux vous dire…

— Quoi ?

Les moments étaient de nouveau vides. Pike avait repris le contrôle. Il baissa son arme.

— C'est quoi que vous voulez me dire, bon Dieu de merde ?

Pike ne répondit pas.

Il s'évanouit dans l'obscurité. Quelques minutes plus tard, il était de nouveau tapi derrière son caoutchouc, et Fontenot n'en savait toujours rien.

Pike pensa à Lucy et à Elvis. Elvis ne lui avait jamais confié grand-chose, lui non plus, mais les questions étaient inutiles quand on savait y regarder de près. L'univers que les gens se construisent pour eux-mêmes est un livre ouvert sur leur vie – les gens poursuivent ce qu'ils ont toujours désiré sans jamais l'avoir. Sur ce plan-là, tout le monde se ressemble.

Pike attendit. Pike ouvrit l'œil. Pike était.

Les moments vides reprirent leur ronde.

12

Père de famille

Il s'était appelé Philip James Cole jusqu'à l'âge de six ans. Jusqu'au jour où sa mère lui avait annoncé en souriant, comme si elle lui offrait le plus merveilleux cadeau du monde : « Je vais te rebaptiser Elvis. C'est un prénom super, beaucoup mieux que Philip et que James, tu ne trouves pas ? À partir de maintenant, tu t'appelles Elvis. »

Jimmie Cole, six ans, ne savait pas si sa mère jouait à un jeu. Peut-être cette incertitude fut-elle ce qui l'effraya par-dessus tout.

— Je m'appelle Jimmie.

— Non, maintenant, tu es Elvis. Elvis, c'est vraiment le plus beau prénom, tu ne trouves pas, le plus beau nom du monde ? J'aurais dû t'appeler Elvis à ta naissance, mais je n'avais encore jamais entendu ça. Vas-y, dis-le. Elvis. Elvis.

Sa mère sourit, pleine d'espoir. Jimmie secoua la tête.

— J'aime pas ce jeu.

— Dis-le, Elvis. C'est ton nouveau prénom. C'est génial, non ? Demain, on le dira à tout le monde.

Jimmie se mit à pleurer.

— Je m'appelle Jimmie.

Elle lui sourit avec tout l'amour du monde, lui encadra le visage à deux mains, lui baisa le front de ses lèvres douces et chaudes.

— Non, Elvis. Je vais t'appeler Elvis à partir de maintenant, et tout le monde fera pareil.

Elle était partie pendant douze jours. Ça lui arrivait de temps en temps, elle se levait et s'en allait sans dire un mot parce que c'était sa façon d'être, elle appelait ça avoir l'esprit libre, mais il avait entendu son grand-père affirmer qu'elle était timbrée. Elle disparaissait, et son fils se réveillait tout seul dans le logement où ils avaient échoué ce mois-là, meublé, mobile home ou autre. Le petit garçon n'avait plus qu'à aller frapper chez un voisin, quelqu'un prévenait son grand-père ou la sœur aînée de sa mère, et l'un d'eux le prenait chez lui jusqu'à ce qu'elle revienne. Chaque fois qu'elle s'en allait, il s'en voulait de l'avoir poussée à bout. Et il ne se passait pas un jour d'absence sans qu'il promette à Dieu d'être un meilleur fils si elle revenait.

— Tu seras supercontent de t'appeler Elvis, Elvis, tu verras.

Son grand-père, un vieil homme au teint blafard qui sentait la naphtaline, agita son journal d'un geste exaspéré.

— Tu ne peux pas changer son nom. Il a six ans, sacredieu. Il a déjà un nom.

— Bien sûr que je peux, rétorqua sa mère, radieuse. Je suis sa mère.

Le grand-père se redressa, puis retomba dans son gros fauteuil défoncé. Il était tout le temps nerveux et en colère.

— C'est de la folie pure, ma pauvre fille. Qu'est-ce qui ne tourne pas rond chez toi ?

Sa mère se tritura les doigts.

166

— Il n'y a RIEN qui ne tourne pas rond chez moi ! Ne dis jamais ça !

La main du grand-père chassa une mouche imaginaire.

— Tu connais beaucoup de mères qui se tirent comme toi, qui disparaissent pendant des jours sans un mot ? Et où est-ce que tu vas chercher des trucs aussi barjos que cette histoire de prénom ? Ce garçon en a déjà un ! Tu ferais mieux de te trouver un boulot, bon Dieu, j'en ai marre de payer tes factures. Où bien alors tu devrais reprendre tes études !

Sa mère se tordait tellement les doigts que Jimmie crut qu'elle allait s'en arracher un.

— Il n'y a RIEN RIEN RIEN qui ne tourne pas rond chez moi ! C'est chez TOI que ça ne tourne pas rond !

Elle s'enfuit en courant de la maisonnette, et Jimmie lui courut après, paniqué à l'idée de ne jamais la revoir. Un peu plus tard, de retour à leur meublé, elle passa la soirée à peindre un oiseau rouge avec le petit kit de peinture à l'huile qu'elle s'était acheté au drugstore.

— C'est joli, maman, dit Jimmie, qui avait envie de la voir contente.

— Les couleurs ne sont pas bien. Je n'arrive jamais à avoir les couleurs qu'il faut. C'est triste, hein ?

Jimmie ne dormit pas de la nuit. Il avait trop peur qu'elle ne s'en aille.

Le lendemain, elle se comporta comme s'il ne s'était rien passé. Elle l'accompagna à l'école, le mena jusqu'à l'estrade de sa classe de CP et annonça à la cantonade :

— Nous tenons à ce que tout le monde sache que Jimmie a un nouveau prénom. Je veux que tous, à partir de maintenant, vous l'appeliez Elvis. C'est vraiment un superprénom, n'est-ce pas ? Alors, vous tous, je vous demande de saluer Elvis Cole.

Mme Pine, une dame très douce, l'institutrice de Jimmie,

167

dévisagea sa mère d'un air bizarre. Certains enfants s'esclaffèrent. Carla Weedle, toujours aussi bête, fit exactement ce qu'on lui demandait.

— Salut, Elvis.

Tous les autres rigolèrent. Jimmie dut se mordre la langue pour ne pas pleurer.

— Madame Cole, dit l'institutrice, est-ce que je peux vous dire un mot, s'il vous plaît ?

À la cantine, ce jour-là, un élève de CE1, Mark Toomis, qui avait une tête en forme de patate et quatre grands frères, se moqua de lui.

— Hé, tu te prends pour qui, un rockeur à banane ? Moi, je dirais plutôt que t'as l'air d'une pédale !

Toomis le poussa, et tout le monde rigola en le voyant tomber.

Trois mois plus tôt, sa mère s'était volatilisée au beau milieu de l'été. Comme toutes les autres fois, Jimmie s'était réveillé seul. Comme toutes les autres fois, elle n'avait ni laissé de mot, ni prévenu qui que ce soit de son départ ; elle était partie, un point c'est tout. Ils habitaient à l'époque dans un garage reconverti en studio à l'arrière d'une grande maison, mais Jimmie n'osa pas demander aux gens âgés qui vivaient dans celle-ci s'ils savaient où était sa mère ; il les avait déjà entendus l'engueuler pour le loyer. Il patienta toute la journée, au cas où sa mère ne serait pas partie pour de bon, mais quand la nuit fut tombée il se précipita en larmes chez les vieux.

Ce soir-là, tante Lynn, après avoir passé pas mal de temps au téléphone à marmonner avec son grand-père, lui fit manger de la tarte aux pêches, le laissa regarder la télévision et le coucha sur le canapé. Elle travaillait dans un grand magasin du centre et sortait avec un certain Charles.

— Elle t'adore, Jimmie, lui expliqua tante Lynn. Simplement, elle a des problèmes.

— J'essaie d'être gentil.

— Tu es un très gentil garçon, Jimmie ! Ça n'a rien à voir avec toi.

— Pourquoi elle part, alors ?

Tante Lynn le serra dans ses bras. Contre son sein, il éprouva une impression de sécurité.

— Je ne sais pas. Elle part, c'est tout. Tu sais ce que je crois ?

— Non.

— Je crois qu'elle essaie de retrouver ton père. Ce serait formidable, non, si elle retrouvait ton papa ?

Après cette explication, Jimmie se sentit beaucoup mieux, presque excité. Il n'avait jamais rencontré son père ni vu une seule photo de lui. Personne n'en parlait, même pas sa maman, et personne ne connaissait son nom. Jimmie avait un jour demandé au grand-père s'il savait qui était son papa, mais le vieil homme s'était contenté de lui jeter un regard noir en lâchant :

— À mon avis, ton idiote de mère ne le sait pas elle-même.

Cette fois-là, la maman de Jimmie revint au bout de cinq jours, comme d'habitude sans donner d'explication.

Trois mois plus tard, donc, après une nouvelle absence de douze jours et l'annonce officielle de son nouveau prénom, Jimmie et sa maman dînaient de hamburgers autour de la minuscule table de leur cuisine.

— M'man ?

— Qu'est-ce qu'il y a, Elvis ?

— Pourquoi tu as changé mon nom ?

— Je t'ai donné un nom super parce que tu es un petit garçon super. J'adore tellement ce prénom que ça me donne envie de changer le mien aussi. Comme ça, on s'appellerait tous les deux Elvis.

Jimmie avait passé l'essentiel des douze jours précédents à

169

repenser à ce que sa tante Lynn lui avait confié pendant l'été – que sa maman s'en allait pour chercher son papa. Il avait envie que ce soit vrai. Il avait envie qu'elle le retrouve, que son père s'installe à la maison et qu'ils deviennent une famille comme les autres. Comme ça, sa maman n'aurait plus besoin de partir. Il rassembla tout son courage pour demander :

— Tu essayais de retrouver papa ? C'est pour ça que tu es partie ?

Le hamburger de sa maman resta en suspens devant sa bouche. Elle le fixa pendant un temps incroyablement long, avec un éclat dur au fond des yeux, avant de reposer la main.

— Bien sûr que non, Elvis. Pourquoi est-ce que je ferais une chose pareille ?

— C'est qui, mon papa ?

Elle se laissa aller en arrière sur sa chaise, espiègle.

— Tu sais bien que je ne peux pas te le dire. C'est un secret. Je ne peux dire à personne le nom de ton papa, et je ne te le dirai pas.

— Il s'appelait Elvis ?

Sa mère éclata de rire.

— Mais non, gros bêta !

— Est-ce qu'il s'appelait Jimmie ?

— Non, et pas Philip non plus, et même si tu me citais tous les autres prénoms de la terre, je te répondrais non, non, et encore non. Par contre, je vais te confier un truc super.

Jimmie prit peur. Elle ne lui avait jamais rien dit de son père, et d'un seul coup il n'était plus si sûr d'avoir envie de savoir. Mais elle souriait. Un genre de sourire.

— Quoi ?

Elle abattit ses deux mains sur la table, le visage aussi lumineux qu'une ampoule électrique. Elle se pencha en avant, rayonnante.

— Tu veux vraiment le savoir ?

— Oui !

Sa mère semblait vibrer d'une énergie impossible à contenir. On aurait dit que ses mains cherchaient à broyer les coins de la table.

— C'est mon cadeau, rien que pour toi. Un supercadeau, un cadeau unique, que personne d'autre ne pourrait t'offrir, personne d'autre que moi.

— S'il te plaît, dis-moi, maman. S'il te plaît !

— Je suis la seule à savoir. Je suis la seule à pouvoir te donner ce truc super, tu te rends compte ?

— Je me rends compte !

— Tu seras gentil si je te dis ce que c'est ? Tu seras super-extra-gentil ? Tu garderas le secret rien que pour nous deux ?

— Je serai gentil !

Sa mère soupira profondément et lui caressa la joue avec un tel amour, une telle tendresse que cet instant allait rester gravé dans sa mémoire.

— Bon, d'accord, je vais te le dire, un secret superextra pour un petit garçon superextra, rien qu'entre nous, pour toujours et jusqu'à la fin.

— Entre nous. Dis-le-moi, maman, s'il te plaît !

— Ton père est un homme-obus.

Jimmie la regarda fixement.

— C'est quoi, un homme-obus ?

— Un homme tellement courageux qu'il est capable de se mettre dans un canon rien que pour être envoyé dans les airs. Imagine un peu, Elvis – il vole dans les airs, seul au-dessus de tous les autres, avec tous ces gens qui aimeraient pouvoir être là-haut avec lui, tellement courageux, tellement libre... C'est ton père, Elvis, et il nous aime tous les deux beaucoup-beaucoup-beaucoup.

Jimmie ne savait trop que dire. Une lumière dansait dans les yeux de sa mère, comme si elle avait attendu toute sa vie le moment de lui dire ça.

171

— Et pourquoi ça devrait rester secret ? demanda-t-il. Pourquoi est-ce qu'on ne peut pas parler de lui à tout le monde ?

Les yeux de sa mère redevinrent tristes, et elle lui caressa de nouveau la joue, douce et tendre.

— C'est notre secret parce que ton père est tellement super, Elvis, que c'est à la fois une bénédiction et une malédiction. Les gens veulent toujours qu'on soit ordinaire. Quand quelqu'un est différent, ça ne leur plaît pas. Ça ne leur plaît pas quand un homme vole au-dessus de leur tête pendant qu'eux sont cloués au sol. Si tu es super, les gens finissent par te détester ; ça leur rappelle tout ce qu'ils ne sont pas, Elvis, et c'est pour ça que ton père restera notre petit secret, pour nous éviter du chagrin. Souviens-toi juste qu'il t'aime et que je t'aime aussi. Ne l'oublie jamais, où que je sois, même si je suis partie depuis longtemps, même si les temps sont durs. Tu t'en souviendras ?

— Oui, maman.

— D'accord. Et maintenant, au lit.

Des sanglots le réveillèrent en pleine nuit. Il marcha sur la pointe des pieds jusqu'à la porte de sa maman et la vit se tortiller sous ses draps en parlant d'une voix à laquelle il ne comprit rien.

— Moi aussi, je t'aime, maman, murmura Elvis Cole.

Quatre jours plus tard, elle se volatilisa une fois de plus.

La tante Lynn amena Elvis chez son grand-père, qui sortit sur la véranda avec son journal pour pouvoir lire en paix. Ce soir-là, le vieil homme leur fit des sandwiches à la terrine avec beaucoup de mayonnaise et de cornichons, servis sur un papier journal. Il était resté distant tout l'après-midi, et Elvis osait à peine ouvrir la bouche, mais il avait tellement envie de parler à quelqu'un de son père qu'il crut qu'il allait étouffer s'il continuait à se taire..

— Je lui ai demandé qui est mon papa, finit-il par dire.

Le vieil homme continua de mâcher son sandwich. Une coulée de mayonnaise blanchâtre luisait sur son menton.

— C'est un homme-obus.

— C'est ce qu'elle t'a dit ?

— Il sort d'un canon pour voler dans les airs. Il m'aime beaucoup-beaucoup-beaucoup. Maman aussi. Il nous aime tous les deux.

Le grand-père termina son sandwich sans cesser de le fixer. Elvis trouva qu'il avait l'air triste. Quand le sandwich fut mangé, le grand-père froissa sa serviette en papier et la jeta le plus loin possible.

— C'est du pipeau. Cette conne débloque complètement..

Le lendemain, le grand-père téléphona à l'antenne des services sociaux chargée de la protection des enfants. Ils vinrent chercher Elvis dans l'après-midi.

13

Temps écoulé depuis la disparition :
31 heures, 22 minutes

Je rentrai chez moi avec la cassette et la mis en lecture sans m'accorder le temps de penser ni de ressentir quoi que ce soit. Les techniciens de la SID allaient la numériser, puis procéder à une analyse informatique pour tenter de localiser l'appel en identifiant l'arrière-plan sonore. Ils allaient cartographier les caractéristiques vocales du ravisseur afin d'être en mesure d'établir des comparaisons à un stade ultérieur de l'enquête. N'ayant pas reconnu sa voix et sachant déjà que je ne la reconnaîtrais pas davantage cette fois-ci, je voulais surtout me faire une idée du personnage.

« *Ils ont massacré vingt-six personnes, putain, vingt-six innocents ! Je ne sais pas trop comment le truc a démarré... ! »*

Il n'avait pas d'accent, ce qui signifiait qu'il ne venait vraisemblablement ni du Sud ni de la Nouvelle-Angleterre. Rodriguez était originaire de Brownsville, au Texas, et Cromwell Johnson de l'Alabama ; tous deux avaient un accent à couper au couteau, et c'était sans doute aussi le cas de leurs parents et amis d'enfance. Roy Abbott avait grandi dans l'État de New York et Teddy Fields dans le Michigan. Je ne me rappelais pas que l'un ou l'autre ait eu un accent quelconque, même si Abbott s'exprimait avec l'élocution prudente d'un fermier yankee et utilisait parfois des expressions du genre « fichtre ».

« Ils rôdaient dans la jungle, livrés à eux-mêmes... »

Cet homme paraissait plus jeune que moi ; pas un gamin, mais trop jeune pour avoir fait le Vietnam. Crom Johnson et Luis Rodriguez avaient l'un et l'autre des petits frères, mais j'étais entré en contact avec eux à mon retour au pays. Je ne les voyais pas mêlés à cette affaire. Abbott n'avait que des sœurs, et Fields était fils unique.

« ... ils se sont juré mutuellement de garder le secret, mais Cole ne leur faisait pas confiance... »

Son langage était ampoulé et mélodramatique, comme s'il avait choisi ses mots pour obtenir un maximum d'impact en un minimum de temps.

« Johnson, Rodriguez, les autres... il les a tous liquidés pour qu'il n'y ait pas de témoins ! Il a descendu ses coéquipiers ! »

Son récit avait le ton d'un mauvais film de série Z. Forcé.

« J'y étais, ma petite dame, je sais de quoi je parle ! »

Sauf qu'il n'y était pas. Nous n'étions que cinq à avoir sauté dans la jungle ce jour-là, et les quatre autres étaient morts. Le corps de Crom Johnson n'avait jamais été récupéré, mais sa tête m'avait éclaté entre les mains.

Je réécoutai l'enregistrement.

« Je sais ce qui s'est passé, pas vous, alors ÉCOUTEZ-MOI ! »

Le ton était coléreux, mais cette colère avait quelque chose d'artificiel. Ses mots auraient dû grésiller de rage comme une ligne à haute tension, mais il ne semblait pas réellement ressentir ce qu'il disait.

Je refis du café avant de me repasser une troisième fois la cassette. La fausseté de son ton me convainquit qu'il ne me connaissait pas et qu'il n'avait pas non plus connu les autres – il faisait semblant. J'avais passé toute la soirée à m'efforcer en vain de deviner à qui j'avais affaire, mais peut-être la solution consistait-elle plutôt à deviner la façon dont il avait su ce qu'il savait. S'il n'avait pas combattu avec moi au Vietnam, comment avait-il entendu parler de Rodriguez et d'Abbott ? Comment s'était-il procuré notre numéro de patrouille ? Et comment savait-il que j'étais le seul à avoir survécu ?

Ma maison fit entendre un craquement tel un fauve endormi grinçant des dents. L'escalier de la mezzanine était devenu menaçant ; le couloir de la chambre de Ben se perdait dans l'obscurité. Ce type m'avait épié, il avait épié ma maison, il avait réussi à savoir quand nous y étions et quand nous n'y étions pas. J'allai chercher mon coffret à cigares à l'étage, m'assis en tailleur par terre et l'ouvris.

Chaque fois qu'un soldat était démobilisé, on lui remettait un document, le formulaire 214. Le 214 mentionnait ses dates de début et de fin de service, les unités au sein desquelles il avait été affecté, les stages d'entraînement suivis, et les distinctions reçues ; bref, un résumé au lance-pierres de sa carrière militaire, très avare de détails. Mais, chaque fois qu'un soldat était récompensé par une médaille ou une décoration quelconque, il recevait aussi une copie de la citation à l'ordre du régiment qui l'accompagnait, et cette citation présentait les raisons pour lesquelles l'armée avait jugé bon de lui accorder une distinction. Rod, Teddy et les autres étaient morts, et moi j'avais eu droit à une étoile d'argent à cinq branches ornée d'un ruban rouge, blanc et bleu. Je ne l'avais jamais portée, mais j'avais gardé la citation. Je la relus. La description des terribles événements de ce jour-là était lapidaire et ne mentionnait qu'un seul de mes coéquipiers, Roy Abbott. Aucun des autres n'était nommément cité. Bref, le ravisseur de Ben n'avait pas pu se procurer ses informations en fouillant chez moi.

Il était cinq heures dix du matin quand je rangeai mes papiers militaires. Ben avait disparu depuis plus de trente-six heures. Cela faisait presque cinquante heures que je n'avais pas dormi. Je me brossai les dents, pris une douche et enfilai des vêtements propres. À six heures pile, je téléphonai au département du personnel de l'armée à Saint Louis. Là-bas, il était huit heures du matin ; l'armée se mettait au travail.

Je demandai à parler à quelqu'un du service des archives. Un homme d'un certain âge prit mon appel.

— Archives. Stivic à l'appareil.

Après m'être identifié comme un vétéran du Vietnam, je lui communiquai ma date de démobilisation et mon numéro de sécurité sociale.

— J'aimerais savoir si quelqu'un a demandé à consulter mon dossier 201, dis-je. Vous en auriez gardé la trace ?

Si le formulaire 214 n'était qu'un squelette de dossier militaire, le dossier 201 de chaque soldat renfermait l'historique détaillé de sa carrière sous les drapeaux. Peut-être mon 201 citait-il mes quatre coéquipiers. Peut-être le ravisseur de Ben avait-il pu le lire, ce qui lui avait permis d'apprendre les noms de Rodriguez et de Johnson.

— On en aurait gardé la trace s'il avait été envoyé.

— Comment puis-je savoir s'il a été envoyé ?

— Vous le sauriez. N'importe qui peut obtenir votre 214, mais le 201 est strictement confidentiel. On ne communique pas un 201 sans permission écrite de l'intéressé, sauf en cas de mandat judiciaire.

— Et si quelqu'un s'était fait passer pour moi ?

— Par exemple comme si vous étiez quelqu'un d'autre

en train de se faire passer pour vous, là, en ce moment, c'est ce que vous voulez dire ?

— Oui. C'est ça.

— C'est quoi cette connerie, une blague ? grommela Stivic, apparemment en pétard.

— Ma maison a été cambriolée. Quelqu'un m'a volé mon 214, et je le soupçonne de s'être aussi procuré mon 201 à des fins scélérates.

J'aurais probablement mieux fait d'éviter l'expression « à des fins scélérates » ; ça faisait mauvaise série télévisée.

— Bon, fit Stivic, je vous explique : le 201, ça ne fonctionne pas comme ça. Pour obtenir une copie de votre 201, vous devez remplir un formulaire à la main, en mettant l'empreinte digitale de votre pouce droit. Si quelqu'un d'autre veut le voir, disons pour une candidature d'emploi ou quelque chose de ce genre, il faut que vous donniez votre permission. Comme je vous l'ai déjà dit, il n'y a qu'une seule façon pour quelqu'un d'autre que vous d'avoir accès à votre 201 sans que vous le sachiez : sur demande d'un juge. Alors, à moins que ce mec ne vous ait aussi volé votre pouce, vous n'avez pas trop à vous en faire de ce côté-là.

— Je voudrais quand même savoir si quelqu'un en a fait la demande, et je ne peux absolument pas me permettre d'attendre la réponse huit semaines.

— On est trente-deux dans le service. On expédie deux mille courriers par jour. Vous voudriez peut-être que j'attrape un porte-voix, là, tout de suite, et que je demande à tous mes collègues si quelqu'un se souvient de votre nom ?

— Vous êtes un ancien marine ?

— Sergent-chef, retraité du service actif. Si vous voulez savoir qui a demandé quoi, donnez-moi votre numéro de fax, et je verrai ce que je peux faire. Sinon, ravi d'avoir fait votre connaissance.

Je lui donnai mon numéro de fax, pour ne pas en rester là.

— J'ai encore une question à vous poser, sergent.

— Envoyez.

— Mon 201... vous auriez la possibilité de le consulter sur votre écran d'ordinateur ?

— Laissez tomber. Ne comptez pas sur moi pour vous communiquer la moindre info sur le 201 de qui que ce soit.

— Je voudrais juste savoir si un certain rapport de mission y figure. Je ne vous demande aucune information, juste de me dire si oui ou non ce rapport contient deux noms de soldats. Si c'est oui, je déposerai ma demande, et vous aurez toutes les empreintes digitales que vous voudrez. Si c'est non, j'ai bien peur d'être en train de nous faire perdre notre temps à tous les deux.

Stivic hésita.

— C'est une mission de combat ?

— Oui, sergent.

Nouvelle hésitation ; il réfléchissait.

— À quel nom ?

Après lui avoir donné mon nom, je l'entendis pianoter sur son clavier, puis expirer avec une sorte de sifflement doux.

— Les noms de Cromwell Johnson et de Luis Rodriguez sont-ils cités dans le rapport ? demandai-je.

— Oui, répondit-il d'une voix sourde, ils y sont. Euh, vous tenez toujours à savoir si quelqu'un a demandé ce dossier ?

— Tout à fait, sergent.

— Donnez-moi votre numéro de téléphone et je vais m'en occuper moi-même. Ça risque de prendre quelques jours, mais je suis prêt à faire ça pour vous.

— Merci, sergent. J'apprécie.

Je lui donnai mon numéro de téléphone et, au moment où je m'apprêtais à raccrocher :

— Monsieur Cole, euh, écoutez... vous auriez fait un bon marine. J'aurais été fier de combattre avec vous.

— Ils ont enjolivé le tableau.

— Non, dit-il d'une voix radoucie. Non, ça n'est vraiment pas leur genre. J'ai passé trente-deux ans dans le corps des marines, et si je suis au bout de ce téléphone aujourd'hui, c'est parce que j'ai laissé un pied dans le Golfe. Je sais comment ils rédigent leurs dossiers. Je sais qui est quoi. Je vais m'occuper de votre demande, monsieur Cole, c'est bien le moins que je puisse faire pour un soldat comme vous.

Il raccrocha avant que j'aie eu le temps de le remercier de nouveau. Ces vieux marines sont parfois sidérants.

Il était presque six heures et demie, c'est-à-dire presque neuf heures et demie à Middletown, dans l'État de New York. Si le ravisseur de Ben n'avait pas eu accès à mon dossier 201, le nom de Roy Abbott était le seul qu'il ait pu se mettre sous la dent en venant fureter chez moi. La journée de travail devait être déjà à moitié bouclée pour une famille d'éleveurs laitiers. J'avais écrit aux Abbott après la mort de Roy ; je leur avais aussi téléphoné une fois. Je ne me rappelais pas le prénom de M. Abbott, mais l'opératrice des renseignements de New York ne trouva que sept Abbott à Middletown et accepta volontiers de me lire la liste. Le prénom me revint dès que je l'entendis. Elle me dicta le numéro et, après avoir raccroché, je réfléchis à ce que j'allais pouvoir dire et à la manière dont j'allais le dire. *Salut, ici Elvis Cole, est-ce que par hasard quelqu'un de votre famille chercherait à me tuer ces temps-ci ?* Rien ne collait, tout sonnait faux. *Vous vous souvenez du jour où Roy est rentré chez vous dans une caisse en sapin ?* Je refis du café,

180

m'obligeai à reprendre mon téléphone et composai le numéro.

Une vieille femme prit mon appel.

— Madame Abbott ?

— Oui, qui est à l'appareil ?

— Je m'appelle Elvis Cole. J'ai combattu avec Roy. Je vous ai téléphoné il y a longtemps. Vous vous en souvenez ?

Mes mains tremblaient. Le café, sûrement.

Elle s'adressa à quelqu'un à l'arrière-plan, et M. Abbott prit le relais.

— Ici Dale Abbott. Qui êtes-vous, s'il vous plaît ?

Il correspondait aux descriptions de Roy ; direct et franc du collier, s'exprimant avec l'accent nasal d'un fermier du Nord.

— Elvis Cole. J'étais avec Roy au Vietnam. Je vous ai écrit une lettre pour vous raconter ce qui s'était passé, et quelque temps plus tard on s'est parlé au téléphone.

— Oh, bien sûr, je m'en souviens. Hé, maman, c'est ce ranger, tu sais, celui qui a connu Roy ! Alors, comment allez-vous, fiston ? Votre lettre, vous savez, on l'a toujours. Elle nous a mis du baume au cœur.

— Monsieur Abbott, est-ce que quelqu'un vous aurait appelé récemment pour poser des questions sur Roy ou sur ce qui s'est passé là-bas ?

— Non. Non, mais attendez, je vais demander à maman. Maman, est-ce que par hasard quelqu'un t'aurait appelée pour parler de Roy ou du Vietnam ?

Il ne se donna pas la peine de couvrir l'appareil. Il s'adressa à elle sur le même ton qu'à moi, comme si les deux conversations n'en étaient qu'une. Sa femme répondit d'une voix lointaine.

— Non, elle me dit que non, personne n'a appelé. Pourquoi, il aurait fallu ?

En composant leur numéro, je ne savais pas du tout ce que j'allais dire. Je ne voulais ni leur expliquer le motif de mon coup de fil ni leur parler de Ben, et pourtant je me surpris à vider mon sac. Peut-être à cause de ce que j'avais vécu avec Roy, ou peut-être à cause de l'honnêteté absolument limpide que je percevais dans la voix de Dale Abbott, les mots sortirent à flots de ma bouche comme si j'étais à confesse – j'avais laissé un mystérieux correspondant téléphonique kidnapper l'enfant de mon amie, et j'étais terrifié à l'idée de ne pas pouvoir le retrouver.

Dale Abbott sut garder son sang-froid et m'encourager. Nous parlâmes pendant près d'une heure de Ben, de Roy et de toutes sortes de choses : les quatre sœurs de Roy s'étaient mariées et avaient fondé une famille, trois avec un fermier et la dernière avec un type qui vendait des tracteurs John Deere. Parmi ses petits-fils, trois avaient hérité du prénom de Roy, et un du mien. Je n'en avais jamais rien su. Jamais je ne m'en étais douté.

À un moment donné, Dale Abbott me repassa la mère de Roy et, pendant que nous discutions, il alla chercher la lettre que je leur avais envoyée à l'époque.

— J'ai votre lettre sous les yeux, dit-il en reprenant le combiné, celle que vous nous avez écrite à l'époque. On en a fait une photocopie pour chacune de nos filles, vous savez. Elles tenaient à l'avoir.

— Non, monsieur. Je ne le savais pas.

— Je voudrais vous lire quelque chose que vous avez écrit. Je ne sais pas si vous vous en souvenez, mais ça m'a beaucoup touché. C'est vous qui parlez, là ; je vous cite : *« Je n'ai pas de famille, c'est pourquoi j'aimais entendre Roy parler de la sienne. Je lui ai dit un jour qu'il avait de la chance d'avoir des parents comme vous, et il était d'accord. Je tiens à ce que vous sachiez qu'il s'est battu jusqu'au bout. Roy était un vrai ranger, à aucun moment il n'a baissé les* bras. *Je regrette profondément de ne pas avoir pu vous le ramener. Je regrette profondément d'avoir échoué.* »

La voix de M. Abbott vacilla légèrement ; il interrompit sa lecture.

— Vous n'avez pas échoué, fils. Vous nous avez ramené Roy. Vous nous avez ramené notre garçon.

Mes yeux piquaient.

— J'ai essayé, monsieur Abbott. J'ai fait tout ce que j'ai pu.

— Vous avez réussi ! Vous nous avez ramené mon fils, vous n'avez pas échoué. Et maintenant, vous allez retrouver cet autre petit garçon, et lui aussi, vous allez le ramener dans sa famille. Personne ici ne vous reproche quoi que ce soit, fiston. Vous me comprenez ? Personne ici ne vous en veut, et personne ne vous en a jamais voulu.

Je voulus dire quelque chose, mais je n'y parvins pas.

M. Abbott s'éclaircit la gorge.

— Je n'ai qu'une chose à ajouter, enchaîna-t-il, d'une voix redevenue forte et claire. Ce que vous avez écrit dans votre lettre, cette phrase sur le fait que vous n'aviez pas de famille, c'est la seule chose qui soit inexacte. Vous faites partie de notre famille depuis le jour où maman a ouvert votre lettre. On ne vous en veut pas, fiston. Ici, on vous aime. C'est le propre de la famille, n'est-ce pas, de s'aimer quoi qu'il arrive ? Et là-haut, dans le ciel, soyez sûr que Roy vous aime aussi.

Je réussis à dire à M. Abbott que je devais le quitter. Après avoir reposé le combiné, je sortis avec mon café sur la terrasse. Dans le canyon, les points de lumière s'éteignirent au fur et à mesure que le ciel pâlissait.

Le chat était tapi à l'angle de la terrasse, les pattes repliées sous le corps, observant quelque chose en contrebas dans la pénombre. Je m'assis sur le plancher à côté de lui, en laissant mes jambes pendre dans le vide, et lui caressai le dos.

— Qu'est-ce que tu vois, mon pote ?

Ses grands yeux noirs luisaient intensément. Sa four-rure était empreinte de la froidure de l'aube, mais son cœur pulsait vigoureusement dans la chaleur qu'on sentait au-dessous.

J'avais acheté cette maison peu après mon retour de la guerre. À mon entrée dans les lieux, j'avais passé une semaine à arracher les moquettes, à mettre de l'enduit sur les murs, et d'une manière générale à tâcher de m'appro-prier la maison de quelqu'un d'autre. J'avais aussi décidé de changer la balustrade de la terrasse de façon à pouvoir m'asseoir au bord avec les jambes dans le vide et, un jour que j'étais en train de monter la nouvelle balustrade, le chat avait surgi d'un bond au coin de la maison. Il s'était arrêté là, les oreilles rabattues et la tête bizarrement inclinée, et s'était mis à me fixer comme si j'étais sa mauvaise surprise du jour. Tout un côté de sa face était déformé par une plaie sanguinolente. Je me souvenais de lui avoir lancé : « Hé, mon pote, qu'est-ce qui t'est arrivé ? » Il avait grondé en se hérissant, mais il n'avait pas l'air d'avoir peur de moi ; simplement il était de mauvais poil parce qu'il n'appréciait pas de trouver un étranger chez lui. Je sortis un bol d'eau sur la terrasse et repris mon travail. Après avoir longtemps ignoré le bol, il finit par se mettre à laper. Laper semblait être pour lui quelque chose de très pénible et, pour manger, ce devait être encore pire. Il était maigre et crade et n'avait proba-blement rien mangé depuis des jours. J'ouvris en deux le sandwich au thon que j'avais prévu pour le déjeuner et confectionnai une sorte de pâtée avec le thon, la mayon-naise et un peu d'eau. Il arqua le dos quand je déposai la pâtée au thon à côté du bol. Je m'assis au pied de la maison. Lui et moi nous observâmes pendant près d'une heure. Enfin, il s'approcha du poisson, qu'il commença à lécher sans me quitter des yeux. Le trou dans le côté de sa face était jaune de pus, ça ressemblait à une blessure par balle. J'avançai une main. Le chat gronda. Je ne bougeai pas. Les muscles de mon épaule et de mon bras me faisaient mal, mais je savais que si je reculais à cet instant, le lien que nous étions en train d'établir serait perdu. Il renifla, s'approcha en rampant. Mon odeur s'était mêlée à celle de sa pâtée, et j'avais encore un peu de thon sur les doigts. Il gronda, moins fort. Je ne bougeai pas. À lui de choisir. Il finit par poser au bout de mon doigt un minuscule baiser de chat, puis se détourna pour me présenter le flanc. C'est un pas immense pour un chat. Je caressai son pelage soyeux. Il y consentit. Depuis ce jour, nous sommes restés amis, et ce chat est même la créature la plus constamment présente dans ma vie depuis notre rencontre sur la terrasse. C'est encore valable aujourd'hui ; ce chat, et Joe Pike.

Je lui caressai le dos.

— Si tu savais ce que je regrette d'avoir laissé ce salaud enlever Ben… Ça n'arrivera plus.

Le chat frotta son front contre mon bras et braqua sur moi le double miroir de ses yeux noirs. En me regardant, il se mit à ronronner.

Le pardon est primordial.

Sale journée

Les cinq membres de la patrouille 5-2 étaient assis sur le plancher d'acier de l'hélicoptère ; le vent soulevait des nuées de poussière rouge. Cole fit un large sourire au bleu, Abbott, un gamin sacrément costaud de Middletown, État de New York, et lui tapota la cuisse.

— Ton galure, mec.

— Hein ?

Ils se penchèrent l'un vers l'autre, obligés de hurler pour couvrir le mugissement des turbines. Ils étaient encore au sol, sur l'héliport de la base de combat des rangers, et l'énorme rotor au-dessus de leur tête tournoyait de plus en plus vite à mesure que les pilotes avançaient dans la procédure de décollage.

Cole posa une main sur son chapeau de jungle délavé, qu'il avait soigneusement plié en deux et calé sous sa fesse droite.

— Ton chapeau va s'envoler.

Abbott, s'apercevant qu'il était le seul de tous les rangers à porter son chapeau, se décoiffa d'un geste sec. Luis Rodriguez, leur sergent, un Texan de Brownsville âgé de vingt ans, décocha un clin d'œil à Cole. Il avait entamé sa deuxième rotation au Vietnam une semaine auparavant.

— Tu crois qu'il a les chocottes ?

Les traits d'Abbott se contractèrent.

— Je n'ai pas peur.

Cole eut l'impression qu'il était à deux doigts de vomir. Ce Roy Abbott, c'était de la chair fraîche. Il n'avait effectué que trois sorties dans la jungle, pour des actions d'entraînement, toujours à proximité de la base de combat et sans grand risque de contact avec l'ennemi. C'était aujourd'hui sa première vraie mission de reconnaissance de longue portée.

Cole lui tapota la cuisse en souriant à Rodriguez.

— Sûrement pas, sergent. Ce mec-là, c'est Clark Kent en treillis de ranger. Le danger, il en boit un litre au petit déjeuner et il redemande sa dose à midi ; il chope les balles entre ses dents et jongle avec des grenades pour se marrer ; il n'a pas besoin d'hélico pour aller casser du Viet, c'est juste qu'il se plaît en notre compagnie...

186

Ted Fields, dix-huit ans et originaire d'East Lansing, dans le Michigan, salua les propos de Cole en poussant un cri de guerre :

— Hou !

— Hou ! reprirent aussitôt en chœur Rodriguez et Cromwell Johnson, l'opérateur radio, dix-neuf ans, fils d'un métayer de Mobile, Alabama.

Un truc de rangers. Hou-ah. Hou en abrégé.

Ils souriaient à Abbott maintenant, et le blanc de leurs yeux étincelait dans l'obscurité des visages peints. Ils étaient cinq – tous dotés d'une solide expérience de la jungle, sauf le bleu –, cinq jeunes hommes en treillis de camouflage, aux bras, aux mains, à la figure noircis pour se fondre dans la végétation tropicale, munis de M-16 et d'un maximum de chargeurs de rechange, de grenades à main et de mines anti-personnel, ainsi que du strict minimum dont ils auraient besoin pour survivre à une semaine de reconnaissance au cœur du territoire ennemi.

Cole et les autres cherchaient à atténuer l'inquiétude du petit nouveau.

Le chef d'équipage du Huey donna une tape sur la tête de Rodriguez, lui adressa un signe du pouce, et l'hélicoptère s'inclina vers l'avant ; ils décollaient.

Cole se pencha vers Abbott et mit une main en porte-voix pour que ses paroles ne soient pas emportées par la turbulence.

— Tout ira bien. Reste calme et silencieux.

Abbott hocha gravement la tête.

— Hou ! dit Cole.

— Hou !

Roy Abbott avait intégré la compagnie de rangers trois semaines plus tôt et s'était vu attribuer un lit de camp dans le même baraquement que Cole. Celui-ci l'avait apprécié dès qu'il avait vu les photos. Abbott ne la ramenait pas comme *certains bleus, il faisait attention à ce que disaient les anciens et n'avait pas l'air d'être du genre à chier dans son froc, mais ce furent surtout ses photos qui tapèrent dans l'œil de Cole. La première chose que fit le bleu à son arrivée, ce fut de punaiser des photos au-dessus de son lit ; mais pas des images de bolides ou de pin-up, non, des photos de sa maman, de son papa et de ses quatre petites sœurs : le vieux aux traits burinés, en costume de toile vert clair ; la mère aux formes lourdes, en robe toute simple ; et les quatre fillettes aux cheveux de sable, quatre clones de leur mère, propres sur elles et parfaitement banales avec leur acné et leur jupe plissée.*

Étendu sur son lit de camp, les mains derrière la nuque, Cole avait observé la scène avec fascination. Après avoir assisté en silence à l'installation des photos, il interrogea Abbott à leur sujet.

Abbott le lorgna d'un œil suspicieux, comme si ce n'était pas la première fois qu'un petit malin cherchait à se payer sa tête. Cole aurait parié dix dollars que ce gosse récitait son bénédicité avant chaque repas.

— Ça t'intéresse vraiment ?

— Oui. Sans ça, je ne te poserais pas de question.

Abbott lui expliqua le partage des tâches à la ferme familiale, raconta qu'ils vivaient encore tous dans le petit patelin où leurs oncles, tantes, cousins et grands-parents avaient vécu depuis près de deux cents ans, labourant la même terre, usant les mêmes bancs d'école, vénérant le même Dieu, et supportant la même équipe de football, les Buffalo Bills. Son père, diacre à l'église locale, avait combattu en Europe pendant la Seconde Guerre mondiale. Roy avait décidé de marcher dans ses traces.

— Et toi ? demanda-t-il à Cole quand il en eut fini avec son histoire personnelle.

— Ça n'est pas la même chose.

— Qu'est-ce que tu veux dire ?

— Ma mère est folle.

Ne sachant trop comment réagir, Abbott décida de poursuivre.

— Ton père aussi était dans l'armée ?

— Je ne l'ai jamais connu. Je ne sais pas qui c'est.

— Oh.

Le bleu se réfugia dans le silence. Il termina de ranger son barda, puis ressortit et alla aux latrines.

Cole quitta son lit de camp d'un coup de reins pour étudier la galerie de portraits d'un peu plus près. Mme Abbott faisait sans doute ses biscuits elle-même. M. Abbott emmenait sans doute son fils à la chasse le jour de l'ouverture. Leur famille prenait sans doute ses dîners réunie autour d'une grande et longue table. C'était comme ça que les choses se passaient dans les vraies familles. Comme ça que Cole se l'était toujours imaginé.

Le reste de l'après-midi, il aiguisa son couteau Randall, regrettant que la famille de Roy Abbott ne soit pas la sienne.

L'hélicoptère piqua brutalement du nez après avoir survolé une arête montagneuse, plongea en direction d'une clairière envahie d'herbes folles, se mit en vol stationnaire comme pour atterrir et repartit tout à coup vers le ciel.

Abbott s'accrocha à son M-16, les yeux écarquillés de surprise, tandis que l'appareil remontait au-dessus de l'arête.

— Pourquoi est-ce qu'on n'a pas atterri ? demanda-t-il à Cole. Les Viets ?

— On va faire deux ou trois fausses insertions avant d'y aller pour de bon. Comme ça, les Viets ne sauront pas où on est descendus.

Abbott se pencha en avant pour regarder le paysage au moment où l'hélico vira brusquement.

Rodriguez, le chef de la patrouille, cria à Cole .

— Hé, Cole, ne laisse pas tomber ce couillon !

Cole attrapa le havresac d'Abbott et garda une main dessus. Depuis le jour où le bleu avait débarqué avec ses photos, il l'avait pris sous son aile. Il lui avait appris ce qu'il fallait éliminer de son équipement de combat pour alléger sa charge, il lui avait montré la meilleure façon de harnacher son matos pour éviter les cliquetis intempestifs, et il avait participé à deux de ses missions d'entraînement pour vérifier ses qualités d'homme. Cole aimait bien l'entendre parler de sa famille. Johnson et Rodriguez aussi venaient d'une famille nombreuse, mais le père de Rod n'était qu'un pochetron qui frappait ses gosses.

Le bulletin météo de ce matin avait annoncé des trombes d'eau et une visibilité réduite, mais les nuages lourds qui s'amoncelaient au ras des montagnes ne disaient vraiment rien qui vaille à Cole. Si le mauvais temps était souvent le meilleur ami d'un ranger en mission de longue portée, il pouvait aussi se révéler meurtrier : quand les rangers étaient vraiment dans la merde, il leur restait toujours la possibilité de réclamer par radio des hélicos de combat, une évacuation médicale, voire une extraction pure et simple, mais tous ces engins ne pouvaient pas voler dans la purée de pois. Et pour rentrer à la base par ses propres moyens quand on était en territoire ennemi, ça faisait une sacrée trotte.

L'hélico effectua deux nouvelles fausses insertions. La prochaine serait la bonne.

— Verrouillez et chargez

Les cinq rangers chargèrent leur fusil-mitrailleur après avoir vérifié que le cran de sûreté était mis. Sentant qu'il avait peur, Cole se pencha vers Abbott.

— Garde toujours un œil sur Rodriguez. Il va foncer vers la lisière dès qu'on aura posé notre cul. Surveille bien les arbres, mais surtout ne tire pas avant que l'un de nous ait tiré. Pigé ?

— *Oui.*

— *Les rangers montrent la voie.*

— *Hou !*

L'hélicoptère vira sèchement face au vent, piqua du nez, coupa les gaz et se mit en vol stationnaire à cinquante centimètres au-dessus d'un lit de torrent à sec, au fond d'un ravin. Cole tira le bras d'Abbott pour l'entraîner dans son saut, et les cinq hommes atterrirent dans les fougères. L'hélico reprit de l'altitude et s'éloigna à toute vitesse à l'instant même où ils touchaient terre, les laissant livrés à eux-mêmes. Ils coururent vers les arbres, Rodriguez en tête, Cole fermant la marche. Dès que la jungle se fut refermée sur eux, les membres de la patrouille 5-2 se jetèrent à plat ventre en étoile, les pieds au centre de l'étoile, le visage à l'extérieur. Cette position leur permettait de repérer et de combattre tout élément ennemi dans un périmètre de trois cent soixante degrés. Pas un mot ne fut prononcé. Ils attendirent, à l'affût du moindre mouvement.

Cinq minutes.

Dix minutes.

La jungle revint peu à peu à la vie. Les oiseaux se remirent à pépier. Un singe cria. La pluie martelait le sol tout autour d'eux, ruisselant implacablement malgré le triple dais de feuillages, et leurs uniformes ne tardèrent pas à être trempés.

Cole crut entendre le grondement sourd d'une frappe aérienne quelque part à l'ouest, puis se rendit compte que c'était le tonnerre. L'orage approchait.

Rodriguez prit appui sur un genou et se releva lentement. Cole tapota la cuisse d'Abbott. Tout le monde se mit debout sans un mot. La maîtrise du silence était primordiale

Ils entamèrent leur ascension Cole connaissait le profil de la mission sur le bout des doigts : ils allaient devoir longer la ligne de crête en direction du nord, puis suivre une piste

191

de jungle très utilisée par l'armée nord-vietnamienne afin de localiser un complexe de blockhaus où, selon les espions militaires, un bataillon de l'armée régulière nord-vietnamienne était en train de se masser. Un bataillon, c'est-à-dire mille hommes. Les cinq membres de la patrouille venaient d'être largués dans une zone où leur infériorité numérique se chiffrait à deux cents contre un.

Rodriguez marchait en pointe. Ted Fields venait ensuite et, alors que Rod gardait les yeux rivés sur le sol pour choisir à chaque pas le meilleur endroit où poser les pieds sans faire de bruit, Fields le couvrait en scrutant la jungle devant eux pour repérer une éventuelle présence ennemie. Johnson venait en troisième, avec sa radio. Abbott marchait dans les pas de Johnson, et Cole, derrière Abbott, couvrait les arrières de la patrouille. C'était parfois Cole qui marchait en pointe sur certaines missions, avec Rod en couverture et Fields en queue, mais cette fois-ci Rod préférait que Cole garde un œil sur le bleu.

En file indienne, espacés de trois ou quatre mètres, ils remontèrent lentement des profondeurs du ravin. Cole observait Abbott, serrant les dents chaque fois que celui-ci accrochait une ronce ou une liane, mais trouva que le gamin, dans l'ensemble, était un commando tout à fait acceptable.

Un grondement de tonnerre roula au-dessus de la crête, et l'air devint brumeux. Ils eurent l'impression de s'enfoncer dans un nuage.

Il leur fallut trente laborieuses minutes d'ascension pour venir à bout de la pente, et Rodriguez décréta une pause au sommet. L'obscurité s'était installée avec le mauvais temps, et ils étaient cernés d'ombres. Rod établit un bref contact visuel avec chacun de ses hommes, puis inspecta le ciel, d'un air de dire que ce temps de chiotte risquait de les baiser. Si jamais ils avaient besoin d'une couverture aérienne, on ne la leur donnerait pas.

Ils se laissèrent glisser sur quelques mètres dans la pente du versant opposé, jusqu'au moment où Rod leva tout à coup le poing. Chacun se mit automatiquement en appui sur un genou, le fusil-mitrailleur prêt à servir, en respectant une alternance gauche-droite afin que leurs deux flancs soient couverts. Rod fit signe à Cole, l'homme de queue. Son index et son majeur dessinèrent un V, mais ce n'était pas un signe de paix, après quoi il incurva le pouce et l'index de manière à former un C. Il indiqua le sol, ouvrit et referma le poing trois fois de suite – cinq, dix, quinze. Il estimait donc la force ennemie à quinze Vietcongs.

Le chef de patrouille reprit sa descente, suivi de près par les autres. Cole vit qu'ils avaient rejoint un étroit sentier marqué d'empreintes de pas entremêlées. Elles provenaient de sandales fabriquées à partir de pneus usagés et étaient encore très nettes, ce qui indiquait qu'elles dataient de dix minutes, un quart d'heure. Les Vietcongs étaient donc tout près.

Abbott se retourna pour lui jeter un coup d'œil. Son visage ruisselait de pluie et ses yeux étaient immenses. Cole avait peur, comme lui, mais se força à sourire. Monsieur Père-Tranquille. Serre les miches, bidasse ; tu peux le faire.

Les rangers de la patrouille 5-2 marchaient dans la jungle depuis cinquante-six minutes. Il restait à certains moins de douze minutes à vivre.

Ils marchèrent parallèlement à la ligne de crête sur une centaine de mètres avant de croiser la piste principale. Elle comportait d'innombrables empreintes de Vietcongs et de soldats de l'armée régulière nord-vietnamienne, et une bonne partie de ce trafic semblait frais. Rod dessina un cercle de sa main levée pour signifier à ses hommes que l'ennemi était tout autour. Malgré la pluie, Cole avait la bouche très sèche.

Trois secondes plus tard, l'enfer allait s'abattre sur eux.

Rod était en train de contourner le tronc d'un banian

quand un doigt de foudre crochu frappa l'arbre, rebondit sur son havresac, et fit exploser la mine antipersonnel sanglée sur celui-ci. De la tête au bassin, Ted Fields se désagrégea en une nuée rougeâtre. Sa chair et son sang pulvérisés éclaboussèrent Johnson, Abbott et Cole tandis que le souffle de la déflagration projetait Rodriguez contre le banian. Le choc balaya Cole comme une lame de fond hypersonique, et il se sentit partir à la renverse. Ses tympans vrombissaient et ses yeux, où qu'il les portât, ne distinguaient plus qu'un immense serpent de lumière convulsée. L'éclair l'avait aveuglé.

— Contact ! hurla Johnson dans son micro. On est au contact !

Cole enjamba Abbott, rampa jusqu'à l'opérateur radio et lui plaqua une main sur la bouche.

— Ferme-la ! Les Viets sont tout autour de nous, Johnson, arrête de crier ! C'était la foudre '

— La foudre mon cul, c'était un tir de mortier ! Je me suis pas tapé quinze mille bornes pour me faire dégommer par un putain d'éclair !

— C'était la foudre. je te dis ! Elle a fait sauter la mine de Rod !

Quelles étaient les probabilités ? Une sur un million ? Une sur dix milliards ? Ils marchaient sur la crête d'une montagne grouillante de Viets, et la foudre venait de s'abattre sur eux.

— Je ne vois plus, souffla Johnson. Merde, je suis aveugle !

— Tu es blessé ?

— J'y vois plus rien ! À part une putain de lumière qui se tortille dans tous les sens !

— Tu as été ébloui, mec, comme quand on regarde une ampoule. Ça m'a fait pareil. Calme-toi. Fields et Rod sont touchés.

194

La vision de Cole revenait progressivement ; il s'aperçut que Johnson saignait à la tête. Il se retourna vers le bleu.

— Abbott ?

— Ça va pour moi.

Cole remit le micro entre les mains de Johnson.

— Appelle la base. Demande-leur de venir nous tirer de ce merdier.

— Compris.

Toujours en rampant, Cole quitta Johnson pour aller examiner Fields. Ted n'était plus qu'une dentelle écarlate de chair et de treillis déchiqueté. Rodriguez vivait encore, mais un pan de sa tête avait été emporté, et son cerveau était visible.

— Sergent ? Rod ?

Rodriguez ne réagit pas.

Cole savait que les Viets ne tarderaient pas à venir se renseigner sur l'origine de l'explosion. Il n'y avait pas une minute à perdre s'ils voulaient garder une chance de survivre. Il revint vers l'opérateur radio.

— Dis-leur qu'on a un tué et un blessé à la tête. On va se replier sur l'autre versant et essayer de rejoindre le point d'insertion.

Johnson répéta à mi-voix ce que venait de lui dire Cole et déplia une carte d'état-major plastifiée pour communiquer leurs coordonnées à la base. Cole fit signe à Abbott de s'approcher.

— Surveille la piste.

Abbott ne réagit pas. Il regardait fixement ce qui restait de Ted Fields, ouvrant et refermant la bouche comme un poisson asphyxié. Cole attrapa une sangle de son baudrier et le secoua.

— Bon Dieu, Abbott, surveille les Viets ! On n'a pas de temps à perdre !

Abbott finit par armer son M-16 et le mettre en position de tir.

Avec des gestes aussi rapides et précis que possible, Cole plaqua un pansement de compression contre le crâne de Rodriguez. Celui-ci se convulsa, tenta de le repousser. Cole dut se coucher sur lui pour l'immobiliser et lui entoura la tête d'un bandage. La pluie qui coulait toujours à verse délayait le sang du blessé. Un coup de tonnerre ébranla la forêt.

Johnson le rejoignit sur les coudes.

— Ils sont cloués au sol par ce putain d'orage, mec ! Je me doutais que ce genre de couille allait nous tomber sur la gueule Putain d'enfoirés de la météo, nous envoyer dans un merdier pareil ! On n'a même pas vu les Viets, et on se fait baiser par une connerie d'éclair ! On est dans la merde jusqu'à l'os, et aucun hélico ne peut décoller. Il va falloir qu'on se démerde seuls !

Cole acheva de panser Rodriguez et prépara deux doses de morphine injectable. Étant donné sa blessure, la morphine risquait de le tuer, mais ils allaient devoir transporter Rod — et vite ; s'ils se faisaient coincer par les Viets, personne n'en réchapperait. Cole vida ses deux seringues dans la cuisse de Rodriguez.

— Tu crois qu'à nous trois on va pouvoir transporter Rod et Fields ? demanda-t-il à Johnson.

— Putain, t'es dingue ou quoi ? Regarde Fields, on dirait de la chair à pâté !

— On ne se laisse pas tomber entre rangers, Johnson.

— T'as pas entendu ce que je viens de te dire, Cole ? Ils ne peuvent pas nous envoyer d'hélico ! Personne n'ira nulle part tant que ce foutu orage ne sera pas passé !

La jambe de Ted Fields tressaillait encore, mais Cole se força à regarder ailleurs. Peut-être Johnson avait-il raison en ce qui concernait Fields ; ils reviendraient le chercher plus tard, mais en attendant ils avaient intérêt à évacuer le secteur avant que les Viets ne les aient repérés, d'autant qu'ils allaient devoir s'y mettre à deux pour transporter Rodriguez.

— D'accord, fit-il, on laisse Ted ici pour le moment. Abbott, tu vas m'aider à porter Rodriguez. Crom, prends l'arrière et préviens la base de nos intentions.

— Ça marche.

Johnson reprit contact avec la base pendant que Cole et Abbott soulevaient Rodriguez. Ce fut alors qu'un geyser rouge jaillit du ventre d'Abbott, en même temps que se faisait entendre le tacatac assourdi d'un AK-47.

— Les Viets ! hurla Johnson, en se mettant illico à envoyer des rafales contre les arbres les plus proches.

Abbott lâcha les jambes de Rodriguez et tomba au sol.

La jungle entra en éruption, secouée de bruits et d'éclairs.

Bien que ne voyant aucun ennemi, Cole imita Johnson et ouvrit le feu en direction des arbres. Il vida son chargeur en deux rafales.

— Où est-ce qu'ils sont ?

— J'ai vu les Viets ! Je les ai vus, ces fils de pute !

Johnson engagea un chargeur neuf et fit crépiter quatre rafales plus courtes, par volées de quatre ou cinq cartouches. Cole rechargea à son tour et tira sans discrimination. Il ne voyait toujours pas l'ennemi, mais des balles sifflaient tout autour de lui, agitant les feuillages et soulevant des mottes de terre. Le vacarme était assourdissant, mais c'est à peine si Cole l'entendait. C'était la même chose chaque fois qu'il se retrouvait au contact ; la montée d'adrénaline amortissait les bruits et lui engourdissait les sens.

Il vida un deuxième chargeur, l'éjecta, en inséra un troisième. Après avoir tiré une rafale vers la jungle, il passa par-dessus Rodriguez en rampant pour aller voir Abbott. Celui-ci se tenait l'estomac à deux mains pour couvrir sa blessure.

— *Je m'en suis pris une, souffla-t-il. Je crois que je m'en suis pris une !*

Cole écarta les mains du bleu pour examiner la plaie, aperçut un anneau intestinal grisâtre. Il lui remit les mains sur la plaie.

— *Appuie dessus, petit ! Appuie fort !*

Cole ouvrit de nouveau le feu sur les ombres végétales.

— *Où est-ce qu'ils sont ? cria-t-il à Johnson. Je ne les vois pas !*

Johnson ne répondit pas. Il rechargeait et tirait avec une détermination mécanique – brrp, brrp, brrp !

Cole vit les balles de Johnson hacher menu une épaisse touffe de jungle, aperçut un éclair de feu sur sa droite. Il vida son chargeur dans cette direction et détacha une grenade de son baudrier. Après avoir averti Johnson d'un cri sec, il la lança. Elle explosa avec un CRAC ! *terrifiant qui résonna à travers la forêt. Cole lança une deuxième grenade.* CRAC ! *Johnson en envoya une en lob –* CRAC !

— *On se replie ! Johnson, on y va !*

Johnson battit en retraite à reculons, sans cesser de faire feu. Cole secoua Abbott.

— *Tu tiens debout ? Il faut qu'on se barre, ranger ! Tu peux te lever ?*

Abbott roula sur lui-même et réussit à se mettre à genoux. Il geignit sous l'effort, la main gauche toujours plaquée sur son estomac.

Cole tira en direction des arbres, puis lança une grenade. Johnson n'avait pas besoin qu'on lui dise ce qu'il avait à faire ; il le savait. Fields était peut-être mort, mais Rodriguez, lui, était toujours vivant. Ils allaient l'emmener.

Après une nouvelle série de rafales, Johnson et Cole se positionnèrent de chaque côté du blessé et le soulevèrent par les sangles de son baudrier.

— Vas-y, Abbott, s'écria Cole, pars devant ! On remonte par le même chemin !

Abbott partit en tête, titubant presque à chaque pas.

Tout en tenant Rodriguez, Cole et Johnson se remirent à tirer de leur main libre. Les tirs ennemis s'étaient tus lorsqu'ils avaient balancé leurs grenades, mais ils avaient repris, de plus en plus nourris ; les Viets se hélaient les uns les autres derrière l'épais rideau végétal.

— Minh dang duoi bao nhieu dua ?

— Chung dang chay ve phia bo song !

Cole entendit des balles siffler. Johnson poussa un grognement, trébucha, reprit son équilibre in extremis.

— Ça va aller, marmonna-t-il.

Il venait d'être touché au mollet.

Cole sentit deux impacts secouer le corps de Rodriguez et comprit que leur chef de patrouille avait été atteint une fois encore.

— Les enculés ! vociféra Johnson.

— Continue à courir !

Rodriguez vomit un énorme caillot de sang et se convulsa.

— Bon Dieu !

— L'enfoiré, il est mort ! Ce fils de pute est mort !

Ils étendirent Rodriguez derrière un arbre. Johnson se remit à tirer vers l'aval, vidant coup sur coup deux chargeurs pendant que Cole cherchait le pouls de Rodriguez. En vain.

Cole sentit la rage lui brûler les yeux ; d'abord Fields, et maintenant Rodriguez. Il expulsa toutes ses cartouches d'une seule rafale, détacha d'un geste sec les grenades du baudrier de Rodriguez. Il en lança une, et encore une autre – CRAC ! CRAC ! Johnson récupéra les munitions de Rodriguez, et les deux hommes battirent en retraite, Cole tirant pendant que Johnson se repliait, Johnson tirant à son tour pour couvrir le repli de Cole. Celui-ci n'avait toujours pas vu le moindre soldat ennemi.

Ils rattrapèrent Abbott sur la ligne de crête et se mirent en couverture derrière un arbre abattu. La pluie, de plus en plus dense, les enveloppait d'un suaire gris.

— Prends la radio, Johnson ! Dis-leur de nous sortir de là !

Cole écarta le baudrier d'Abbott, ouvrit sa chemise.

— Ne regarde pas, mec ! Surveille les arbres. Tu t'occupes des Viets, d'accord ? Surveille les Viets !

Abbott pleurait.

— Ça brûle ! gémit-il. Ça fait un mal de chien ! Ça fait mal !

À cet instant, Cole aima le bleu – l'aima et le détesta en même temps ; il l'aima pour son innocence et sa peur, et le détesta d'avoir pris cette balle qui en les ralentissant risquait de les faire tous tuer.

Johnson prit la main d'Abbott.

— Pas question que tu crèves, bon Dieu de merde ! On ne laisse pas crever les bleus à leur première sortie ! Chez nous, la mort, ça se mérite !

— Les rangers montrent la voie, dit Cole. Répète, Roy. Les rangers montrent la voie.

Abbott, ravalant ses larmes, balbutia :

— Les rangers... montrent... la voie...

Ses intestins avaient jailli de sa paroi abdominale comme un nœud de crotales. Cole les renfonça à l'intérieur et appliqua un pansement de compression sur la plaie. Le pansement vira au rouge avant même qu'il ait fini de le mettre en place, un signe évident d'hémorragie artérielle. Malgré sa soudaine envie de prendre ses jambes à son cou en plantant là Abbott, ses litres de sang et les Viets, il réussit à sortir une dose de morphine de son kit d'urgence et lui planta l'aiguille dans la cuisse.

— Finis le bandage, Johnson. Serre au max, et branche-le.

Les rangers effectuaient des missions tellement lourdes que

chaque homme avait une boîte de soluté d'albumine fixée à son baudrier. Cole jeta la seringue de morphine et attrapa la radio pendant que Johnson mettait Abbott sous perfusion de sérum.

— Ici 5-2, 5-2, 5-2. On est au contact, je répète, on est au contact ! On a deux morts et un blessé en état critique, terminé !

La voix métallique du chef de leur compagnie, le capitaine William « Zeke » Zekowski, se fit entendre, hachée à chaque syllabe. L'orage brouillait la communication.

— Répétez, 5-2.

Cole eut envie de détruire ce maudit radiotéléphone, mais se contenta de répéter mot à mot ce qu'il venait de dire. La panique tue, pensa-t-il. Accroche-toi. Les rangers montrent la voie.

— Bien reçu, 5-2. On a un hélico de transport et deux appareils de combat à trois milles de votre position, mais ils ne peuvent pas survoler la zone avec un temps pareil, fiston. L'orage passera vite, essayez de tenir bon.

— On est en train de se replier. Vous me recevez ?

Il n'obtint pour toute réponse qu'un crépitement de parasites. La pluie était si violente qu'il avait l'impression d'être sous sa douche.

— Est-ce que quelqu'un m'entend, bon Dieu ?

Parasites.

— Bordel de merde !

Plus de radio. Pas d'extraction possible. Rien. Ils étaient seuls.

Quand Johnson eut fini d'installer la perfusion intraveineuse de sérum d'Abbott, ils aidèrent le blessé à se remettre debout. Cette pluie serait peut-être leur alliée ; l'épais rideau liquide les dissimulerait, brouillerait leurs traces et compliquerait la tâche des Viets lancés à leurs trousses. Ils ne risqueraient pas grand-chose de ce côté-là jusqu'à ce qu'on vienne à leur rescousse.

À peine Johnson eut-il commencé à marcher en tête qu'un sifflement de balle amorti par la pluie zébra l'air ; sa tête vola en éclats. Il s'écroula à leurs pieds.

Abbott poussa un hurlement.

Cole fit volte-face et se mit à tirer au hasard. Il vida son chargeur, ramassa le fusil-mitrailleur de Johnson et vida un autre chargeur.

— Tire, Abbott ! Sers-toi de ton arme !

Abbott ouvrit le feu, lui aussi à l'aveuglette.

Cole tirait sur tout ce qui bougeait. Il tirait parce que quelqu'un voulait sa peau et qu'il devait tuer avant d'être tué. Il lança sa dernière grenade, CRAC !, en arracha une autre du baudrier de Johnson. CRAC ! Il lui ôta aussi ses munitions et la radio. La tête de Johnson s'ouvrit comme un melon pourri.

— Cours, bon Dieu ! COURS !

Il poussa Abbott dans la descente et vida un nouveau chargeur sous les trombes d'eau. Rechargea, tira, prit la radio en bandoulière. Des balles claquèrent dans un enchevêtrement d'arbres morts juste devant lui, soulevant une gerbe d'échardes.

Cole se mit à courir à son tour. Rattrapa Abbott, lui passa un bras sous l'épaule, l'entraîna en avant.

— COURS !

Ils dévalèrent la pente, trébuchant à chaque pas, au milieu des feuillages dont le vert luisait comme du vieux cuir. Des ronces leur griffaient les jambes et s'accrochaient à leur fusil-mitrailleur. Le sifflement des balles les talonnait toujours.

Ils arrivèrent au fond d'une combe escarpée, où l'orage avait créé un torrent. Cole entra dans l'eau pour ne pas laisser de traces, entraîna Abbott dans le flot tumultueux, ressortit avec lui sur l'autre rive un peu plus en aval, à un *endroit où la combe était plus large. Derrière eux, des Viets criaient :*

— Rang chan phia duoi chung !

— Toi nghe thay chung no o phia duoi !

Quelque part sur leur gauche, un AK cracha le feu en mode automatique.

Abbott bascula vers l'avant et s'écroula parmi la végétation, en arrachant au passage la perfusion fixée à son avant-bras. Cole le remit sur ses genoux et lui ordonna de se lever.

Là où son camouflage avait été lavé par la pluie, le visage d'Abbott était blanc comme un linge.

— Je vais vomir.

— Debout, ranger ! On continue !

— J'ai mal à l'estomac.

Tout le devant de son treillis, pantalon compris, était imbibé de sang.

— Debout !

Cole jeta Abbott en travers de ses épaules à la façon d'un sapeur-pompier et se remit en marche en chancelant sous son poids ; avec son barda, le bleu représentait une charge supplémentaire de près de cent cinquante kilos. Devant eux, la jungle s'éclaircit peu à peu. Ils se rapprochaient du point d'insertion.

Cole se démena pour porter devant sa bouche le micro de la radio tout en continuant de longer le torrent à pas incertains.

— 5-2, 5-2, 5-2, terminé.

La voix hachée du capitaine revint en ligne.

— Je vous reçois, 5-2.

— Johnson est mort. Ils sont tous morts.

— Soufflez un peu, fiston.

— Trois tués au combat, un blessé en état critique. Et on

a les Viets au cul. Vous m'entendez ? Les Viets sont juste derrière nous !

— Tenez bon.

— Arrêtez de me dire de tenir bon, merde ! On est en train de crever !

Cole se mit à pleurer. Il haletait comme une locomotive à vapeur, et sa frayeur était si intense que son cœur semblait la proie d'un incendie.

— Cole ? C'est vous ?

— Tout le monde y est passé. Abbott est en train de se vider de son sang.

— Je viens d'avoir le pilote d'un hélico de la First Cav, il pense pouvoir vous récupérer en prenant par le sud. Il n'a plus beaucoup de carburant, mais il a l'air prêt à tenter le coup.

D'autres cris s'élevèrent derrière Cole, et un AK crépita. Il ne savait pas si les Viets le voyaient ou non, mais n'avait plus la force de se retourner. Il poursuivit sa marche en titubant. Abbott se mit à hurler.

— Je suis presque au point d'insertion, souffla-t-il dans le micro.

— L'hélico est en train de longer le ravin sous le plafond nuageux. Vous allez devoir lui envoyer un fumigène, fiston. On ne peut pas le diriger par radio jusqu'à votre position exacte, terminé.

— OK, j'envoie la fumée.

— Cette saleté d'orage arrive droit sur nos appareils de combat. Ils ne pourront pas venir en couverture.

— Je comprends.

— Vous allez devoir vous débrouiller seul, Cole.

Il émergea enfin dans la clairière où l'hélicoptère les avait déposés. Le torrent à sec débordait à présent d'eau écumeuse. Cole y entra jusqu'à la taille et traversa son lit en luttant contre le courant. Ses bras et ses jambes ne répondaient *quasiment plus, mais il finit par atteindre la berge et chercha des yeux l'hélicoptère de la First Cav Il crut l'apercevoir – une vague tache noire à demi effacée par la pluie. Il tira un fumigène. Un serpentin violet s'éleva au-dessus de lui.*

La tache noire s'inclina sur le flanc et grossit peu à peu.

Cole laissa échapper un sanglot.

Ils allaient s'en sortir.

Il tomba à genoux à côté d'Abbott.

— Tiens bon, Roy ; ils arrivent.

Abbott ouvrit la bouche et cracha du sang.

Quelque chose frôla Cole avec un bruit de claquement de fouet tandis que le tactactac métallique d'un AK jaillissait de la lisière des arbres. Il se jeta à plat ventre, vit des éclairs de feu danser comme des lucioles dans le mur végétal. Une giclée de boue lui éclaboussa la figure.

Il déchargea son M-16 en direction des éclairs, engagea un nouveau chargeur, se remit aussitôt à tirer.

— Abbott !

Abbott roula sur le ventre. Il ajusta lentement son arme et tira une seule balle.

La jungle brasillait de partout. Des éclairs clignotants toujours plus nombreux dansaient entre les feuillages. La boue se soulevait par vagues, les hautes herbes filandreuses tout autour d'eux se brisaient les unes après les autres, fauchées par des lames invisibles. Cole vida son chargeur d'une longue rafale, en inséra un autre, le vida tout aussi rapidement. On aurait pu faire griller de la viande sur le canon de son M-16 tellement il était chaud.

— Sers-toi de ton arme, Abbott ! TIRE !

Abbott tira encore une balle.

Cole entendit le murmure étouffé de l'hélicoptère.

Il rechargea, ouvrit de nouveau le feu. Il venait d'entamer son dernier groupe de quatre chargeurs, et la forêt pullulait de soldats ennemis.

— Tire, merde !

Abbott roula sur le côté.

— Je ne pensais pas que ça serait comme ça, lâcha-t-il d'une voix pâteuse.

Le grondement de l'hélicoptère s'amplifia d'un seul coup, et les herbes se couchèrent. Cole tirait toujours. Au-dessus de sa tête, une mitrailleuse de soixante se mit à arroser la jungle de ses puissants projectiles.

Cole roula sur lui-même tandis que le gros appareil descendait en bringuebalant vers le sol. Sa carlingue était criblée d'impacts ; des filets de fumée s'en échappaient. Des soldats de la First Cav étaient entassés dans la cabine comme des réfugiés. Ils joignirent le feu de leurs armes à celui de la mitrailleuse lourde. Cet hélico s'était visiblement déjà fait canarder à mort, mais son pilote ne semblait pas avoir peur de lancer son appareil en plein orage contre un mur de feu. Ces mecs-là avaient des couilles en acier.

— Debout, Roy, on embarque.

Abbott ne bougea pas.

— DEBOUT !

Cole mit son M-16 en bandoulière, prit Abbott dans ses bras et se redressa de son mieux. Une pointe de chaleur brûlante lacéra son pantalon, un bruit de ferraille lui troua les tympans. Une balle venait de fracasser sa radio. Il s'approcha en zigzag de l'hélicoptère et réussit à hisser Abbott sur le plancher de la cabine. Les soldats de la Cav se serrèrent encore un peu plus, quasiment les uns sur les autres, pour faire un peu de place.

Cole monta péniblement à bord.

Une balle d'AK tinta contre la carlingue.

Le chef d'équipage hurla :

— On nous avait parlé d'un seul gars !

Les oreilles de Cole vrombissaient tellement qu'il ne comprit pas.

206

— Quoi ?

— *On nous a dit qu'il n'y avait qu'un seul homme à ramasser. On est en surcharge ! On ne pourra pas remonter !*

La turbine se mit à mugir : le pilote tentait de décoller. Mais l'hélicoptère resta au sol comme une baleine échouée.

Le chef d'équipage attrapa le baudrier d'Abbott.

— *Balancez-le ! On ne peut pas décoller !*

Cole pointa son M-16 sur son thorax. Le chef d'équipage lâcha Abbott.

— *Putain, ranger, ce mec est* mort, *il faut qu'on le balance ! On va tous y rester !*

— *Il rentre avec moi.*

— *On est en surcharge !* On ne peut pas décoller !

Le mugissement de la turbine enfla encore. Une fumée noire s'engouffra en tourbillonnant dans la cabine.

— Balancez-le !

Cole referma l'index sur la détente. Rod, Fields et Johnson étaient peut-être restés dans la jungle, mais Abbott allait rentrer chez lui. Il n'y a que les familles qui sachent prendre soin des leurs.

— *Il repart avec moi.*

Les soldats de la First Cav sentirent que Cole appuierait sur la détente. Le jeune ranger était fou de rage et de terreur. Il était prêt à faire n'importe quoi et à tuer n'importe qui pour remplir sa mission jusqu'au bout. Les gars de la First Cav étaient capables de comprendre ça. Ils se mirent à balancer des munitions et des havresacs par-dessus bord, tout ce qui pouvait permettre de délester l'hélicoptère.

La turbine mugit de plus belle. Les pales de l'hélice trouvèrent enfin leurs appuis dans l'air détrempé, et l'appareil s'éleva lourdement vers le ciel. Cole posa son M-16 en travers de la poitrine d'Abbott et veilla sur son frère jusqu'à ce qu'ils soient rentrés à la base.

L'orage quitta les montagnes quatre heures plus tard. Une force de riposte constituée de rangers de la compagnie de Cole donna l'assaut sur la crête pour récupérer les corps de ses camarades. Le spécialiste de quatrième classe[1] Elvis Cole en faisait partie.

Les corps du sergent Luis Rodriguez et du spécialiste de quatrième classe Ted Fields furent rapatriés. Le corps du spécialiste de quatrième classe Cromwell Johnson demeura introuvable, et l'on supposa qu'il avait été emmené par l'ennemi.

Pour la bravoure dont il avait fait preuve ce jour-là, le spécialiste de quatrième classe Elvis Cole allait être décoré de la Silver Star, troisième plus haute distinction militaire de la nation.

C'était sa première médaille.

Il en obtiendrait d'autres.

Entre rangers, on ne se laisse pas tomber.

---

1. Grade immédiatement inférieur à celui de caporal dans l'armée des États-Unis. (N.d.T.)

14

Temps écoulé depuis la disparition :
41 heures, 0 minute

Après mon coup de fil au couple Abbott, j'appelai les trois autres familles pour leur annoncer que la police n'allait pas tarder à les contacter – et pourquoi. Au total, en comptant ma conversation avec le sergent-chef Stivic, j'avais passé près de trois heures au téléphone.

À huit heures quarante-cinq, Starkey sonna à ma porte. En lui ouvrant, je vis John Chen à l'arrière-plan, au volant de sa camionnette.

— Je viens de prévenir les familles, annonçai-je de but en blanc. Elles n'ont rien à voir avec l'enlèvement et ne voient absolument pas qui pourrait avoir fait le coup. Vous avez pu vous renseigner sur les autres noms que je vous ai donnés ?

Elle me décocha un coup d'œil oblique. Ses paupières étaient bouffies, sa voix râpeuse.

— Vous êtes bourré, ou quoi ?

— J'ai veillé toute la nuit, Starkey. J'ai appelé les

familles de mes anciens camarades. Je me suis repassé cette fichue cassette une bonne dizaine de fois. Vous avez trouvé quelque chose, oui ou non ?

— Je vous ai déjà répondu hier soir, Cole. On a passé tous les noms au crible, et ça n'a rien donné. Vous ne vous en souvenez pas ?

Effectivement, elle m'en avait parlé la veille au poste de Hollywood. J'attrapai mon trousseau de clés et la contournai pour sortir sur le trottoir.

— Suivez-moi, dis-je. Je vais vous montrer ce qu'on a découvert avec Joe. Chen pourra peut-être comparer les empreintes.

— Vous devriez arrêter le café, Cole On dirait un toxico sur le point de péter les plombs.

— Vous-même, vous n'avez pas l'air très fraîche.

— Allez vous faire voir. Il se pourrait bien que ce soit parce que Gittamon et moi, à six heures du matin, on s'est fait engueuler comme du poisson pourri par notre commandant, qui tenait beaucoup à savoir pourquoi on vous laissait bousiller nos pièces à conviction.

— Richard s'est plaint en haut lieu ?

— Les connards pleins aux as dans son genre se plaignent *toujours* en haut lieu. Donc, voici l'ordre du jour : vous allez nous emmener là où vous avez trouvé ce que vous avez trouvé, et ensuite vous resterez gentiment à l'écart de nos petits oignons. Et tant pis si, dans cette histoire, vous me semblez être le seul – à part moi, évidemment – à savoir enquêter Vous êtes sur la touche, Cole.

— Si j'étais naïf, lâchai-je, je penserais que vous venez de me faire un compliment.

— Que ça ne vous monte pas trop à la tête. En l'occur rence, Richard a raison, vous serez cité comme témoin. Mais j'avoue que ça me fait un peu l'effet de piétiner un homme à terre en vous mettant hors jeu et ça ne m'emballe pas.

Je me reprochai intérieurement d'avoir été cassant.

— J'imagine que vous n'avez pas eu de flash dans la nuit ? reprit-elle. Que vous n'avez pas subitement reconnu la voix du ravisseur, ni retrouvé un souvenir susceptible de nous aider ?

Je faillis lui donner mon avis sur le profil du ravisseur de Ben, mais je me retins en pensant qu'elle prendrait forcément ça pour une tentative d'autojustification.

— Non, répondis-je, je n'ai jamais entendu cette voix. Je l'ai fait écouter au téléphone aux parents de mes camarades ; ils ne l'ont pas reconnue non plus.

Étonnée, Starkey pencha la tête.

— C'était une bonne idée, ça, de leur faire écouter sa voix. J'espère seulement que personne ne vous a raconté de bobards.

— Pourquoi avez-vous demandé à Hurwitz de me rapporter la cassette hier soir au lieu de le faire vous-même ?

Starkey se dirigea vers sa voiture sans répondre.

— Prenez votre caisse, grommela-t-elle. Vous devrez rentrer seul.

Je bouclai ma maison à double tour, montai en voiture et guidai Starkey et Chen à travers le canyon jusqu'au virage du versant opposé où Pike et moi nous étions garés la veille. Le trajet prit environ douze minutes. Une fois sur place, Starkey enfila sa paire de baskets pendant que Chen déchargeait son matériel de police scientifique. Si l'accotement était désert la première fois, aujourd'hui le bord du virage était encombré de voitures et de camionnettes du chantier voisin. Starkey et Chen me suivirent à pied jusqu'au sommet du talus, et nous entamâmes notre descente dans les broussailles. Nous passâmes entre les sapins jumeaux, suivîmes quelques instants le tracé de la faille d'érosion en direction du chêne solitaire. Au fur et à mesure de notre progression, je sentis augmenter mon anxiété et ma peur. J'avais l'impression de me rapprocher enfin de Ben mais, pour cela, encore fallait-il que les empreintes correspondent à celle de l'autre versant. Sans quoi nous repartirions de zéro.

Nous arrivâmes à l'emplacement de la première empreinte – une semelle impeccablement gravée dans la terre sèche entre deux plaques d'argile.

— Celle-ci est assez nette, dis-je. Il y en a d'autres un peu plus bas.

Chen se mit aussitôt à quatre pattes pour l'étudier. Je m'approchai au maximum.

— Fichez-lui la paix, Cole. Reculez.

Chen releva la tête en souriant.

— C'est la même godasse, Starkey. Je le vois sans moulage. Des Rockport, pointure 44. Même semelle de cuir maroquiné, même relief antidérapant.

Mon cœur fit un bond dans ma poitrine, et je sentis l'ombre du ravisseur me frôler une nouvelle fois. Starkey me gratifia d'un petit coup de poing à l'épaule.

— Espèce d'enfoiré.

Pour les compliments, elle ne craignait personne.

Chen releva huit autres empreintes avant que nous ayons rejoint le chêne. Les brins d'herbe les plus vigoureux s'étaient relevés avec la rosée du matin, mais on distinguait toujours nettement une zone aplatie à l'arrière du tronc.

— C'est là, au pied du chêne, dis-je. Vous voyez ces herbes piétinées ?

— Restez ici, ordonna Starkey en me posant une main sur l'avant-bras.

Elle s'approcha. Se pencha afin d'observer ma maison

par-dessous les branches maîtresses du chêne, promena son regard sur le ravin.

— D'accord, Cole. Bien joué. Je ne sais pas comment vous vous êtes démerdé pour arriver ici, mais c'est de l'excellent boulot. Vous avez bien décrypté ce fils de pute. John, il me faut un relevé complet du site.

— Je vais avoir besoin d'aide. Il y a beaucoup plus d'empreintes que de l'autre côté.

Starkey s'accroupit à la limite des herbes aplaties et se pencha en avant pour examiner le sol d'encore plus près.

— John ? Passe-moi tes pincettes.

Chen sortit une paire de pincettes de sa trousse et la lui tendit ainsi qu'un sachet de plastique transparent. Avec les pincettes, Starkey ramassa une petite boulette de matière brune et la glissa dans le sachet. Elle leva la tête vers les branches du chêne, examina de nouveau le sol.

— Qu'est-ce que c'est ? demandai-je.

— On dirait des chiures de rat, mais c'est autre chose. Il y en a partout.

Starkey récupéra une deuxième boulette, coincée entre deux brins d'herbe, et la fit tomber au creux de sa paume.

— N'y touche surtout pas ! glapit Chen, horrifié.

Je m'approchai, et cette fois Starkey ne m'ordonna pas de reculer. Une dizaine de boulettes de la taille approximative d'un plomb de chasse étaient nettement visibles sur le sol. D'autres étaient accrochées aux brins d'herbe. Je compris sur-le-champ de quoi il s'agissait ; j'avais souvent vu ça à l'armée.

— C'est du tabac.

— Comment le savez-vous ? me demanda Chen.

— En patrouille, les fumeurs préfèrent chiquer leur tabac pour s'envoyer leur dose de nicotine. Quand on chique, on ne risque pas d'être trahi par la fumée ou par la braise d'une clope. C'est ce qu'a fait ce mec. Il a chiqué,

213

et puis il a recraché ces boulettes quand il n'y avait plus rien à en tirer.

Au coup d'œil que m'adressa Starkey je devinai ce qu'elle était en train de se dire. Et une connexion de plus avec le Vietnam, une. Elle rendit le sachet à Chen, avala à sec un comprimé blanc, et me dévisagea longuement, les sourcils divisés par un profond sillon vertical.

— J'ai une devinette pour vous, finit-elle par dire.

— Comment ça ?

— Sur l'autre versant, en dessous de chez vous, ce mec ne laisse rien, à part un misérable bout d'empreinte partielle à peine visible. Alors qu'ici il en fout partout.

— Il se sentait en sécurité.

— Ouais... Il a un point de vue nickel et, dans la mesure où personne ne peut le voir, il ne fait pas trop gaffe à ce qu'il fait. J'aurais tendance à me dire que s'il s'est laissé aller ici, il s'est peut-être aussi laissé aller juste au-dessus, dans la rue. Il n'y a que quelques bicoques dans le coin, plus ce chantier à l'autre bout du virage. Théoriquement, il faudrait que j'appelle Gittamon et qu'il m'envoie une patrouille pour faire du porte-à-porte, mais ça ne fait pas grand monde à questionner. Le temps qu'il se ramène avec les uniformes, on pourrait avoir réglé la question, vous et moi.

— Je croyais que j'étais sur la touche.

— Écoutez, Cole, on n'est pas là pour palabrer. Vous êtes d'accord pour y aller, ou vous préférez perdre du temps ?

— Bien sûr que je suis d'accord.

Elle se tourna vers Chen.

— Si vous en parlez à qui que ce soit, je vous botte le train.

Nous laissâmes Chen contacter la SID pour obtenir le renfort d'un autre technicien, remontâmes jusqu'à la route et nous dirigeâmes vers le chantier. Une maison contemporaine avait été décortiquée pour recevoir un étage supplémentaire et bénéficier d'une extension de surface au sol. Une longue benne à gravats bleu roi mordait sur la chaussée devant le chantier, à demi pleine de poutres et de plâtras. Une équipe de charpentiers s'affairait à l'étage pendant que des électriciens passaient un câble à l'intérieur d'une conduite partie du rez-de-chaussée. L'automne touchait à sa fin, mais les ouvriers travaillaient en short et torse nu.

Un homme d'un certain âge, le pantalon flottant, penché sur un jeu de plans dans le garage, était en train d'expliquer quelque chose à un jeune type somnolent à la ceinture duquel étaient accrochés des outils d'électricien. La cloison qui séparait le garage de la maison avait été abattue, et la rangée de poteaux à nu me fit penser à une cage thoracique.

Starkey n'attendit pas qu'ils nous aient vus, et encore moins qu'ils daignent interrompre leur conversation. Elle brandit son insigne sous le nez de l'homme au pantalon flottant.

— Police. Je m'appelle Starkey, lui Cole. C'est vous le patron, ici ?

L'homme se présenta d'un air méfiant : Darryl Cauley, entrepreneur général.

— C'est encore un coup de l'Inspection du travail, ou quoi ? Si vous trouvez quelqu'un ici qui bosse au black, j'ai fait signer à mes sous-traitants un engagement écrit comme quoi les ouvriers qu'ils m'envoient sont tous déclarés.

Le jeune électricien fit mine de s'éloigner.

— Hé, vous, lui lança Starkey, attendez un peu. On aura besoin de parler à tout le monde.

Le visage de Cauley s'allongea encore un peu plus.

— Qu'est-ce que ça veut dire ?

215

Le contact humain n'était décidément pas le fort de Carol Starkey, et j'intervins avant que l'entrepreneur n'ait la mauvaise idée d'appeler son avocat :

— Nous avons de bonnes raisons de penser qu'un ravisseur d'enfant a récemment rôdé dans les parages, monsieur Cauley. Il est sûrement passé en voiture dans cette rue à plusieurs reprises la semaine dernière et s'est garé par ici. Nous aimerions savoir si vous auriez remarqué un véhicule ou des individus qui a priori n'avaient pas grand-chose à faire ici.

Les pouces accrochés à ses outils, l'électricien leva la tête.

— Sans déconner ? Un gosse a été kidnappé ?

— Un garçon de dix ans, répondit Starkey. Ça s'est passé avant-hier.

— Merde alors !

M. Cauley, revenu à de meilleures dispositions, nous expliqua qu'il partageait actuellement son temps entre trois chantiers ; il s'attardait rarement sur celui-ci plus de deux heures par jour.

— Je ne sais pas trop quoi vous dire. J'ai des sous-traitants qui vont et viennent, avec des équipes qui changent tout le temps. Vous avez une photo ou... comment dites-vous ça, déjà, un signalement ?

— Non, monsieur. Nous n'avons ni son identité ni son signalement. Nous ne savons pas non plus quel type de véhicule il a utilisé, mais nous pensons qu'il a passé un certain temps à la sortie du virage, là où vos gars ont l'habitude de se garer.

L'électricien jeta un rapide coup d'œil vers le virage.

— Hé, ça fout les chocottes...

— J'aimerais vous aider, répondit Cauley, mais je ne vois vraiment pas. Ces ouvriers, là, il arrive que des copains passent les voir, ou bien leurs petites copines. Tenez, je suis sur un autre chantier, à Beachwood ; le mois dernier, une limousine s'arrête devant, et une bande de mecs en costard de chez Capitol Records en descend. Eh bien, croyez-moi si vous voulez, ils ont signé avec un de mes charpentiers un contrat à trois millions de dollars pour un disque. On ne peut jamais savoir, c'est ce que je dis toujours.

— On peut dire un mot à vos ouvriers ? s'enquit Starkey.

— Bien sûr. James, vous pouvez faire venir vos gars ? Et demandez à Frederico de descendre avec les charpentiers.

Entre charpentiers et électriciens, Cauley avait neuf hommes sur le site ce jour-là. Deux des charpentiers avaient de sérieux problèmes avec notre langue, mais Cauley leur donna un coup de main en espagnol. Tous firent preuve de coopération en apprenant qu'un enfant avait été enlevé, mais personne ne se rappelait avoir remarqué quoi que ce soit d'anormal. Il n'était pas encore midi quand nous quittâmes les ouvriers, mais j'eus brusquement le sentiment que la journée était déjà quasiment bouclée.

Starkey alluma une clope au moment où nous passions à hauteur de la benne.

— Bon, dit-elle. On va faire les baraques.

— Il n'a pas dû se garer au-delà de la cinq ou sixième maison après le virage, raisonnai-je. Plus la distance à parcourir à pied dans la rue était grande, plus il risquait de se faire repérer.

— D'accord. Et ?

— Séparons-nous. Je prends l'autre bout, et vous prenez ce côté-ci. Ça ira plus vite.

Starkey accepta. Je la plantai là avec sa cigarette et redescendis au trot vers la sortie opposée du virage, en repassant devant nos voitures. Une femme de ménage équatorienne m'ouvrit la porte de la première bicoque, mais elle n'avait rien vu, ni personne, et ne me fut d'aucun secours. Mes coups de sonnette restèrent sans réponse chez les voisins, mais un vieillard portant une fine robe de chambre et des chaussons m'ouvrit à la troisième maison, tellement amaigri par l'ostéoporose qu'il ployait comme une fleur à l'agonie. Je lui parlai du ravisseur et demandai s'il avait vu quelqu'un descendre dans le ravin. Sa bouche édentée s'ouvrit en grand. Je lui expliquai qu'un petit garçon avait été enlevé. Il ne me répondit pas. Je glissai une carte de visite dans sa poche, le priai de m'appeler s'il se souvenait de quelque chose et refermai la porte à sa place. J'eus ensuite affaire à une deuxième femme de ménage, assez jeune et cernée par trois enfants en bas âge, avant de poireauter en vain sur le seuil d'une maison où il n'y avait personne. C'était un jour ouvrable, et les gens travaillaient.

L'idée me vint d'aller sonner à d'autres portes au-dessus du virage, mais quand je revins à la hauteur de nos voitures, Starkey m'attendait, adossée contre sa Crown Vic.

— Vous avez une touche ? demandai-je.

— Allons, Cole, est-ce que j'ai l'air d'avoir une touche ? J'ai questionné tellement de personnes qui n'ont rien vu que j'ai fini par demander à une pétasse si ça lui arrivait de mettre le nez hors de chez elle.

— Le contact humain n'est pas votre point fort, hein ?

— Écoutez, il faut que j'appelle Gittamon, on va avoir besoin de renforts. Je veux interroger les éboueurs, le facteur, les vigiles qui bossent dans cette rue, et tous ceux qui pourraient avoir vu quelque chose ; on a fait tout ce qu'on pouvait faire, vous et moi. Vous allez devoir dégager la piste, Cole.

— Allez, Starkey, vous avez un énorme boulot sur les bras, je peux vous aider. Vous n'allez pas me demander de partir maintenant !

Elle répondit d'une voix douce en pesant ses mots :

— C'est un travail de fourmi, Cole. Vous avez besoin de repos. Je vous appellerai si on trouve quelque chose.

— Je pourrais contacter les boîtes de vigiles de chez moi, plaidai-je, avec un accent de désespoir dans la voix.

Starkey secoua la tête.

— Vous avez sûrement vu ce petit film qu'ils passent toujours avant le décollage des avions pour vous expliquer ce qu'il faut faire en cas de pépin ?

Un bourdonnement lointain prenait possession de mes tempes, comme si j'étais à la fois ivre et mort de faim.

— Quel rapport ?

— Ils vous expliquent qu'en cas de dépressurisation vous êtes censé enfiler votre masque à oxygène avant celui de votre gosse. La première fois que j'ai vu ça, je me suis dit tu parles d'une connerie, si j'avais un gosse, je commencerais sûrement par lui mettre son masque. Mais, à force de me creuser la cervelle, j'ai compris que ça se tenait. On doit se sauver d'abord soi-même, parce qu'il faut être en vie pour avoir une chance de pouvoir secourir son gosse. Voilà où vous en êtes, Cole. Il faut que vous mettiez votre putain de masque si vous voulez sauver Ben. Rentrez chez vous. Je vous appelle si on trouve quelque chose.

Elle alla rejoindre Chen à sa camionnette.

Je remontai dans ma voiture, mais je ne savais pas encore si j'allais rentrer chez moi ou pas. Je ne savais pas si je dormirais. Je démarrai. En montant vers la sortie du virage, je remarquai une camionnette à sandwiches jaune pâle stationnée à côté de la benne à gravats, parce que ainsi va la vie sur les chantiers : on empile des briques jusqu'à l'heure de la pause casse-croûte.

La camionnette venait d'arriver.

Si je n'avais pas été aussi fatigué, peut-être y aurais-je pensé plus tôt : les ouvriers ont besoin de manger, et ils se font livrer par des camionnettes, en général deux fois par jour, le matin et à midi. Il était onze heures cinquante. Ben avait disparu depuis quasiment quarante-quatre heures.

Je laissai ma Corvette sur le bas-côté et courus vers la portière arrière de la camionnette, ouverte à cause de la chaleur. À l'intérieur, deux jeunes en tee-shirt blanc étaient penchés sur leurs plaques de cuisson. Une femme courte et ronde leur aboyait des ordres dans un mélange d'espagnol et d'anglais ; ils préparaient à toute allure d'énormes sandwiches au poulet grillé qui atterrissaient ensuite dans des assiettes en carton débordantes de tacos et de salsa *verde*, destinées aux ouvriers qui faisaient la queue face à l'auvent latéral. La femme me jeta un coup d'œil oblique et m'indiqua d'un coup de menton le côté de la camionnette.

— Vous faites la queue de ce côté-là.

— Un petit garçon a été enlevé. Nous soupçonnons son ravisseur d'être passé plusieurs fois dans cette rue. Vous avez peut-être vu sa voiture.

Elle s'approcha de la portière en s'essuyant les mains sur un tablier rose.

— Comment ça, petit garçon enlevé ? Vous êtes la police ?

L'électricien de tout à l'heure attendait son sandwich avec les autres.

— Ouais, intervint-il, c'est un flic. Il y a un gosse qui s'est fait kidnapper dans le quartier, c'est dingue, hein ? Ils essaient de le retrouver.

La femme descendit pour me rejoindre sur l'asphalte. Elle s'appelait Marisol Luna et était propriétaire de la camionnette. Je lui demandai si elle avait repéré en bas du virage, dans les deux dernières semaines, un véhicule non identifié en stationnement parmi ceux du chantier.

— Je ne crois pas.

— Même quand il n'y avait aucune autre voiture garée ? Jamais de véhicule isolé ?

Elle se frotta les mains sur son tablier comme si ça pouvait l'aider à stimuler sa mémoire.

— Ah, si, je vois le plombier. On finit le déjeuner ici, et après on repart par là...

Quand elle tendit le bras vers le bas du virage, le bourdonnement enfla entre mes tempes.

— ... et là, je vois le plombier descendre dans la pente.

Je me retournai vers les ouvriers, cherchant Cauley du regard. Marisol Luna était la première personne à avoir vu quelque chose.

— Comment savez-vous que c'était le plombier ? Il travaille ici, sur ce chantier ?

— C'est écrit sur camionnette. Plomberie Emilio. Je m'en souviens parce que mon mari, lui s'appeler Emilio. C'est comme ça je me rappelle la camionnette. Je souris quand je vois le nom, et je dis à mon mari le soir, mais lui pas ressemble à mon Emilio. Lui noir. Lui avoir des trucs sur la figure, comme des cicatrices.

— Où est Cauley ? lançai-je aux ouvriers. Est-ce que quelqu'un peut l'appeler ?

Je me retournai vers Mme Luna.

— L'homme qui est descendu dans le ravin était noir ?

— Non. L'homme dans camionnette, lui noir. Homme dans la pente, lui gringo.

— Ils étaient deux ?

Le bourdonnement sous mon crâne atteignit un pic de frénésie du style montée de caféine. L'électricien contourna l'arrière de la camionnette avec M. Cauley.

— Alors ? Vous avez trouvé quelque chose ? me demanda l'entrepreneur.

— Avez-vous employé ici un plombier ou une entreprise de plomberie portant le nom d'Emilio, ou de Plomberie Emilio ?

Cauley secoua la tête.

221

— Jamais. Je fais toujours appel au même plombier, sur tous mes chantiers. Il s'appelle Donnelly.

— Sur la camionnette, insista Mme Luna, c'est marqué Plomberie Emilio.

— Hé, fit l'électricien, moi aussi, j'ai vu cette camionnette.

Le bourdonnement dans ma tête se tut tout à coup, et mon corps cessa d'avoir mal. Le sang pétillait dans mes veines. Je me sentis soudain léger, baigné d'une clarté idéale. J'avais déjà éprouvé cette sensation, tapi en embuscade au bord d'une piste vietcong, en entendant approcher les soldats ennemis ; j'attendais que Rod ouvre le feu et je savais que c'était eux ou nous, mais que dans un cas comme dans l'autre le sang allait couler à flots.

— Il faut que vous veniez avec moi, madame Luna, dis-je. Il faut que vous parliez aux policiers, tout de suite. Ils sont juste un peu plus bas, dans le virage.

Marisol Luna monta dans ma voiture sans discuter ni se plaindre. Je ne pris pas le temps de faire demi-tour. Nous redescendîmes jusqu'à Starkey à fond de marche arrière.

Temps écoulé depuis la disparition :
43 heures, 50 minutes

Le soleil flamboyait rageusement au zénith, et l'énorme chaudron du canyon frisait l'ébullition. L'air de la ville remontait jusqu'ici sous la forme d'une brise nonchalante qui puait le soufre. Starkey plaça une main en visière au ras de son front pour atténuer le rayonnement lumineux.

— Eh bien, madame Luna, dites-moi ce que vous avez vu.

Marisol Luna, Starkey et moi-même étions debout sur la

222

chaussée, en plein virage. Mme Luna nous montra du doigt le chantier.

— Nous arriver là, et camionnette du plombier arrêtée juste ici.

Selon ses indications, la camionnette du plombier s'était trouvée à l'endroit presque exact où nous étions, c'est-à-dire sur la route et non sur le bas-côté. Dans cette position, un véhicule n'était visible ni du chantier ni des maisons du voisinage.

— Ma camionnette est un gros modèle, si ? Très large. Je dis à Ramon, regarde, ce type prend toute la rue.

— Ramon est un de ses cuistots, expliquai-je à Starkey.

— Laissez-la parler, Cole.

— Je dois stopper parce que je ne peux pas passer si la camionnette pas bouger, poursuivit Mme Luna. Alors, je vois le nom, et ça me fait sourire comme je déjà raconte à M. Cole. Je dis le soir à mon mari, je dis : hé, je t'ai vu aujourd'hui.

— Ça s'est passé quand ? interrogea Starkey.

— Trois jours, par là. Si, je le vois, ça fait trois jours.

C'est-à-dire la veille de l'enlèvement de Ben. Starkey sortit son carnet.

Mme Luna nous décrivit une camionnette blanche et sale, mais elle ne se rappelait rien d'autre à part l'inscription « Plomberie Emilio » sur le flanc. Tandis que Starkey continuait à la questionner, j'appelai les renseignements sur mon portable pour m'enquérir de l'existence d'un abonné au nom de Plomberie Emilio. Il n'y avait rien de tel ni à Los Angeles ni dans la vallée. Je leur demandai de regarder aussi dans les pages jaunes de Santa Monica et de Beverly Hills aux sections plomberie, plombiers, matériel de plomberie et zinguerie, mais je n'espérais déjà plus rien – ces salauds pouvaient parfaitement avoir volé une camionnette dans l'Arizona ou peint eux-mêmes un logo dessus.

— C'est marqué « Plomberie Emilio », répéta Mme Luna. Je suis sûre.

— Bien, fit Starkey, parlez-moi de ces deux types. Vous arrivez dans le virage, et leur camionnette bloque le passage. Elle était dans quel sens ?

— Par là, en face moi. Je vois dans le pare-brise, si ? Le Noir il est au volant. Le gringo il est au bord de la route, debout. Ils se parlent par la portière.

Mme Luna grimpa sur le talus et, après s'être retournée, nous indiqua leur position respective.

— Ils se retournent quand ils voient nous arriver, si ? Le Noir, il a ces trucs sur la figure. Je crois d'abord que lui malade. On dirait blessures.

Elle porta une main à sa joue en faisant la grimace.

— Lui très grand, aussi. Vraiment très grand.

— Quoi, il est descendu de la camionnette ? s'enquit Starkey.

— Non, non, lui rester dedans, au volant.

— Comment savez-vous qu'il était grand ?

Mme Luna écarta les bras le plus haut possible.

— Lui remplir pare-brise comme vous deux. Lui très, très grand.

Starkey fronça les sourcils, hésitante, mais je m'étais déjà formé une image mentale et je souhaitais aller de l'avant.

— Et le Blanc ? intervins-je. Vous avez remarqué quelque chose chez lui ? Un tatouage ? Des lunettes ?

— Je pas regarde lui.

— Il avait les cheveux plutôt courts, ou plutôt longs ? Vous vous souvenez de leur couleur ?

— Désolée. Je regarde l'homme noir et la camionnette. Nous essayer passer, vous comprendre ? Je sortir de la route pour contourner lui, mais je vais trop loin. Alors, je dois reculer. L'autre, il remonte sur le talus parce que son ami doit faire place à nous, route très étroite ici. Je regarde la camionnette et je dis à Ramon, tu vois ces trucs sur sa figure ? Ramon regarde aussi. Lui dit ça c'est des verrues.

— Le nom de famille de ce Ramon ? interrogea Starkey.

— Sanchez.

— Il travaille avec vous en ce moment ?

— Si, madame.

Starkey nota.

— Il va falloir qu'on lui parle.

Je m'efforçai de remettre la conversation sur les bons rails :

— Bref, le Noir a démarré au volant de sa camionnette et l'autre a disparu de l'autre côté du talus, ou bien le Noir a attendu que l'autre revienne ?

— Non, non, lui partir. L'autre lui fait ce signe quand lui partir. Vous savez, geste très vilain.

Mme Luna avait l'air gênée.

Starkey tendit le majeur.

— Le Blanc lui a fait un doigt d'honneur ? Comme ça ?

— Si. Ramon, il rigole. Je recule parce que ma camionnette est trop près des rochers, alors je dois faire attention à ça, mais je le vois faire le geste et descendre dans le ravin. Je crois que lui va retourner sur le chantier, mais lui descendre et je dis, tiens, c'est drôle, pourquoi lui descend comme ça ? Et puis je pense que lui va aux cabinets.

— Vous avez vu l'endroit où il est descendu ? Vous l'avez vu remonter ?

— Non. Nous partir tout de suite. Encore un petit déjeuner à livrer avant de commencer la préparation du déjeuner.

Starkey nota le nom, l'adresse et le numéro de téléphone de Mme Luna, et lui remit sa carte. Son bip sonna, mais elle l'ignora.

— Vous nous avez été très utile, madame Luna. J'aurai

225

sans doute besoin de vous reparler dans la soirée, ou demain. J'espère que ça ne vous ennuie pas.

— Je suis ravie de pouvoir aider.

— Si vous vous rappelez quoi que ce soit d'autre, surtout n'attendez pas d'avoir de mes nouvelles. Parler comme vous venez de le faire peut quelquefois raviver des souvenirs. Il vous reviendra peut-être une information utile sur la camionnette ou sur ces deux hommes. Même si ça vous semble insignifiant, car laissez-moi vous dire une chose, rien n'est insignifiant. Le moindre détail pourrait nous aider.

Starkey sortit son portable et s'éloigna vers le bord du talus pour rappeler son bureau et lancer un avis de recherche concernant la camionnette. Le commandement de la police en uniforme de Hollywood se chargerait de répercuter l'information jusqu'au Parker Center, qui à son tour demanderait à toutes les unités en patrouille de la ville de signaler toute camionnette blanche portant le logo « Plomberie Emilio ».

J'annonçai à Mme Luna que j'allais la ramener à sa camionnette, mais elle ne réagit pas. Les sourcils froncés, elle fixait bizarrement Starkey au sommet du talus, comme si elle voyait tout autre chose.

— Elle a raison pour souvenir, finit-elle par lâcher. Ça me revient maintenant. Lui tenir un cigare. Lui debout comme ça – comme la dame – et sortir un cigare.

Le tabac.

— C'est ça. Lui sortir un cigare. Mais lui pas fumer le cigare, lui mastiquer. Lui mordre un petit bout dedans, et après, lui cracher.

Il fallait que je l'encourage. Il fallait faire en sorte que la mémoire lui revienne et que l'image se reconstitue. Nous rejoignîmes Starkey en haut du talus. Je lui touchai le bras – un geste qui signifiait *Écoutez ça*.

Mme Luna embrassa le canyon du regard avant de se retourner vers la rue, comme si elle revoyait sa camionnette coincée sur la chaussée et celle des plombiers en train de s'éloigner.

— J'écarte ma camionnette des rochers et je remets la première. Alors, je me retourne pour le regarder, si ? Lui baisse les yeux. Lui faire quelque chose avec ses mains, et je pense, qu'est-ce qu'il fait ? Je pressée de partir parce qu'on est en retard, mais je le regarde quand même pour voir. Lui défaire le cigare et le mettre dans sa bouche. Et après, lui descendre par là.

Elle nous indiqua le bas du ravin.

— Là je pense lui va aux cabinets. Lui avoir cheveux bruns. Lui petit. Porte un tee-shirt vert. Je me souviens maintenant. Vert foncé, pas propre.

— Il a sorti le cigare de son emballage ? demanda Starkey en me regardant.

Mme Luna joignit les mains à hauteur de son nombril.

— Lui fait quelque chose avec cigare, quelque chose en bas, comme ça, et il l'a mis dans la bouche. Je pas savoir ce qu'il fait, mais quoi d'autre ?

Alors seulement je me rendis compte que Starkey m'avait posé une question.

— Le papier Cellophane du cigare, oui, fis-je. S'il l'a jeté par ici, on a une bonne chance de retrouver ses empreintes digitales dessus.

J'entrepris aussitôt d'explorer le sommet du talus, mais Starkey me tomba dessus en criant :

— Stop, Cole ! Reculez ! Ne touchez à rien !

— Il faut absolument qu'on le trouve !

— Vous risquez surtout de marcher dessus, de l'enterrer ou de l'écraser sous une feuille, alors, reculez, bordel de merde ! Je sais de quoi je parle ! Redescendez sur la route !

Starkey prit Mme Luna par le bras, tellement concentrée

sur ce qu'elle faisait que j'aurais pu aussi bien ne pas exister.

— Ne forcez pas trop vos souvenirs, madame Luna, reprit-elle. Laissez-les refaire surface. Montrez-moi juste où il était quand il a fait ce geste. Où était-il ?

Mme Luna retraversa la rue jusqu'à l'endroit où sa camionnette était bloquée trois jours plus tôt avant de se retourner vers nous. Elle fit quelques pas dans un sens, puis dans l'autre, cherchant à se rappeler. Enfin, elle tendit le bras.

— Un petit peu plus sur votre droite, dit-elle. Encore un peu. Là. Il était là.

Starkey baissa les yeux sur le sol à l'emplacement indiqué, s'accroupit pour l'examiner de plus près.

— Je suis sûre que lui être juste là.

Une main en appui sur la terre pour affermir son équilibre, Starkey promena autour d'elle un regard circulaire, en ratissant un périmètre de plus en plus large.

— À quelle heure est-ce que ça s'est passé ? demandai-je à mi-voix à Mme Luna. Vers huit, neuf heures du matin ?

— Plus tard. Je pense neuf heures et demie, par là. Nous en retard, pressés de préparer la camionnette pour déjeuner.

À neuf heures et demie du matin, la température commençait déjà à monter – et l'air avec. Comme en ce moment, une légère brise devait s'élever du canyon ce matin-là.

— Starkey, lançai-je, regardez sur votre gauche. Il se peut que la brise ascendante l'ait poussé de ce côté.

Elle regarda sur sa gauche. Fit un pas en avant, puis un autre sur la gauche. Écarta les herbes et les tiges de romarin, avança encore d'un pas. Ses mouvements étaient si lents qu'on aurait pu croire qu'elle pataugeait dans du miel. Elle fit couler une poignée de terre entre ses doigts, la regarda flotter sous la brise. Suivit la direction indiquée, encore un peu plus à gauche, encore un peu plus en avant... et se releva au ralenti.

— Qu'est-ce qu'il y a ? criai-je.

Mme Luna et moi nous hâtâmes de la rejoindre. Aux pieds de Starkey, un emballage de cigare en Cellophane était prisonnier entre deux brins d'herbe morts. Il était poussiéreux et jauni, et on devinait le tracé d'une bague rouge et or. Il pouvait avoir été jeté par n'importe qui. Peut-être était-il déjà là avant le passage du ravisseur de Ben, peut-être n'y avait-il échoué que plus tard, mais il se pouvait aussi qu'il fût passé entre les mains de notre homme.

Nous nous gardâmes de le toucher – et même de l'approcher. Après être restés longtemps figés au-dessus de ce petit lambeau de plastique comme si le moindre mouvement risquait de le dissoudre, nous appelâmes John Chen à pleins poumons.

Temps écoulé depuis la disparition :
43 heures, 56 minutes

Le conseil de John Chen aux délaissés

John Chen avait entrepris de délimiter avec soin chaque empreinte, la surface d'herbes aplaties au pied du chêne, et les plus fortes concentrations de boulettes de tabac chiqué. Il n'eut pas un instant d'hésitation avant de commencer à ramasser ces boulettes ; deux ans auparavant, il avait travaillé sur une série de cambriolages perpétrés par un voleur de bijoux qu'on avait surnommé Fred Astaire : Fred s'introduisait au culot dans des villas occupées de Hancock Park en queue-de-pie, haut-de-forme et guêtres. Des caméras de surveillance camouflées dans deux de ces villas l'avaient montré virevoltant de pièce en pièce à grand renfort d'entrechats. Fred était tellement haut en couleur que le *Los Angeles Times* s'était laissé aller à le camper en cambrioleur flamboyant dans la lignée du Cary Grant de *La Main au collet*, alors qu'en fait Fred avait l'habitude de laisser derrière lui une carte de visite que le quotidien avait omis de signaler : dans chaque maison visitée, Fred baissait culotte et chiait par terre. Pas franchement flamboyant. Pas franchement classieux. Chen avait minutieusement balisé, ensaché et analysé les étrons de Fred sur quatorze scènes de crime ; qu'étaient ces quelques boulettes de tabac par rapport à de la merde de cambrioleur ?

Une fois ses jalons posés, Chen prit des mesures et dessina le plan du site. Chaque pièce à conviction se vit attribuer un numéro propre, et chacun de ces numéros fut dûment localisé sur le plan de manière que Chen, les policiers et la justice aient ensuite une notion précise de l'endroit où tel indice avait été retrouvé. Tout devait être mesuré, et toutes les mesures devaient être enregistrées. C'était un travail fastidieux, et Chen n'appréciait guère de devoir se le farcir lui-même. La SID lui avait promis de lui envoyer quelqu'un d'autre – Lorna Bronstein, une pouffiasse qui pétait plus haut que son cul –, mais elle risquait de mettre des heures à arriver.

Starkey lui avait prêté main-forte jusqu'au moment où Cole avait réussi à l'appâter en haut. Starkey n'était pas mal. Il l'avait connue au temps où elle bossait au déminage, et d'une certaine façon, malgré sa maigreur et son côté chevalin, elle lui plaisait.

Chen envisageait de lui demander de sortir avec lui.

John Chen pensait énormément au sexe, et pas seulement avec Starkey. Il y pensait chez lui, au labo et au volant de sa voiture ; il notait toutes les femmes qu'il croisait sur une échelle de désirabilité sexuelle, en classant illico toutes celles qui ne répondaient pas à ses critères de base (pourtant assez peu exigeants) dans la catégorie des thons. Peu lui importait le décor : il était capable de penser au sexe sur les lieux d'un homicide, d'un suicide, d'une fusillade, d'une bagarre au couteau, d'une agression, d'un accident de la circulation mortel, et même à la morgue ; il se réveillait chaque matin fou de désir, et cette salope de Katie Couric ne faisait que jeter de l'huile sur le feu en s'exhibant sur le plateau de l'émission *Today*. Un peu plus tard, en se rendant à son travail, il croisait en voiture des armées de chaudes mangeuses d'hommes qui attisaient sa flamme. La ville grouillait littéralement de ces créatures : par milliers, des ménagères au corps souple et des actrices nymphomanes sillonnaient les voies express dans une quête effrénée de chair masculine, et John Chen était le SEUL mec de L.A. à ne pas pouvoir y goûter ! Bien sûr, sa Boxster argentée attirait l'attention (il l'avait achetée pour cette seule et unique raison et l'appelait sa « baisomobile »), mais chaque fois qu'une poupée, après avoir caressé du regard les courbes élégamment germaniques de sa fusée d'amour, découvrait ses soixante-cinq kilos répartis sur un mètre quatre-vingt-dix et les gros verres cul-de-bouteille qui ornaient sa face de blaireau, elle se détournait illico. Vraiment de quoi filer le bourdon.

John passait tellement de temps à fantasmer qu'il se disait quelquefois qu'il aurait intérêt à voir un psy – mais bon, ça valait quand même mieux que de penser à la mort.

Starkey ne figurait peut-être pas parmi les dix premières de sa liste de filles à baiser, mais ce n'était pas un thon. Un jour, il l'avait invitée à faire un tour en Porsche ; seulement si tu me laisses conduire, avait répondu Starkey. Elle pouvait toujours se gratter.

À la réflexion, John était en passe d'assouplir sa position. Dans le fond, ce ne serait peut-être pas si terrible de la laisser conduire.

Il était justement en train d'y penser très sérieusement quand Starkey lui hurla d'en haut de ramener son cul.

— Magne-toi ! beugla-t-elle. Allez, John, remonte !

La chienne. Toujours à la place du pilote.

En les rejoignant, Chen trouva Starkey et Cole penchés sur une touffe d'herbes folles comme deux gosses qui viennent de découvrir un trésor enfoui. Une petite Hispanique trapue à deux doigts de la retraite était avec eux. Chen l'élimina sur-le-champ. Thon.

— Qu'est-ce qui te prend de brailler comme ça ? protesta-t-il. J'ai du boulot, moi !

— Change de ton et regarde-moi ça, grommela Starkey.

Cole s'accroupit et lui montra quelque chose entre les brins d'herbe.

— Starkey a retrouvé un papier Cellophane de cigare, expliqua-t-il. Sans doute jeté par le ravisseur de Ben.

Chen ôta ses lunettes pour se livrer à un examen plus attentif. Humiliant, mais nécessaire : avec son nez à quelques centimètres du sol, il avait sûrement l'air d'un blaireau de classe olympique, mais il tenait à voir de près leur trouvaille. Le papier Cellophane, qui semblait avoir été plié deux fois, contenait toujours une bague de cigare rouge et or. Il portait de légères traces de dégradation, mais les couleurs de l'anneau n'avaient pas encore perdu leur éclat, ce qui indiquait qu'il n'était pas là depuis plus de quelques jours : les teintures rouges virent très vite. Sous la légère couche de poussière, il crut deviner des traces.

Tandis qu'il étudiait les traces de la Cellophane, Starkey lui raconta que Mme Luna avait vu le suspect manipuler un cigare, même si elle ne l'avait pas expressément vu le retirer de son emballage et encore moins jeter celui-ci.

Chen, tout en faisant semblant de l'écouter, fulminait en son for intérieur de la voir sans cesse sourire à Cole et lui bourrer l'épaule de petits coups de poing affectueux.

— D'accord, finit-il par lâcher d'un ton boudeur, je vais te relever ça. Mais il faut que je redescende chercher mon matos.

— Dès que tu auras fini, ce truc part direct à Glendale. J'ai besoin d'une recherche d'empreintes.

Chen se demanda si elle s'était remise à boire.

— Quoi, tout de suite ?

— Ouais. Tout de suite.

— Mais... Bronstein va arriver, et...

— Je me fous royalement de Bronstein. On tient enfin quelque chose, John. Tu vas ramener ce machin à Glendale et lui faire cracher tout ce qu'il a à à nous dire !

Chen jeta un coup d'œil sur Cole, en quête de soutien, mais Cole avait le regard halluciné d'un tueur psychopathe. Ils devaient être bourrés tous les deux.

— Tu sais très bien qu'on ne peut pas quitter une scène de crime comme ça. Voyons, Starkey, si on se barre, les scellés sautent, et on n'aura plus qu'à s'asseoir sur tous les indices qu'il pourrait y avoir en bas. Ils ne vaudront plus un clou au tribunal.

— Je suis prête à prendre le risque.

— Ça n'en vaut pas la peine, riposta Chen. Je veux dire, peut-être que cette dame a *vu* ton type tripoter un cigare, mais rien ne prouve que ce bout de Cellophane lui soit passé entre les mains. Il pourrait avoir été jeté par n'importe qui.

Starkey l'entraîna à l'écart pour que Mme Luna ne puisse pas entendre. Cole les suivit comme un petit chien. C'était sûr, il l'avait déjà baisée.

— Ça, lui répondit-elle à mi-voix, on ne le saura qu'après avoir analysé les empreintes.

— On pourrait ne pas en trouver. Tout ce que je vois, pour l'instant, ce sont de vagues traces. Une trace n'est pas forcément une empreinte.

Chen détestait prendre ce petit ton geignard, mais Starkey avait l'air butée. Or, laisser une scène de crime sans surveillance constituait une violation flagrante des règles de la SID et du LAPD.

— Ce truc est beaucoup plus important que tout ce qu'on pourra trouver en bas, insista-t-elle. Il se peut que cet emballage ne vienne pas de lui, John ; oui, ça se peut. Mais même si tu ne trouves qu'un fragment d'empreinte, ça nous permettra peut-être de mettre un nom sur le suspect – et donc de faire un grand pas vers le gosse.

— Ça me rapprochera surtout de mon licenciement, Starkey.

Chen était inquiet. Starkey s'était démenée comme une diablesse pour s'autodétruire et détruire sa carrière après l'explosion du camping ; elle avait été virée de la brigade de Déminage, puis de la SAC[1], et se retrouvait aujourd'hui au placard avec ce petit poste aux Mineurs. Peut-être qu'elle cherchait de nouveau à se détruire. Peut-être qu'elle voulait se faire virer. Chen se rapprocha discrètement, pour humer son haleine. Starkey le repoussa d'un geste brusque.

— Je ne bois plus, merde !

— John…, lâcha Cole.

Chen se rembrunit – ça y était : à tous les coups, Cole allait parler de lui démolir le portrait, lui et son copain Pike. C'était sûr et certain, il la baisait. Peut-être même que Pike la baisait aussi.

— Je ne marche pas.

— Si cet emballage nous apporte des informations, insista Cole, on dira que c'est vous qui l'avez découvert.

----

1. Section des affaires criminelles, branche du LAPD. (N.d.T.)

234

Après avoir lancé un coup d'œil oblique sur Cole, Starkey hocha la tête.

— Bien sûr, dit-elle, aucun problème. Ça pourrait bien être le tournant de l'affaire, John ; avec, à la clé, ta bouille en gros plan garantie au journal du soir.

Chen réfléchit. Les tuyaux de Cole et de Pike l'avaient plutôt bien servi dans le passé. Ils lui avaient notamment permis de décrocher une promotion et de se payer sa baiso-mobile, grâce à laquelle il avait été à deux doigts de s'envoyer en l'air. À deux doigts. Il jeta un regard par-dessus son épaule sur Mme Luna pour vérifier qu'elle ne pouvait rien entendre : aucun problème de ce côté-là, elle était à distance de sécurité.

— Ça ne te fait vraiment ni chaud ni froid de perdre tout ce qu'il y a en bas ? demanda-t-il.

Le bip de Starkey sonna une nouvelle fois ; elle l'ignora.

— La seule chose qui compte pour moi, c'est de retrouver le gosse. Aucune information ne nous sera utile si elle tombe trop tard.

Après avoir fixé Starkey un temps infini, Cole se tourna vers Chen :

— Aidez-nous, John.

Chen réfléchissait toujours : d'accord, c'était un coup de dés, mais rien de ce qu'il avait vu sous le chêne ne pour-rait leur fournir l'identification immédiate du suspect, alors que cet emballage de cigare, si. Les chances étaient minces, mais l'espoir faisait son lit de ce type de possibilité. Lui, par exemple, espérait passer au journal du soir. Et puis aider les flics à retrouver le gosse, ce ne serait pas mal non plus.

Le bip de Starkey sonna. Elle l'éteignit.

Chen avait pris sa décision.

— Je vais chercher mon matos.

Starkey se fendit d'un sourire énorme, le plus grand que

Chen lui ait jamais vu, puis posa une main sur l'épaule de Cole. Et l'y laissa. Chen se dépêcha de redescendre chercher sa mallette dans le ravin en se disant qu'à force de saliver comme ça sur Cole Starkey finirait par le noyer.

15

Témoin d'un incident

Pendant que les deux autres ramenaient Ben à l'intérieur de la maison après l'avoir intercepté dans le jardin, Mike sortit un téléphone portable d'un grand sac de toile verte et alla s'isoler dans une autre pièce. Eric et Mazi firent asseoir Ben par terre dans le salon. Mike revint et approcha le portable à quelques centimètres de sa bouche. Ben devina malgré le silence qu'il y avait quelqu'un en ligne.

— Dis ton nom et ton adresse, ordonna Mike.

— AU SECOURS ! AU SECOURS... ! hurla Ben de toute la force de ses poumons.

Eric lui plaqua aussitôt une main en travers de la bouche. Ben flippa grave à l'idée qu'ils allaient le punir, mais Mike se contenta d'éteindre son portable en rigolant.

— Nickel ! s'exclama-t-il.

La main d'Eric lui broyait toujours la mâchoire. La tentative d'évasion de Ben lui était restée en travers de la gorge, et ses joues étaient presque aussi rouges que ses tifs.

— Arrête de gueuler, gronda-t-il, ou je te tranche ta putain de tête.

— C'est ton truc, ça, dit Mike. Au contraire, c'est génial qu'il ait appelé au secours. Lâche-le un peu, tu vas lui mettre la bouille en compote.

— Tu veux peut-être que les voisins nous repèrent ?

Mike rangea son portable dans le sac de toile verte et prit un cigare. Il déchira l'emballage de Cellophane sans cesser de fixer Ben.

— Il ne criera plus. Pas vrai, Ben ?

Ben cessa immédiatement de gigoter. Malgré sa peur, il secoua la tête – non, promis, il ne crierait plus. Dès qu'Eric eut retiré sa main de sa bouche, il demanda :

— C'était qui au téléphone ?

Mike, ignorant sa question, se contenta de jeter un coup d'œil sur Eric.

— Boucle-le dans la chambre. S'il recommence à brailler, on le remet en boîte.

— Puisque je vous dis que je crierai plus ! protesta Ben. C'était qui ? Ma maman ?

Mike ne daigna pas répondre. Eric l'enferma dans une chambre vide aux fenêtres obstruées par des planches de contreplaqué géantes et lui conseilla d'essayer de dormir. Ben n'avait pas du tout sommeil. Une fois seul, il voulut arracher le contreplaqué des fenêtres, mais les clous étaient trop enfoncés. Il passa une bonne partie de la nuit prostré au pied de la porte, à tenter d'entendre ce qu'ils disaient. À un moment donné, très tard, les rires de Mazi et d'Eric lui parvinrent. Il colla l'oreille contre le panneau, espérant vaguement apprendre ce qu'ils comptaient faire de lui, mais pas une seule fois ils n'abordèrent le sujet. Au lieu de ça, ils parlèrent de l'Afrique, de l'Afghanistan, et de la fois où ils avaient coupé les deux jambes d'un type. Ben cessa aussitôt d'écouter et alla se réfugier dans le placard, où il demeura jusqu'à l'aube.

Tard dans la matinée, Eric vint lui ouvrir.

— Viens. On te ramène chez toi.

Comme ça ; ils le relâchaient. Ben ne crut pas Eric, mais il avait tellement envie de rentrer chez lui qu'il fit exactement comme si c'était vrai. Eric l'attendit devant les cabinets, puis l'escorta à travers la maison jusqu'au garage. Il portait une grosse chemise en laine dont le bas lui recouvrait la ceinture. Quand il se pencha en avant pour actionner la porte du garage, sa chemise se tendit, et Ben devina entre ses reins la forme d'un pistolet qui n'était pas là la veille.

Il flottait dans le garage une puissante odeur de peinture. Ils avaient repeint la camionnette en marron ; on ne voyait plus de logo. Mazi était déjà au volant. Mike n'était pas là. Eric poussa Ben vers la portière.

— Toi et moi, fit-il, on va se mettre à l'arrière. Voilà ce que je te propose : je t'attache pas si tu te tiens tranquille et si tu la boucles. Si tu te mets à gueuler pendant qu'on est arrêtés à un feu rouge ou une connerie de ce style, je te garantis que je te fais taire pour de bon et que tu finiras le trajet au fond d'un sac. C'est clair ?

— Oui, m'sieur.

— Je déconne pas. S'il se passe quelque chose du genre contrôle de flics, tu souris et tu fais comme si t'étais ravi d'être là. Si t'es réglo, on te ramènera chez toi. Pigé ?

— Oui, m'sieur.

Ben aurait accepté n'importe quoi ; il ne voulait qu'une seule chose, rentrer chez sa mère.

Eric le hissa à l'arrière de la camionnette, monta et referma les deux battants de la portière. La porte du garage se souleva en grondant tandis que Mazi mettait le moteur en marche.

— On décolle, souffla Eric dans un portable.

Ils gagnèrent la rue en marche arrière et partirent dans le sens de la montée. L'habitacle de la camionnette était une caverne aveugle, avec une banquette à l'avant et rien d'autre à l'arrière qu'une roue de secours, un rouleau d'adhésif et quelques vieux chiffons. Eric s'assit sur la roue de secours, son portable sur les genoux, et fit asseoir Ben à côté de lui. On devinait la rue à travers le pare-brise, mais c'était à peu près tout. Ben se demanda pour la énième fois si le truc qu'ils s'étaient raconté pendant la nuit, le coup des jambes coupées, était vrai.

— On va où ? s'enquit-il.

— On te ramène. On passe d'abord voir quelqu'un, et après tu rentres chez toi.

Ben sentit qu'Eric lui disait ça pour qu'il se tienne à carreau. Il examina la portière et décida de s'enfuir à la première occasion. Quand il se retourna, Mazi l'observait dans le rétroviseur.

— Il veut fuir, dit-il à Eric.

— Laisse tomber. Il est sage.

— Si tu merdes encore une fois, Mike te fera la peau.

— Ces gars de la DF en font toujours des tonnes. Avec eux, tout devient un putain d'opéra. Le petit est sage, je te dis. Hein que t'es sage, petit ?

Ben hocha la tête, songeant à ce que pouvait bien être la DF et si c'était de Mike que parlait Eric. Après l'avoir fixé de longues secondes, Mazi se concentra sur la conduite.

Ils quittèrent la montagne en descendant une rue résidentielle sinueuse que Ben ne reconnut pas et rattrapèrent la voie express. Il faisait un temps superbe, et la circulation était fluide. Ben reconnut l'immeuble de Capitol Records, puis les immenses lettres blanches de la colline de Hollywood.

— C'est pas mon quartier, dit-il.

— Je t'ai expliqué. Il faut d'abord qu'on passe voir quelqu'un.

Ben examina de nouveau la portière. Une poignée par battant, mais aucun système de verrouillage en vue. Il jeta un coup d'œil sur Mazi, dont le regard était fixé sur la route.

Les gratte-ciel du centre grandirent peu à peu dans le pare-brise de la camionnette comme un troupeau de girafes dans la savane africaine. Mazi leva une main et mit ses doigts en éventail.

— Cinq minutes, dit Eric dans son portable.

Ils quittèrent la voie express et ralentirent en descendant sur la bretelle. Ben lorgna la portière avec convoitise. Il y aurait sans doute un feu rouge au bas de la bretelle. S'il réussissait à s'échapper de la camionnette, les autres automobilistes le verraient. Il ne croyait pas qu'Eric oserait lui tirer dessus. Il lui courrait sûrement après mais, même s'il le rattrapait, les autres préviendraient la police. Malgré sa peur, Ben s'exhorta à tenter le coup. Il lui suffisait d'actionner la poignée et de pousser.

La camionnette ralentit au bout de la descente. Ben se pencha imperceptiblement vers la portière.

— Calmos, fit Eric.

Ils le tenaient à l'œil. Eric lui saisit le bras.

— On n'est pas débiles, petit. Cet Africain, là, devant, il a le pouvoir de lire dans tes pensées.

Mazi reporta son attention sur le trafic.

Ils s'engagèrent entre deux rangées d'entrepôts, franchirent un petit pont et longèrent une nouvelle enfilade de bâtiments couverts de graffitis et cernés de grillages. Ben ne voyait pratiquement rien d'autre que Mazi à l'avant, mais tous ces bâtiments avaient l'air désaffectés. La camionnette finit par stopper.

— L'aigle s'est posé, souffla Eric dans son portable.

Après avoir écouté quelques secondes en silence, il rangea l'appareil et tira Ben vers l'arrière.

— Je vais ouvrir cette portière, mais on descend pas, pigé ? Je te conseille de pas faire le con.

— Vous m'avez dit que je rentrais chez moi !

La main d'Eric lui broya le poignet.

— Ça va se faire, petit, mais d'abord on a ce truc à régler. Quand je vais ouvrir, tu verras deux bagnoles. Mike sera là, avec un type. Commence pas à gueuler ou à essayer de filer, parce que je te louperai pas. L'autre type veut voir si tu vas bien. Si t'es sage, on te laisse avec lui, et il te ramène chez toi. Ça marche ?

— Oui ! Je veux rentrer chez moi !

— OK, c'est parti.

Eric poussa les deux battants de la portière.

Ben cligna des yeux, aveuglé par la brusque clarté, mais resta muet et se garda de faire le moindre geste. Mike était debout en compagnie d'un grand balèze que Ben n'avait jamais vu. Ils se tenaient devant deux voitures qui leur faisaient face à moins de dix pas. Le balèze regarda Ben au fond des yeux et hocha la tête comme pour dire « Tout va bien se passer pour toi, maintenant ».

— Une seconde, dit Mike dans son portable, s'adressant apparemment à quelqu'un d'autre. Je vous le passe.

Il approcha l'appareil de la bouche du balèze et invita celui-ci à parler.

— Ça y est, je le vois, dit le balèze. Il est valide et conscient. Il a l'air indemne.

Mike reprit son portable.

— Vous avez entendu ?

Il écouta la réponse, puis :

— Et maintenant, je vais vous faire écouter autre chose.

La suite alla tellement vite que Ben ne comprit pas ce qui se passait lorsqu'il vit Mike appuyer le canon d'un pistolet contre la tempe du balèze et faire feu. Le bruit de la détonation le fit tressaillir. Le balèze se plia en deux sur le capot de la voiture la plus proche et glissa lentement au sol. Tout en gardant son portable le plus près possible du pistolet, Mike lui tira une seconde balle dans la tête. Ben poussa un râle, le thorax soumis à une terrible pression : Eric venait de le ceinturer par-derrière.

— Ça aussi, vous l'avez entendu ? fit Mike dans son portable. Je viens de fumer le connard que vous nous avez envoyé. Les négociations sont terminées, il n'y aura pas de deuxième chance – et n'oubliez pas que l'heure tourne.

Mike éteignit son portable, le rangea dans sa poche et s'approcha de la camionnette. Ben voulut se débattre, mais Eric resserra encore son étau.

— Sage ?

— Il est sage. Putain, mec, on peut dire que c'était carré. Avec toi, ça rigole pas !

— Ils le sauront.

Mike caressa la tignasse de Ben avec une douceur inattendue. Celui-ci ne parvenait pas à détacher les yeux du balèze, qui baignait dans une mare rouge foncé grandissante.

— Tout va bien, fiston, grogna Mike.

Et il lui ôta sa basket gauche. Eric extirpa Ben de la camionnette, le porta jusqu'à la voiture de Mike en passant juste à côté du corps, le déposa sur la banquette arrière et s'installa à côté de lui. Mazi était déjà au volant. Ils démarrèrent, ne laissant derrière eux que Mike et le cadavre.

TROISIÈME PARTIE

Panique dans la jungle

16

Temps écoulé depuis la disparition :
44 heures, 17 minutes

La seconde percée survint peu après que nous eûmes ramené Mme Luna à sa camionnette. Si Ramon Sanchez fut incapable d'ajouter quoi que ce soit à ce qu'elle nous avait déjà raconté, l'aide-cuistot, un adolescent nommé Hector Delarossa, se rappelait la marque et le modèle de la camionnette des plombiers.

— Tu m'étonnes, dit-il, c'était un Ford Econoline quatre portes, modèle 67, avec boiseries d'origine. Une fissure au pare-brise côté gauche et des taches de rouille autour des phares, pas d'enjoliveurs.

Pas d'enjoliveurs de roues.

Je le priai de décrire les deux hommes ; il n'en avait aucun souvenir.

— Quoi, vous êtes capable de repérer des taches de rouille autour des phares et vous n'avez aucun souvenir de ces types ? fis-je.

— Ce modèle est un classique, tu vois ? Mon frangin et

moi, on est des fondus de l'Econo. On est en train de restaurer un modèle 66. On a même un site web, tu vois ? Vous devriez faire un tour dessus.

Dès que Starkey eut rappelé son bureau pour préciser la marque et le modèle de la camionnette recherchée, je la suivis à Glendale. Chen nous avait précédés.

La division d'Investigations scientifiques du LAPD partage avec la brigade de Déminage un vaste complexe situé au nord de la voie express. Les bâtiments tout en longueur et le généreux parking me firent penser à un lycée de banlieue, sauf qu'en général on ne voit pas beaucoup de démineurs et de flics en treillis noir sur les parkings de lycée. En général.

Starkey et moi nous garâmes côte à côte sur le parking, et elle me conduisit à pied vers l'immeuble peint en blanc de la SID. La camionnette de Chen était stationnée devant le bâtiment avec plusieurs autres. Sans s'arrêter, Starkey adressa un signe de la main au réceptionniste, puis m'entraîna vers un laboratoire regroupant quatre ou cinq postes de travail séparés par des cloisons vitrées. Chacun dans son cube de verre, les techniciens étaient assis qui sur un tabouret, qui sur une chaise pivotante. Il flottait dans l'air ambiant quelque chose qui me piqua les yeux comme de l'ammoniaque.

Starkey débarqua en propriétaire.

— Me revoilà, les potes ! La bombe est de retour !

Les laborantins levèrent la tête, sourirent et la saluèrent. Starkey les taquina quelques instants comme une grande sœur de retour au bercail après une longue absence ; elle me parut tout à coup nettement plus sereine et détendue que je ne l'avais jamais vue.

En blouse blanche et muni de gants de vinyle, Chen s'affairait autour d'un gros caisson vitré. En nous voyant arriver, il se ratatina comme s'il cherchait à disparaître à l'intérieur de sa blouse et, d'un geste nerveux de la main, fit signe à Starkey de la mettre en sourdine.

— Putain, tu es en train de me coller une cible sur le front avec tout ce boucan ! Tout le monde va savoir qu'on est là !

— Les cloisons sont transparentes, John : tout le monde sait déjà qu'on est là. Voyons plutôt ce que tu as.

Chen avait découpé l'emballage du cigare dans le sens de la longueur avant de le punaiser à plat sur une feuille de papier blanc. Divers pots de poudres colorées étaient alignés sur sa paillasse, de même que des collyres, des flacons, des rouleaux d'adhésif transparent, et trois de ces pinceaux duveteux dont les femmes se servent pour appliquer leur maquillage. Une des extrémités de la Cellophane était recouverte de poudre blanche et de minuscules points bruns. On devinait clairement le contour d'une empreinte digitale, mais la structure du motif n'était pas évidente. Ce que je voyais me plut assez, mais Starkey, elle, fit la grimace.

— C'est à chier, lâcha-t-elle. Tu te mets au boulot, John, ou tu préfères rester planqué dans ta blouse ?

Chen se recroquevilla encore un peu plus. À ce train-là, il ne tarderait pas à piquer du nez sous sa paillasse.

— Je ne suis ici que depuis un quart d'heure, plaida-t-il. Je voulais tout de même voir si la poudre d'alu et la ninhydrine donneraient quelque chose.

Les traces blanches venaient de la poudre d'aluminium. Les points bruns avaient été produits par un agent chimique, la ninhydrine, qui réagissait au contact des acides aminés déposés par tout être humain dès qu'il touchait un objet.

Starkey se pencha sur l'échantillon, puis dévisagea Chen en fronçant les sourcils comme si elle le soupçonnait de débilité profonde.

— Ce plastique vient de passer plusieurs jours au soleil, dit-elle. C'est beaucoup trop long pour que la poudre d'alu ait une chance de faire ressortir quoi que ce soit.

— Peut-être, mais c'est aussi le moyen le plus rapide d'avoir quelque chose à envoyer dans l'ordinateur. J'ai pensé que ça valait la peine de tenter le coup.

Starkey émit un grognement. À partir du moment où c'était rapide, ça lui allait.

— Ça n'a pas l'air tellement plus brillant avec la nin, remarqua-t-elle.

— Trop de poussière, et le rayonnement solaire a sans doute détruit les acides aminés. J'espérais avoir un peu plus de chance de ce côté-là, mais non. Il va falloir envoyer la glu.

— Merde... Combien de temps ?

— Envoyer la glu ? intervins-je. Ça veut dire quoi ?

Ce fut au tour de Chen de me regarder comme un débile. Nous formions une chaîne alimentaire de la débilité dont j'étais apparemment le maillon le plus bas.

— Quoi, me lança-t-il, vous ne savez pas ce qu'est une empreinte digitale ?

— Il n'a pas besoin d'une conférence, grogna Starkey. Contente-toi d'envoyer cette foutue glu.

Tout en se mettant à l'ouvrage, Chen, qui ne voulait pas manquer une aussi belle occasion de briller, m'expliqua par le menu de quoi il retournait : chaque fois qu'une personne touchait quelque chose, elle laissait dessus un invisible dépôt de sueur. La sueur était majoritairement composée d'eau, mais elle contenait aussi des acides aminés, du glucose, de l'acide lactique et des peptides – ce que Chen appelait « l'organique ». Aussi longtemps qu'il subsistait de l'humidité, les techniques de saupoudrage fonctionnaient parce que la poudre, en adhérant à l'eau, permettait de révéler les contours et les motifs d'une empreinte digitale.

Mais l'eau finissait par s'évaporer, ne laissant derrière elle qu'un résidu organique.

Chen détacha la Cellophane et, avec une pince, la plaça sur une plaquette de verre, la surface externe orientée vers le haut ; ensuite, il introduisit la plaquette dans le caisson vitré.

— On fait bouillir un peu de superglu dans le caisson, jusqu'à ce que l'échantillon soit saturé d'émanations de colle. Ces émanations font réagir les traces organiques et laissent un résidu blanc entre les sillons de l'empreinte.

— Elles sont foutrement toxiques, précisa Starkey. C'est pour ça qu'il fait sa petite cuisine dans ce caisson.

Du moment que cela nous permettait d'obtenir un résultat, je me fichais comme d'une guigne de ce que faisait Chen et de la manière dont il s'y prenait.

— Il y en a pour combien de temps ? demandai-je.

— C'est long. D'habitude, j'utilise une bouilloire, mais ça va plus vite quand on force l'ébullition avec un peu d'hydroxyde de soude.

Chen remplit d'eau un tube à essai et le vida dans le caisson, à côté de la Cellophane. Il versa aussi dans une petite coupelle quelque chose qui, à en croire l'étiquette, s'appelait du méthylcyanoacrylate et introduisit la coupelle dans le caisson. Ensuite, il choisit un des flacons alignés sur sa paillasse. Son contenu avait la transparence de l'eau.

— Combien de temps, John ? insista Starkey.

Chen décida de nous ignorer. Il fit tomber quelques gouttes d'hydroxyde de soude sur la superglu et referma hermétiquement le caisson. L'hydroxyde de soude et la superglu entrèrent en effervescence, mais il n'y eut ni explosion ni incendie. Après avoir allumé un petit ventilateur à l'intérieur du caisson, Chen recula.

— Combien de temps, bordel ?

— Peut-être une heure. Peut-être plus. Je vais surveiller

ça de près. La quantité de réactif risque d'augmenter au point de détruire les empreintes.

Il ne nous restait plus qu'à attendre, sans même avoir la certitude d'obtenir une réponse. J'allai m'acheter un soda au distributeur de la réception, et Starkey fit de même. Elle avait envie de fumer, et nous ressortîmes du bâtiment avec nos boissons. Tout était tranquille et silencieux à Glendale ; les montagnes de Verdugo barraient une partie de l'horizon et, au-delà, on distinguait la pointe de la chaîne de Santa Monica. Nous étions dans les Narrows, cette passe étroite entre les montagnes qui permet à la Los Angeles River de rattraper la ville.

Starkey s'assit au bord du trottoir. Je m'assis à côté d'elle en tâchant de visualiser Ben sain et sauf, mais tout ce qui me vint, ce furent des ombres fugaces et une paire d'yeux terrifiés.

— Vous avez rappelé Gittamon ? demandai-je.

— Pour lui dire quoi ? Que j'ai laissé tomber une scène de crime pour revenir au labo avec un mec que j'ai expressément reçu l'ordre de tenir à l'écart de l'enquête ? Il s'agit de vous, soit dit en passant. (Elle fit tomber la cendre de sa cigarette d'un geste sec.) Je le rappellerai quand on saura ce qu'a trouvé John. Il n'arrête pas de me biper, mais tant pis, j'attendrai.

— Il faut que je vous remercie.

— Vous n'avez pas à me remercier. Je fais mon boulot.

— Il y a des milliers de gens qui ont un boulot, et ils ne se défoncent pas le cul. Vous avez toute ma gratitude, Starkey. Quoi qu'il arrive, je n'oublierai pas ce que je vous dois.

Elle tira sur sa clope et sourit dans le vague en regardant quelque part au-dessus des voitures du parking.

— Vous me mettez l'eau à la bouche, Cole. Surtout quand vous parlez de cul.

— Ce n'est pas à ça que je pensais.

— Dommage.

En la voyant avaler un comprimé blanc, je décidai de changer de sujet. Je décidai de faire le malin.

— Hé, Starkey, ce sont des trucs pour l'haleine, ou vous êtes accro aux médocs ?

— C'est un antiacide. J'ai des problèmes d'estomac depuis mon pépin, et on m'a prescrit un antiacide. Ça m'a pas mal abîmé les tripes.

Son pépin. Elle s'était fait tuer par une bombe dans un camping, et elle appelait ça un pépin. J'aurais voulu rentrer sous terre.

— Excusez-moi, marmonnai-je. Ça ne me regarde pas.

Avec un haussement d'épaules, elle jeta sa cigarette sur l'asphalte.

— Ce matin, dit-elle, vous vouliez savoir pourquoi je ne vous avais pas rapporté la cassette moi-même.

— Aucune importance. Simplement, je me suis demandé pourquoi vous aviez envoyé quelqu'un d'autre. Vous m'aviez dit que vous reviendriez.

— Votre 201 et votre 214 venaient de sortir du télécopieur. Je me suis plongée dedans en attendant que la copie de la cassette soit prête. J'ai lu que vous aviez été blessé.

— Pas avec la patrouille 5-2. Une autre fois.

J'aurais dû émigrer au Canada. Là-bas, au moins, rien de tout ça ne me serait arrivé.

— Je sais. J'ai vu que vous aviez été touché par un tir de mortier. Ça m'a intriguée, voilà, ce que vous avez vécu là-bas. Vous n'êtes pas obligé d'en parler si vous n'en avez pas envie. Je sais pertinemment que ça n'a rien à voir avec cette affaire.

Elle sortit une nouvelle cigarette pour faire diversion, comme si elle était soudain gênée à l'idée que je puisse deviner pourquoi elle m'interrogeait là-dessus. Un obus de

253

mortier, c'était une bombe. En un sens, nous avions tous les deux été victimes d'une bombe.

— Ça n'a rien de comparable avec votre accident, Starkey, vraiment rien. Il y a eu une explosion derrière moi, et je me suis réveillé dans les broussailles. J'ai eu quelques points de suture, c'est tout.

— Le rapport dit qu'on vous a retiré vingt-six éclats d'obus du dos et que vous avez failli vous vider de votre sang.

Je haussai et baissai les sourcils plusieurs fois d'affilée, à la Groucho Marx.

— Vous voulez voir mes cicatrices, beauté ?

Starkey éclata de rire.

— Vous êtes nul en Groucho.

— Et encore pire en Bogart. Vous voulez voir ?

— Pour ce qui est des cicatrices, je ne crains personne. Je pourrais vous en montrer quelques-unes qui vous feraient chier des bulles.

— Quel langage imagé.

Nous échangeâmes un sourire et éprouvâmes le même malaise au même instant. Cette conversation n'avait plus grand-chose à voir avec du badinage et, en un sens, elle sonnait faux. J'imagine que mon expression se modifia. Nous détournâmes en même temps le regard.

— Je ne peux pas avoir d'enfants, souffla-t-elle.

— Je suis navré.

— Putain de merde, je n'y crois pas – moi, je vous ai dit ça !

Il n'était plus question de sourire. Nous étions assis dans ce parking, à siroter notre soda, le temps que Starkey finisse de griller sa clope. Trois hommes et une femme sortirent des locaux de la brigade de Déminage et traversèrent le parking en direction d'un entrepôt de briques. Des artificiers. Avec leur treillis noir et leurs bottes, on aurait dit un commando d'élite, et pourtant ils se marraient comme des citoyens lambda. Ils avaient sans doute aussi une famille et des amis comme les citoyens lambda, mais leur travail consistait à désamorcer des engins capables de vous transformer en chair à pâté pendant que tout le monde se cachait derrière les murs, seuls face à un monstre qui ne demandait qu'à jaillir d'une boîte où il se sentait à l'étroit. Quelle sorte de personne fallait-il être pour faire un métier pareil ?

J'observai Starkey du coin de l'œil. Elle suivait leur déplacement du regard.

— C'est pour ça que vous êtes passée aux Mineurs ? demandai-je.

Elle hocha la tête.

Nous ne dîmes plus grand-chose jusqu'au moment où Chen vint nous chercher. Les empreintes étaient prêtes.

Temps écoulé depuis la disparition :
47 heures, 4 minutes

Un certain nombre de traces concentriques blanchâtres se chevauchaient sur la Cellophane. L'être humain ne touche pas les objets d'un geste unique et définitif ; que ce soit un stylo, une tasse de café, un volant, un téléphone ou un emballage de cigare, ses doigts bougent et glissent sans cesse, ajustant et réajustant leur prise, et les couches d'empreintes se superposent en un écheveau confus.

Chen examina la Cellophane à l'aide d'une loupe montée au bout d'un bras articulé.

— La plupart de ces traces sont merdiques, mais je vois quand même deux ou trois motifs sur lesquels on devrait pouvoir bosser.

— Ça suffira ? m'enquis-je.

— Ça va dépendre du nombre de caractéristiques identifiables et de ce qu'on a dans nos bases de données. On y verra plus clair quand j'aurai ajouté un peu de couleur.

Chen répandit un peu de poudre bleu foncé à deux endroits de la Cellophane et se servit d'un pulvérisateur d'air comprimé pour chasser l'excédent. Deux empreintes digitales bleu foncé se détachèrent aussitôt, offrant un contraste marqué par rapport aux traces blanches. Chen se voûta encore un peu plus sur sa loupe et fit entendre un grognement.

— Voilà une jolie double boucle centrale... Et sur celle-ci, j'ai une arche voûtée tout ce qu'il y a de plus net. Et deux îlots.

Il se tourna vers Starkey en hochant la tête.

— C'est plus qu'il n'en faut, conclut-il. Si ce mec est fiché, on va le retrouver.

— Excellent, John, fit Starkey en lui posant une main sur l'épaule.

Pour un peu, on l'aurait entendu ronronner.

Il appliqua un ruban de bande adhésive transparente sur les empreintes digitales bleues pour les décoller de la Cellophane, déposa ensuite la bande sur une feuille de plastique transparent. Il installa les deux empreintes devant un écran rétroéclairé et les photographia avec un appareil numérique à haute définition. Il transféra les images sur son ordinateur, ouvrit un logiciel graphique pour les agrandir et modifier leur orientation. Puis il entreprit de remplir le formulaire de recherche d'empreintes digitales du FBI, constitué pour l'essentiel d'un descriptif précis des deux empreintes, avec leurs caractéristiques présentées en fonction de leur type et de leur localisation : quand, par exemple, une crête se divisait pour dessiner un Y, ça s'appelait une fourche ; une ligne courte entre deux autres plus longues était un îlot ; et une ligne qui se scindait pour se réunifier un peu plus loin était un œil.

Pour identifier une empreinte, les bases de données du NCIC et du NLETS ne comparent pas deux images ; elles comparent des listes de caractéristiques. L'amplitude et la précision de la liste déterminent donc le succès de la recherche. À condition qu'il y ait déjà dans le système une empreinte correspondante.

Chen passa près de vingt minutes à spécifier l'architecture des deux empreintes avant d'appuyer sur la touche envoi.

— Et maintenant ? fis-je en le voyant se carrer sur sa chaise.

— On attend.

— Ça va prendre combien de temps ?

— C'est de l'informatique, mec. Ça ne traîne pas.

Le bip de Starkey sonna. Elle y jeta un coup d'œil et le fourra au fond de sa poche.

— Gittamon, maugréa-t-elle.

— Il pense beaucoup à vous.

— Qu'il aille se faire foutre. J'ai besoin d'une clope.

Starkey était en train de tourner les talons quand l'ordinateur fit entendre une brève sonnerie annonçant l'arrivée d'un courrier électronique.

— Voyons voir, fredonna Chen en s'approchant.

Le fichier se téléchargea automatiquement dès qu'il eut ouvert le nouveau message. Sous le sigle NCIC / Interpol, nous vîmes apparaître une série de photos d'identité judiciaire représentant un homme au cou massif et aux yeux profondément enfoncés dans leurs orbites. Cet homme s'appelait Michael Fallon.

Chen nous indiqua de l'index une série de chiffres au bas de la page.

— On a une correspondance à quatre-vingt-dix-neuf

virgule quatre-vingt-dix-neuf pour cent sur les douze carac-téristiques comparées. C'est lui qui a jeté cette Cellophane.

— Alors ? fit Starkey en me décochant un léger coup de coude. Vous le connaissez ?

— Je n'ai jamais vu ce type de ma vie.

Chen fit défiler la page à l'écran afin que nous puissions prendre connaissance du signalement de Fallon : cheveux bruns, yeux bruns, un mètre quatre-vingts, quatre-vingt-cinq kilos. Dernière adresse connue à Amsterdam, domicile actuel inconnu. Michael Fallon était recherché pour deux meurtres sans lien apparent en Colombie, deux autres au Salvador et, surtout, il était poursuivi en tant que criminel de guerre par les Nations unies pour génocide, meurtre de masse, torture et actes de barbarie en Sierra Leone. Interpol concluait en avertissant que cet individu était probablement armé et très dangereux.

— Bordel de merde, grogna Starkey. Un vrai fou furieux...

Chen acquiesça.

— Des lésions, dit-il. On retrouve toujours des lésions chez ce genre de sujet.

Fallon disposait d'une vaste expérience militaire. Il avait servi neuf ans au sein de l'armée des États-Unis, d'abord chez les parachutistes, puis chez les rangers. Sa carrière s'était prolongée quatre années supplémentaires, mais tout ce qu'il avait fait durant ces quatre années était laconique-ment classé « secret-défense ».

— Ça veut dire quoi, cette connerie ? me demanda Starkey.

Je le savais, et une pointe acérée qui n'était pas seule-ment due à la peur me transperça la poitrine. Je comprenais d'où lui venait cette capacité de surveillance, de déplacement et d'intervention sans laisser de trace. J'avais moi-même été soldat, et pas des plus mauvais. Mais Mike Fallon était meilleur.

— C'est un ancien de la Delta Force, dis-je.

— L'unité antiterroriste ?

— Sans déconner..., souffla Starkey, le regard fixé sur les photos.

La Delta Force. Les D-boys. Les « opérateurs ». Ces mecs étaient entraînés pour des insertions archichaudes contre des cibles terroristes ; on n'entrait dans ce club ultrasélect que sur invitation. Il réunissait les meilleurs assassins de l'armée.

— Tout ce passé militaire... Peut-être qu'il s'est braqué contre vous à l'époque où il était soldat, suggéra Starkey.

— Il ne me connaît pas. Il est trop jeune pour avoir fait le Vietnam.

— Alors, pourquoi ?

Je n'en avais pas la moindre idée.

Nous replongeâmes dans le dossier. Après avoir quitté l'armée, Fallon avait exercé ses talents de guerrier professionnel au Nicaragua, au Liban, en Somalie, en Afghanistan, en Colombie, au Salvador, en Bosnie et en Sierra Leone. Michael Fallon était un mercenaire. Les phrases de Lucy me revinrent en mémoire : *Ce n'est pas normal. Ces choses-là n'arrivent pas aux gens normaux.*

— C'est vraiment le pied, Cole, fit Starkey. Un détraqué à deux balles, ça ne vous aurait pas suffi. Il a fallu que vous attiriez un professionnel du carnage.

— Je ne le connais pas, Starkey. Je n'ai jamais entendu parler de cet homme. Je n'ai jamais rencontré aucun Fallon.

— Il faut pourtant bien que *quelqu'un* le connaisse, mec, et une chose est sûre, lui vous connaît. Je peux avoir une sortie papier de son dossier, John ?

— Bien sûr, j'imprime le fichier.

— J'en voudrais aussi un exemplaire, dis-je. Je vais tout

de suite montrer ça à Lucy, et éventuellement aux gens de son quartier. Ensuite, nous n'aurons qu'à retourner au chantier. C'est plus facile quand on a des photos à montrer. Les souvenirs appellent les souvenirs.

— Nous ? fit Starkey en souriant. On fait équipe, ou quoi ?

Quelque part entre le parking et ce laboratoire, effectivement, Starkey et moi étions devenus « nous ». Comme si elle ne bossait pas pour le LAPD. Comme si je n'étais pas un privé anxieux de retrouver un petit garçon kidnappé Oui, comme si nous faisions équipe.

— Vous me comprenez. On a enfin une base de travail. On va pouvoir construire là-dessus. On va pouvoir aller de l'avant.

Le sourire de Starkey s'élargit. Elle me tapota l'épaule.

— Détendez-vous, Cole. On va faire ce que vous dites. Si vous savez jouer correctement vos cartes, je vous laisserai peut-être nous suivre. Mais, pour commencer, je vais lancer un avis de recherche.

Elle lança son avis de recherche et réclama par téléphone une demande d'information sur Fallon au FBI, aux services secrets, et au bureau du shérif. Ensuite, nous partîmes chez Lucy. Nous.

La limousine de Richard, la voiture pie de Gittamon, et une deuxième voiture pie dont la portière arborait l'inscription SERVICE DES PERSONNES DISPARUES se disputaient le trottoir devant son immeuble. Ce fut Gittamon qui répondit à notre coup de sonnette et ouvrit la porte de l'appartement. Sur son visage, la surprise fut rapidement remplacée par la colère. Il jeta un coup d'œil en arrière par-dessus son épaule et maintint la porte entrebâillée, comme s'il cherchait à se protéger.

— Où étiez-vous passée ? demanda-t-il à Starkey. J'ai essayé de vous joindre toute la matinée.

— Je bossais, répondit-elle. On tient quelque chose, Dave. On sait qui a enlevé le gamin.

— Vous auriez dû me prévenir. Vous auriez dû répondre à mes appels.

— Qu'est-ce qui se passe ? Qu'est-ce que les Personnes disparues fichent ici ?

Gittamon jeta un nouveau coup d'œil à l'intérieur avant d'ouvrir entièrement la porte.

— On est hors jeu, Carol. Ils prennent le relais

Temps écoulé depuis la disparition :
47 heures, 38 minutes

Richard se passa nerveusement une main dans les cheveux. Ses vêtements étaient encore plus fripés que la veille, comme s'il avait dormi tout habillé. Lucy était assise sur le canapé, les jambes croisées, et Myers, adossé au mur d'en face, était le seul à paraître frais et dispos. Ils écoutaient parler une femme vêtue d'un ensemble noir impeccable et son clone de sexe masculin, qui tous deux avaient pris place au centre de la pièce sur des chaises apportées de la salle à manger. Lucy cessa de les fixer pour me foudroyer du regard. Elle m'avait demandé de ne plus me mêler de l'affaire, et j'étais revenu. Histoire d'aggraver le mal.

Gittamon s'éclaircit la gorge pour interrompre leur conciliabule. Il s'immobilisa sur le seuil du séjour comme un écolier qui revient en classe après s'être fait passer un savon.

— Euh, lieutenant, excusez-moi. Voici l'inspecteur Starkey, avec M. Cole. Carol, je vous présente le lieutenant Nora Lucas et le sergent Ray Alvarez, du service des Personnes disparues.

261

Lucas tourna vers nous un visage de porcelaine inexpressif et exempt de rides – sans doute parce qu'elle ne souriait jamais. Quand je tendis la main à Alvarez, il la serra trop fort et, sans la lâcher, se tourna vers Gittamon.

— Je croyais que M. Cole était censé ne plus interférer dans l'enquête, sergent.

— Lâchez-moi la main, Alvarez. À moins que vous n'ayez envie de sentir jusqu'à quel point je suis capable d'interférer.

Il garda ma main une fraction de seconde de plus, juste pour me prouver qu'il en était capable.

— Il y a des allégations très intéressantes à votre propos sur cet enregistrement, me dit-il en la lâchant. On reparlera de tout ça au moment de remettre à plat le dossier.

Richard marcha à grands pas vers la fenêtre en se passant de nouveau une main dans les cheveux. Il avait l'air énervé.

— Qu'est-ce que vous allez pouvoir apporter de plus que les autres ? demanda-t-il en dévisageant tour à tour Lucas et Alvarez.

— Leur force de frappe, répondit Myers.

— Exact, opina Lucas. Nous allons mobiliser tous les moyens de notre service pour retrouver votre fils, sans parler de notre expérience. C'est notre métier.

Alvarez se pencha en avant sur sa chaise.

— On est l'équipe première, monsieur Chenier. On va restructurer l'enquête, passer en revue tout ce qui a déjà été fait et retrouver votre fils. On va aussi vous soutenir, M. Myers et vous-même, dans l'effort que vous avez entrepris à titre personnel.

Richard quitta la fenêtre avec impatience et fit signe à Myers de le suivre.

— Bien. Formidable. En attendant, je préfère me remettre à la recherche de mon fils plutôt que de palabrer comme vous le faites. Venez, Lee.

— Nous savons qui a enlevé Ben, lançai-je.

Tous les visages se tournèrent vers moi, diversement incrédules. Lucy se leva, la bouche entrouverte.

— Qu'est-ce que tu viens de dire ?

— Nous savons qui a enlevé Ben. Nous avons le signalement d'un véhicule et de deux hommes. Et nous avons l'identité de l'un des deux.

— Vous baratinez, Cole, fit Myers en se décollant du mur.

Starkey présenta à Lucy son exemplaire du dossier Interpol de manière à mettre en évidence la photo de Fallon.

— Regardez bien cet homme, madame Chenier. Tâchez de vous rappeler si vous l'avez déjà vu quelque part. Peut-être en vous promenant dans un parc avec Ben, à la sortie de l'école, à votre travail...

Lucy dévora Fallon des yeux, presque comme si elle cherchait à entrer dans la photo. Richard s'approcha à grands pas.

— Qui est-ce ? Qu'est-ce que vous avez trouvé ?

Totalement concentré sur Lucy, j'ignorai ses questions.

— Réfléchis bien, Lucy, peut-être t'est-il arrivé d'avoir cette drôle d'impression d'être suivie, ou de ressentir une étrange vibration en croisant le regard de quelqu'un. C'était peut-être lui.

— Je ne sais pas. Je ne crois pas, non.

— Qui est cet homme ? interrogea Lucas.

Starkey lui décocha un bref coup d'œil, suivi d'un autre à Alvarez, et remit son exemplaire du dossier à Gittamon.

— Il s'appelle Michael Fallon. J'ai déjà lancé un avis de recherche, avec le signalement du véhicule qu'ils ont utilisé pour le rapt. Il y a au moins un autre individu impliqué – race noire, sexe masculin, plusieurs cicatrices sur le visage, mais nous n'avons pas encore son identité.

263

Sûrement parce que nous ne sommes pas l'équipe première.

Richard étudia le portrait de Fallon. Inspirant avec effort, il se passa une main dans les cheveux et montra l'image à Myers.

— Vous voyez ça ? Vous voyez ce qu'ils ont ? Bon Dieu, Lee, ils ont un suspect !

Myers hocha la tête en vrillant sur lui ses petits yeux de gardon.

— Je vois, Richard.

Les yeux de gardon se tournèrent vers moi.

— Comment savez-vous que c'est lui ?

— Nous avons retrouvé un emballage de cigare sur l'autre versant du canyon. À proximité d'une série de traces de pas qui correspondent à celle qui a été retrouvée sur les lieux de l'enlèvement.

Le regard de Richard s'alluma.

— Celle qu'on a vue ? Celle que vous avez trouvée hier ?

— C'est ça, intervint Starkey. Les douze caractéristiques de l'empreinte digitale relevée sur cet emballage correspondent à celles de Fallon dans la base de données du NCIC. Comme identification, on ne peut pas faire plus formel.

Lucas et Alvarez se levèrent dans un bel ensemble pour regarder la photo à leur tour.

— Vous ne m'aviez pas parlé de ça, dit Lucas en jetant un regard noir sur Gittamon.

Il secoua la tête, penaud.

— Je n'étais pas au courant. J'ai essayé de la joindre, mais elle ne répondait pas.

— On a eu ça ce matin, expliqua Starkey. L'identification est tombée il y a quelques minutes à peine. Voilà ce qu'on faisait, Cole et moi, pendant que vous cherchiez un moyen de nous sucrer notre enquête.

— Allez-y doucement, inspecteur.

— Mais lisez donc ces foutus mandats ! Fallon est un professionnel du carnage, bordel de merde ! Ce mec est poursuivi pour crimes de guerre en Afrique ! Il a semé des cadavres dans le monde entier !

— Inspecteur ! s'exclama Lucas, avec un regard appuyé en direction de Lucy.

Son cri frappa Starkey comme une gifle.

Fallon est un professionnel du carnage. Il a semé des cadavres dans le monde entier.

Et votre enfant est entre ses mains.

Starkey s'empourpra dès qu'elle se rendit compte de ce qu'elle venait de dire.

— Excusez-moi, madame Chenier. C'est ce qu'on appelle un manque de tact.

Richard se dirigea vers la porte, de plus en plus impatient.

— Allons-y, Lee. On n'a plus de temps à perdre.

Myers ne bougea pas d'un millimètre.

— Ce n'est pas une perte de temps, répondit-il. J'aimerais savoir où Cole a rencontré cet homme. Rien de ce que j'ai entendu jusqu'ici ne contredit ce qu'a dit le ravisseur au téléphone. Cole et Fallon ont beaucoup en commun. Comment vous êtes-vous connus, Cole ? Qu'est-ce qu'il vous reproche ?

— Rien du tout. Je ne le connais pas, je ne l'ai jamais rencontré, et je n'ai pas la moindre idée de ce qui l'a poussé à enlever Ben.

— Ce n'est pas ce qu'il a dit au téléphone.

— Allez vous faire foutre, Myers.

— Ça n'a pas de sens, intervint Lucy, le front plissé par la concentration. Il a forcément un lien avec toi.

— Non. Aucun lien.

Lucas murmura quelque chose à son collègue avant de se décider à nous interrompre en haussant le ton :

— Ne nous égarons pas ! C'est un bon début, inspecteur. Ray, appelez la SID pour avoir confirmation de l'identification, et ensuite vous ferez distribuer son portrait à toutes les unités.

Elle avait pris la direction de l'enquête et voulait faire savoir à tout le monde qu'elle tenait les rênes.

— Monsieur Chenier, madame Chenier, ce que nous allons devoir faire, dans un premier temps, c'est synthétiser tous les éléments de l'enquête. Ce sera vite fait ; ensuite, nous explorerons cette piste.

— Elle est déjà explorée, grommela Starkey. Il n'y a plus qu'à retrouver ce fils de pute.

Gittamon lui posa une main sur l'avant-bras.

— Carol. S'il vous plaît.

Richard grommela quelque chose et ouvrit la porte.

— Faites ce que vous voudrez, mais moi, en attendant, je vais chercher mon fils. Lee, nom de Dieu, suivez-moi. Vous avez besoin d'une copie de ce machin ?

— J'ai déjà tout ce qu'il me faut.

— Alors, fichons le camp d'ici.

Ils s'en allèrent.

— Sergent, dit Alvarez en se tournant vers Gittamon, allez nous attendre dehors avec Starkey. Quand on en aura fini avec Mme Chenier, on va devoir récapituler avec vous point par point tout ce qui a été fait jusqu'ici.

— Hé, vous roupillez, ou quoi ? dit Starkey. On vient de vous annoncer une avancée majeure ! Ce n'est pas la peine d'organiser une réunion pour piger ça !

— Vous attendrez dehors qu'on ait terminé, insista Alvarez sur un ton autoritaire. Vous aussi, Gittamon. Allez, vous nous faites perdre du temps.

Starkey sortit en coup de vent, suivie d'un Gittamon tellement humilié qu'il en traînait les pieds.

— Vous aussi, me lança Alvarez, restez dans le coin. On tient à savoir ce que vous reproche cet homme.

— J'ai déjà perdu assez de temps. Je vais chercher Ben. Je me tournai vers Lucy.

— Je sais que tu ne veux pas que je m'en mêle, repris-je, mais il n'est pas question que je le laisse tomber. Je le retrouverai, Luce. Je te le ramènerai.

— Vous feriez mieux de nous attendre en bas, Cole. Ce n'est pas un conseil – c'est un ordre.

Alvarez voulut ajouter quelque chose, mais j'avais déjà claqué la porte. Starkey et Gittamon, plantés sur le trottoir à hauteur de la voiture pie, étaient en pleine prise de bec. Je les ignorai.

Je rejoignis ma voiture. Je réussis à monter dedans, je réussis à démarrer, mais je ne voyais ni où aller ni que faire. Mon regard tomba sur le portrait de Michael Fallon, et je m'efforçai de trouver une ligne directrice.

Ça n'a pas de sens. Il a forcément un lien avec toi.

Toutes les enquêtes suivent plus ou moins le même fil : on remonte la piste de la vie d'une personne et on tâche de voir à quel point elle a croisé celle de telle autre personne. Fallon et moi avions tous deux été militaires mais, à ma connaissance, nos vies ne s'étaient jamais croisées. À ma connaissance, sa vie n'avait jamais croisé non plus celle d'aucun de mes anciens camarades de combat, et il n'y avait à vrai dire aucune raison pour qu'une telle rencontre se fût produite. Un tueur formé à la Delta Force. Un mercenaire. Un homme recherché pour meurtre au Salvador et pour crimes de guerre en Afrique, réapparu à Los Angeles pour kidnapper Ben Chenier en dissimulant ses vraies motivations derrière un énorme mensonge. Domicile actuel inconnu.

Je tournai la tête d'un côté de la rue, puis de l'autre, dans l'espoir de repérer Joe. Il devait être à l'affût quelque part. J'avais besoin de lui.

— *Joe !*

Les hommes comme Michael Fallon vivaient dans un monde d'ombres dont je ne savais rien ; ils payaient cash et se faisaient payer cash, ils adoptaient des noms d'emprunt, et ils évoluaient dans des cercles tellement restreints que ceux qui les connaissaient pour ce qu'ils étaient réellement se comptaient sur les doigts d'une main.

— *Joe !*

La main de Pike se posa sur mon épaule. Peut-être venait-il de surgir de cet épais bouquet de plantes ornementales, au coin de l'immeuble. Ses lunettes noires flamboyaient comme une armure sous le soleil. Je lui tendis le dossier Interpol d'une main tremblante.

— C'est le ravisseur de Ben. Il a baroudé aux quatre coins de la planète. Il a combattu et participé à des coups tordus un peu partout. Je ne sais absolument pas comment le retrouver.

Pike avait lui aussi vécu dans l'ombre. Il parcourut le dossier sans un mot, jusqu'à la dernière ligne. Et me le rendit.

— Les hommes de son espèce ne se battent pas pour rien, dit-il. Ils se font engager, et il y a forcément quelqu'un, quelque part, qui sait comment le joindre. Il suffit de retrouver ce quelqu'un.

— Je veux lui parler.

La bouche de Pike se contracta imperceptiblement ; il secoua la tête.

— N'y compte pas, Elvis. Un homme de ce genre ne te laissera même pas approcher.

Son regard était fixe, mais j'eus la sensation que ce

n'était pas moi qu'il fixait. Je me demandai à quoi il pouvait être en train de penser.

— Je ne peux pas rentrer chez moi, Joe. Je ne peux pas rester les bras croisés.

— La balle n'est plus dans ton camp.

Joe Pike disparut entre les immeubles, avec toujours cette expression lointaine accrochée au visage, mais j'étais trop obnubilé par le sort de Ben pour m'en rendre compte sur le moment.

17

Temps écoulé depuis la disparition :
47 heures, 54 minutes

Pike

Les yeux de Cole ressemblaient à deux tunnels couleur hématome. Pike avait déjà vu ce regard violacé chez des flics au-delà de la limite de l'épuisement, et aussi chez des soldats combattants restés un peu trop longtemps le doigt sur la détente. Cole avait basculé dans la Zone : survolté, lessivé, lancé comme un Terminator en mode mission. Quand on entrait dans la Zone, Pike le savait bien, vos idées se brouillaient. On risquait de se faire tuer.

Il remonta au pas de course les trois blocs d'immeubles qui le séparaient de sa Jeep, gêné dans ses mouvements : il avait mal au dos à cause de son immobilité prolongée, et son épaule était engourdie. La douleur augmenta au fil des mètres, mais il ne cessa pas de courir.

Les mercenaires ne se pointaient pas spontanément dans un pays en guerre dans l'espoir de se faire embaucher par un camp pour entraîner ses troupes ou tuer ceux d'en face ; ils étaient recrutés par des organisations paramilitaires privées, des entreprises de sécurité aux ramifications internationales et des « consultants ». Le réservoir de main-d'œuvre étant limité, les mêmes hommes se faisaient encore et toujours engager par les mêmes clients, un peu comme ces informaticiens de la Silicon Valley qui butinent d'un poste à l'autre. À ceci près que leur espérance de vie était plus courte.

Autrefois, Pike avait connu plusieurs de ces consultants mais ne savait pas s'ils étaient toujours actifs. Il ne savait pas non plus si l'un d'eux accepterait de lui donner un coup de main, ce qu'il exigerait en échange le cas échéant et combien de temps cela lui prendrait. Il ne savait même pas si ces contacts étaient toujours en vie. Pike avait renoncé à cette existence-là depuis de nombreuses années ; s'il s'était souvenu de leurs coordonnées, il leur aurait téléphoné de sa voiture.

Il rentra chez lui, à Culver City. Dès son arrivée, il ôta son sweat-shirt et but une bouteille d'eau minérale avec plusieurs comprimés d'anti-inflammatoire et d'aspirine. Les numéros de ses anciens contacts étaient enfermés dans le coffre-fort de sa chambre. Plutôt que de les noter directement, Pike les avait cryptés sous forme alphabétique. Après les avoir retranscrits, il décrocha son téléphone.

Les quatre premiers numéros n'étaient plus attribués. Une jeune femme à la voix pétillante répondit au cinquième, celui-ci avait donc manifestement été remis en circulation après un changement d'abonné. Le sixième numéro n'existait plus, et le septième était celui d'un cabinet dentaire. La guerre est un métier à haut risque. Pike fit mouche à sa huitième tentative.

— Oui ?

Pike reconnut la voix à la seconde même où il l'entendit. Comme s'ils s'étaient parlé le matin même.

— Ici Joe Pike. Vous vous souvenez ?

— Affirmatif. Comment va ?

— Je suis à la recherche d'un professionnel. Il s'appelle Michael Fallon.

Le consultant marqua un temps d'arrêt. Quand il reprit la parole, toute trace de nonchalance avait disparu de sa voix.

— Je croyais que vous aviez raccroché, Pike.

— C'est vrai. Je ne suis plus dans le métier.

Il sentit que son contact se méfiait. Ils ne s'étaient pas fait signe depuis près de dix ans, et il devait se demander si Pike ne roulait pas aujourd'hui pour les fédéraux. Le gouvernement, qui n'appréciait guère de voir certains de ses citoyens louer leurs services à des États étrangers ou à des groupes paramilitaires, avait fini par légiférer pour les dissuader d'agir.

— Je ne sais pas ce que vous avez derrière la tête, répondit prudemment l'homme, mais je suis consultant en sécurité. Je suis chargé de me renseigner sur le passé de certaines personnes et de proposer des conseils dans un certain nombre de domaines militaires, mais je ne traite ni avec les terroristes, ni avec les narcotrafiquants, ni avec les dictateurs, ni avec tous ceux qui gravitent autour de ces gens-là. C'est illégal, ce genre de conneries.

Un discours taillé sur mesure pour les fédéraux, mais Pike connaissait suffisamment son interlocuteur pour savoir qu'en l'occurrence il disait la vérité.

— Je comprends. Ce n'est pas pour ça que j'appelle.

— Ah. Vous voulez un conseil, c'est ça ?

— Si on veut. Ce Michael Fallon est un ancien de la Delta Force devenu indépendant. Il y a deux ans, il habitait à Amsterdam. Il est actuellement à Los Angeles.

— Un ancien Delta, vous dites ?

— Oui.

— Ces gars-là coûtent les yeux de la tête.

— J'ai besoin de le voir en face à face. C'est ce qui compte, un face-à-face.

— Hmm-hmm. Dites-m'en un peu plus. Pour me rafraîchir la mémoire.

Pike lui rapporta les informations sur Fallon qu'il avait retenues, en citant les pays où il était supposé avoir sévi ; la Sierra Leone, la Colombie, le Salvador, les autres.

— Il a bourlingué, dit l'homme. Effectivement, je connais quelques gars qui ont travaillé dans ces pays-là. Vous avez vraiment laissé tomber ?

— Oui.

— C'est une honte, mec. Qu'est-ce que vous avez à m'offrir ?

Pike s'attendait que l'homme lui demande quelque chose et était prêt à payer le prix. Ce genre d'intermédiaire ne faisait jamais rien gratuitement. Il n'avait pas évoqué cet aspect de la question devant Elvis et n'avait aucune intention de le faire.

— Mille dollars.

Le consultant éclata de rire.

— Je préfère compter sur vous pour un job. Je vois toujours passer des offres, vous savez. Dans votre genre, vous aussi, vous pourriez vous faire des couilles en or. On a besoin de mecs comme vous au Moyen-Orient.

— Deux mille.

— Je devrais pouvoir trouver quelqu'un qui connaît ce Fallon mais je vais être sûrement obligé de passer des coups de fil aux quatre coins du globe. Je n'ai pas l'habitude de perdre mon temps pour une poignée de tickets, Pike. Ça représente des frais.

— Cinq mille.

Une somme scandaleuse, mais Pike sentait déjà que cet homme attendait de lui autre chose que de l'argent. Il espérait néanmoins avoir une petite chance de le convaincre en mettant la barre très haut.

— Franchement, Pike, étant donné vos antécédents et cette histoire de face-à-face, je ne miserais pas un kopeck sur ce Fallon. Ancien Delta ou non. Mais vous devez comprendre mon point de vue, s'il lui arrivait quelque chose, vos copains les fédéraux n'hésiteraient pas à se servir de notre petite transaction pour m'épingler, peut-être même pour m'accuser de complicité. Je n'ai aucun ami dans leur camp, moi.

— Personne ne nous écoute.

— Soit.

Pike resta muet. Il avait constaté que quand il se taisait, les gens lui disaient souvent d'eux-mêmes ce qu'ils avaient envie d'entendre.

— Je vais vous dire une chose, reprit son interlocuteur. Je veux bien poser des questions à droite et à gauche, mais il va falloir que vous acceptiez de faire un travail pour moi. Je ne sais ni quoi ni quand, mais un jour je vous appellerai, et il faudra répondre présent. C'est ça ou rien. Vous connaissez mon prix. Si je vous dégotte quelqu'un qui peut vous aider à organiser votre face-à-face, vous devrez y aller. C'est oui, c'est non, je m'en balance. Voilà ce que ça va vous coûter.

Pike regretta soudain d'avoir composé ce numéro, ou qu'il n'ait pas été désactivé comme les autres. Il envisagea un instant d'aller frapper à une autre porte, mais ses sept premières tentatives n'avaient rien donné. Ben avait besoin d'aide. Elvis avait besoin d'aide. Cette pensée l'empêcha de raccrocher.

— Allez, Pike, ce n'est pas seulement une question de fric. Vous n'avez pas donné signe de vie depuis dix ans. Si je trouve quelqu'un qui a eu affaire à lui, il faudra bien que je puisse lui offrir des garanties en ce qui vous concerne.

Une fontaine zen trônait sur une table de bois noir verni dans un angle du séjour. C'était une petite vasque pleine d'eau et de galets. L'eau gargouillait entre les galets en murmurant doucement comme un ruisseau forestier. Pike écouta son chant. C'était un chant de paix.

— Vous vous y attendiez, Pike. C'est pour ça que vous m'avez appelé. Je vous bouscule un peu, mais c'est ce que vous vouliez. Vous cherchez quelque chose, et ce n'est pas que ce Fallon. Ce que vous cherchez vraiment, on le sait tous les deux.

Pike regarda l'eau s'écouler dans la fontaine miniature en se demandant si l'homme avait raison.

— D'accord.

— Donnez-moi votre numéro. Je vous rappelle dès que j'ai quelque chose.

Pike donna son numéro de portable, puis se débarrassa de ses vêtements et emporta le téléphone avec lui dans la salle de bains pour l'entendre de sa douche. Il laissa le jet d'eau brûlante lui marteler le dos et les épaules en s'efforçant de ne penser à rien.

Quarante-six minutes plus tard, le téléphone sonna. Après lui avoir dicté un nom et une adresse, l'homme précisa que tout était arrangé.

18

Temps écoulé depuis la disparition :
48 heures, 9 minutes

Deux messages m'attendaient sur mon répondeur à mon retour chez moi. J'espérais un appel de Joe, de Starkey, ou même de Ben, mais le premier émanait de Grace Gonzalez, ma voisine, qui voulait savoir ce qu'elle pouvait faire pour m'aider, et l'autre de la mère de Crom Johnson, en réponse à mon récent coup de fil. Je ne me sentis la force de rappeler ni l'une ni l'autre.

De ma terrasse, je constatai que la camionnette de Chen avait repris position sur le versant opposé du canyon, en compagnie d'un deuxième véhicule de la SID et d'une voiture de patrouille de la Hollywood Division. Plusieurs ouvriers du chantier rôdaient à proximité, cherchant à voir ce que faisaient Chen et les autres dans le ravin.

Le soir, les gens normaux ramassent leur courrier en rentrant chez eux, et c'est ce que je fis. Les gens normaux boivent un verre de lait, prennent une bonne douche et

276

passent des vêtements propres. C'est ce que je fis également, mais j'eus l'impression de faire semblant.

J'étais en train de manger un sandwich au dindonneau devant la télévision quand le téléphone sonna. Je l'arrachai à son socle, certain que c'était Joe. Je fus déçu.

— Allô ? Ici Bill Stivic, du service du personnel de l'armée, à Saint Louis. Je voudrais parler à Elvis Cole, s'il vous plaît.

Le sergent-chef Bill Stivic, ancien marine à la retraite. On aurait dit que des semaines s'étaient écoulées, et pourtant notre entretien avait eu lieu ce matin.

Je jetai un coup d'œil sur ma montre. La journée ouvrable était finie depuis longtemps dans les services administratifs de Saint Louis. Stivic me téléphonait donc sur ses propres deniers.

— Bonsoir, sergent. Merci de me rappeler.

— Pas de problème. La question semblait vous tenir à cœur.

— Exact.

— Bon, voilà ce qu'on a. Primo, comme je vous l'ai expliqué ce matin, n'importe qui peut accéder à votre 214, mais on ne communique jamais le 201 à qui que ce soit – sauf sur présentation d'un mandat judiciaire ou à la demande expresse d'un service de police, vous vous souvenez ?

— Oui, parfaitement.

— D'après nos archives, votre dossier militaire a été transmis par télécopie à un inspecteur de police de votre ville de résidence, Los Angeles. Une certaine Carol Starkey. C'était hier.

— Exact. Elle m'en a parlé tout à l'heure.

— Bien. La seule autre demande vous concernant nous a été adressée il y a onze semaines. Il s'agit d'un mandat judiciaire émis par un juge de La Nouvelle-Orléans, Rulon Lester.

— Un juge de La Nouvelle-Orléans.

— Votre 201 et votre 214 ont été transmis à son cabinet, au tribunal supérieur de l'État, à La Nouvelle-Orléans.

Encore une fausse piste, donc. Je revis Richard en train d'agiter sa chemise brune au poste de police. Ce fumier avait poussé le bouchon très loin pour se renseigner à mon sujet.

— C'est tout ? Vous êtes sûr que mon dossier n'a été transmis à personne d'autre ?

— Personne. Nous gardons la trace de tous les envois pendant huit ans.

— Vous auriez le numéro de téléphone de ce juge, sergent ?

— On ne garde pas la copie du mandat, juste son numéro. Vous le voulez ?

— S'il vous plaît, sergent. Le temps d'attraper un stylo.

Stivic me dicta le numéro et la date d'émission du mandat, ainsi que la date à laquelle mon dossier avait été expédié. Je le remerciai de son aide et raccrochai. La Nouvelle-Orléans relevait du même fuseau horaire que Saint Louis, et les tribunaux devaient être fermés, mais peut-être certains bureaux fonctionnaient-ils encore. J'appelai les renseignements locaux pour obtenir le numéro du tribunal supérieur de l'État ainsi que celui du cabinet du juge Lester. Ce mandat avait été émis dans la ville de Richard. La coïncidence sautait aux yeux, mais je tenais à en avoir le cœur net.

Une dame à fort accent sudiste répondit dès la première sonnerie.

— Cabinet du juge Lester, j'écoute ?

Je raccrochai. Lester n'avait certainement aucun motif légitime d'émettre un mandat pour contraindre l'armée à lui envoyer mon dossier militaire. Il avait dû le faire pour rendre service à Richard ou parce que Richard lui avait graissé la patte, ce qui dans un cas comme dans l'autre constituait un abus de pouvoir. Selon toute probabilité, il refuserait de s'en expliquer.

Après mûre réflexion, je refis le numéro.

— Cabinet du juge Lester, j'écoute ?

Je tâchai de vieillir ma voix et d'imiter l'accent du Vieux Sud :

— Allô ? Ici le sergent-chef Bill Stivic, des archives du personnel des armées, à Saint Louis. Je cherche à retrouver la trace d'un dossier militaire envoyé au juge Lester suite à un mandat signé par lui.

— Le juge ne sera pas là avant demain, sergent.

— Ah... Me voilà dans la panade, mon chou. J'ai commis une belle bourde en transmettant ce dossier. Je vous ai envoyé l'original, alors que c'était notre seul exemplaire.

Je n'eus aucune peine à prendre un ton désespéré.

— Je ne suis pas sûre de pouvoir vous aider, monsieur Stivic. Si ce dossier a été classé pièce à conviction, il ne pourra pas vous être retourné.

— Je ne vous demande pas de me le retourner. J'aurais dû en faire une photocopie avant de l'expédier, mais bon, je ne sais pas où j'avais la tête. Bref, si vous pouviez remettre la main dessus, peut-être que j'aurais une petite chance de vous convaincre de m'en faire une copie dès ce soir. Je suis prêt à vous dédommager de ma poche.

En rajouter dans le pathos me fut tout aussi facile.

— Ma foi, répondit la secrétaire, je vais jeter un coup d'œil.

— Vous me sauvez la vie, nom d'une pipe !

Après lui avoir communiqué la date et le numéro du

mandat rédigé par le juge Lester, j'attendis qu'elle aille se renseigner. Elle revint en ligne quelques instants plus tard.

— Je suis navrée, monsieur Stivic, mais nous n'avons plus ce dossier. Le juge l'a transmis à un certain M. Leland Myers dans le cadre de l'action légale en question. Peut-être pourrez-vous en obtenir une copie à son bureau ?

Je notai le numéro de Myers et raccrochai, en repensant à la chemise brune que Richard avait abattue sur la table de la salle d'audition pendant que nous écoutions la voix enregistrée du ravisseur de Ben. Sans doute Myers s'était-il chargé de mener l'enquête pour lui. Cette histoire sentait la fausse piste, et j'avais le moral dans les chaussettes. Dans le fond, Fallon avait peut-être découvert une partie de ce qu'il savait de mon passé en s'introduisant chez moi, et pour le reste il pouvait l'avoir appris de mille autres manières. Stivic venait seulement de me confirmer quelque chose que je savais déjà : Richard ne pouvait pas me voir en peinture.

Je récupérai le sandwich au dindonneau que j'avais abandonné devant la télévision, mais ne tardai pas à le jeter. Je n'avais pas le moindre appétit. J'avais mal partout, et le manque de sommeil me brûlait les yeux. Les deux derniers jours étaient en train de me rattraper comme un train de fret fonçant vers un homme ligoté en travers des rails. L'envie me prit de m'étendre par terre, mais j'avais trop peur de ne pas pouvoir me relever. Le téléphone sonna alors que j'étais debout au milieu de la cuisine, et j'eus envie de le laisser sonner. Je n'avais plus qu'un désir, rester planté là, dans ma cuisine, et ne plus jamais en bouger. Je finis par décrocher. La voix de Starkey explosa au bout de la ligne.

— Cole ! Ça y est, on a logé la camionnette ! Une patrouille l'a retrouvée dans le centre ! Ils viennent d'appeler !

Elle me hurla une adresse à l'oreille, mais je crus déceler

dans sa voix un accent d'horreur, comme si la nouvelle qu'elle avait à me communiquer n'était pas bonne. Mes douleurs se volatilisèrent d'un seul coup, aussi vite que si elles n'avaient jamais existé.

— Ils ont retrouvé Ben ? demandai-je.

— Je n'en sais rien. Je suis en route. Les autres aussi. Magnez-vous le cul, Cole ! En partant de chez vous, vous devriez pouvoir arriver juste après moi. Ramenez-vous vite fait !

Sa voix était hideuse.

— Merde, Starkey, dites-moi ce qu'il y a !

— Ils ont retrouvé un corps.

Le combiné me tomba des mains. Il tournoya lentement sur lui-même et mit un temps infini à chuter. Quand il heurta le sol, j'étais déjà parti.

Temps écoulé depuis la disparition :
48 heures, 25 minutes

La Los Angeles River n'est pas bien longue, mais il faut s'en méfier. Ceux qui ne la connaissent pas pour ce qu'elle est réellement ont tendance à se moquer de notre fleuve ; ils n'y voient qu'un filet d'eau torturé qui zigzague au fond d'un canal bétonné comme la veine d'un junkie. Ce qu'ils ne savent pas, c'est que si nous avons enfermé la Los Angeles River dans le béton, c'est pour sauver notre peau ; ils ne savent pas non plus que si cette rivière ne paie pas de mine, c'est parce qu'elle dort, mais que tous les ans et parfois plus elle se réveille. Avant que la rivière ait été emprisonnée dans ce caniveau ridicule bordé de hauts murs de béton, elle sortait de son lit à chaque orage pour emporter les arbres, les maisons et les ponts, défoncer ses berges et s'inventer de nouveaux bras, presque comme si

281

elle cherchait d'autres proies à tuer. Elle a hélas atteint son but bien des fois. Aujourd'hui, quand elle se réveille, notre rivière se soulève si haut dans son berceau de béton que ses griffes liquides réussissent encore à labourer l'asphalte des autoroutes et des ponts pour essayer d'emporter une voiture de passage ou un piéton surpris par la tempête. Les grillages et les barbelés qui s'entortillent au sommet des murs du canal visent à empêcher les curieux de s'en approcher – les murs, eux, servent à empêcher la rivière de les atteindre. Le béton est sa prison. Une prison généralement efficace.

La camionnette avait été abandonnée sous un pont qui enjambe le canal, quelque part entre le dépôt ferroviaire et la prison du comté de L.A. Starkey m'attendait au volant de sa Crown Vic devant un portail grillagé ouvert ; elle démarra en me voyant approcher. Nous descendîmes en forçant sur le frein moteur l'abrupte rampe d'accès qui menait au canal et stoppâmes derrière trois voitures de patrouille et deux banalisées du Parker Center. À l'ombre du pont, plusieurs agents en uniforme encadraient deux adolescents. Apparemment, les costards étaient là depuis peu ; deux d'entre eux questionnaient les adolescents, le troisième était penché sur l'arrière de la camionnette.

— Attendez-moi ici, Cole, le temps que j'aille jeter un œil.

— Ne soyez pas idiote.

La camionnette avait été repeinte, mais il s'agissait bien d'un Econoline quatre portes modèle 1967, avec une fissure en travers du pare-brise côté gauche et des taches de rouille autour des phares. La couche de peinture fraîche était suffisamment fine pour laisser transparaître les deux premières lettres d'Emilio. La portière avant gauche et le battant gauche de la portière arrière étaient ouverts. Un inspecteur chauve au crâne poli regardait fixement l'intérieur de la cabine. Starkey fondit sur lui et dégaina son insigne.

— Carol Starkey. C'est moi qui ai lancé l'avis de recherche. On m'a dit qu'il y avait une victime...

— Oui, et c'est pas beau à voir, fit l'inspecteur.

Je voulus le contourner pour voir ce qu'il y avait à l'intérieur, mais Starkey me retint par le bras. Je n'osais plus respirer.

— Cole, s'il vous plaît, laissez-moi regarder. Arrêtez-vous.

Je me dégageai brusquement, et c'est alors que je le vis : un homme de race blanche, puissamment bâti, le veston retroussé sur l'estomac, les bras le long du corps et les jambes croisées comme s'il avait été balancé ou roulé à l'arrière de cette camionnette. Ses vêtements et le plancher autour de lui étaient inondés de sang. Sa tête avait été tranchée en haut du cou. Elle reposait contre une roue de secours, derrière la banquette avant. De notre position, le visage était invisible. Des dizaines de grosses mouches du désert butinaient le corps comme des abeilles sur un parterre de sang. Ben n'était pas là.

— Putain, grogna Starkey, ils l'ont décapité !

— Ouais, opina l'inspecteur. Certaines personnes s'éclatent à faire ce genre de truc.

— Vous l'avez identifié ?

— Pas encore. Je suis Tims, de la RHD[1]. On vient d'arriver, et on n'a pas encore le feu vert du coroner. Il est en route.

Ils ne toucheraient pas à la victime avant que le coroner l'ait examinée. Celui-ci était chargé de déterminer la cause et l'heure du décès, et les policiers devraient se contenter

---

1. *Robbery-Homicide Division*, brigade d'élite du LAPD chargée du grand banditisme et des homicides. (*N.d.T.*)

de préserver l'intégrité de la scène de crime tant qu'il n'aurait pas rempli son office.

— On recherche un petit garçon, dis-je.

— On n'a rien d'autre ici que ce que vous avez sous les yeux, mon gars : un cadavre, c'est tout. Pourquoi est-ce que vous me parlez d'un petit garçon ?

— Deux hommes ont kidnappé un enfant de dix ans dans cette camionnette il y a deux jours. On est toujours sans nouvelles de lui.

— Sans déconner ? Si vous avez des suspects, il me faut leurs noms.

Starkey lui donna le nom de Fallon, avec son signalement et celui du Noir. Pendant que Tims prenait des notes, je lui demandai qui avait ouvert la camionnette. Il m'indiqua d'un coup de menton les deux adolescents qu'entouraient les uniformes.

— Eux. Ils sont descendus ici pour faire du skate sur la rampe – on descend, on remonte, on redescend, vous voyez le genre. Ils ont remarqué que du sang coulait et ils ont ouvert. Vu la façon dont ça continue de pisser sous la portière latérale, là, je dirais que les faits ne remontent pas à plus de trois ou quatre heures.

— Vous les avez fouillés ? demanda Starkey. Au cas où ils lui auraient taxé son portefeuille ?

— Inutile. Vous voyez sa fesse, là où le veston est retroussé ? On voit le renflement. Le portefeuille est dans sa poche.

— Starkey…, fis-je.

— Je sais, coupa-t-elle. Écoutez, Tims, si on parvient à savoir d'où vient cette camionnette ou à retrouver là-dedans un indice sur Fallon, on aura fait un grand pas en avant. Il se peut que la victime ait participé au rapt. Il nous faut son identité.

Tims secoua la tête. Il avait parfaitement compris ce qu'elle était en train de lui demander.

— Vous savez autant que moi que ce n'est pas possible. Le coroner est en route. Il ne devrait plus tarder.

Après un rapide coup d'œil à Starkey, je m'éloignai vers l'avant. Côté volant, la portière était ouverte.

— Ne touchez à rien, m'avertit Tims.

Le sang avait formé une mare sous le siège du chauffeur. D'où j'étais, on voyait en partie le corps, mais toujours pas le visage. Je regardai sous les deux sièges et tout autour autant que c'était possible sans toucher la camionnette, mais ne vis que du sang et des bourres de poussière imprégnées de cambouis, comme c'est souvent le cas dans les vieux bahuts.

Tims et Starkey étaient restés à l'arrière. Les deux autres inspecteurs et les agents en uniforme cernaient toujours les ados. Je grimpai à l'avant de la cabine et me faufilai entre les sièges pour passer dans le compartiment arrière. Il y régnait l'odeur d'une boucherie-charcuterie par temps de canicule.

Dès que Tims me vit, il passa le haut du corps entre les battants de l'arrière. Je crus qu'il allait me bondir dessus, mais il ne bougea pas.

— Hé, vous ! Sortez de là tout de suite ! Rappelez votre coéquipier, Starkey !

Elle lui passa devant et, sous prétexte de prendre appui pour mieux pouvoir se pencher à l'intérieur, elle posa une main de chaque côté de la carrosserie, ce qui lui permit accessoirement de barrer le passage à Tims au cas où il aurait voulu me sortir par la force. Un civil et deux flics en uniforme rappliquèrent au pas de course pour voir de quoi il retournait.

— Cole, me lança Starkey. S'il vous plaît, faites vite.

Une nuée de mouches se mit à tourbillonner

rageusement autour de moi ; elles n'appréciaient pas d'être dérangées. Le sang sur le plancher luisait comme une couche de graisse brûlante. Je soulageai le cadavre de son portefeuille et entrepris de lui faire les poches. J'y trouvai un jeu de clés, un mouchoir, deux pièces de vingt-cinq cents et une carte magnétique de l'hôtel Baitland Swift, à Santa Monica. Un holster vide était sanglé sous son aisselle. Après avoir jeté le portefeuille et le reste sur la banquette avant, je m'occupai de la tête. La peau était violette et maculée de cambouis. Une vertèbre cervicale émergeait visiblement des chairs à la façon d'un pommeau de marbre, et les cheveux étaient englués de caillots ; cette tête était obscène, immonde, et j'aurais voulu ne pas avoir à y toucher. J'aurais voulu être ailleurs, loin des mouches et de tout ce sang. Tims gueulait toujours, mais sa voix diminua au point de n'être plus qu'une mouche parmi toutes celles qui bourdonnaient dans la puanteur de la boucherie. J'enroulai le mouchoir autour de ma main, inspirai un bon coup et soulevai la tête. Je m'aperçus alors qu'elle reposait sur une basket noire de marque K-Swiss. Une chaussure d'enfant.

— Qui est-ce, Cole ? Qu'est-ce qui se passe ?

— C'est DeNice. Starkey ? Ils ont laissé une basket de Ben sous la tête. C'est une de ses baskets.

— Vous voyez un message ? Ou autre chose de ce genre ?

— Je ne vois rien. Juste la basket de Ben.

La voiture des Personnes disparues dévala la rampe, gyrophare allumé, talonnée par la limousine de Richard.

— Sortez de là, Cole, m'ordonna Starkey. Avec tout ce que vous avez récupéré sur lui. Ça nous dira peut-être quelque chose sur la façon dont il a réussi à entrer en contact avec eux. Surtout, ne vous touchez pas le visage.

— Quoi ?

— Vous avez du sang partout. Il ne faudrait pas vous en mettre dans les yeux ou dans la bouche.

— C'est la basket de Ben, marmonnai-je, incapable de dire autre chose.

Starkey s'éloigna au petit trot pour intercepter Lucas et Alvarez. Je descendis par l'avant de la camionnette et déposai mon butin à même le sol. Mes mains étaient gantées de sang. Le portefeuille, la chaussure de Ben et les autres possessions de DeNice en étaient copieusement inondés. Un des flics en uniforme recula en me voyant approcher, comme si j'étais devenu radioactif.

— Vous n'êtes pas beau à voir, me lança-t-il.

Lucas contourna Starkey et se précipita vers l'arrière de l'Econoline. Elle passa la tête à l'intérieur et recula aussitôt, titubant comme si quelqu'un venait de la gifler.

— Oh, mon Dieu !

Le portefeuille de DeNice contenait soixante-deux dollars, un permis de conduire émis en Louisiane au nom de Debulon R. DeNice, des cartes de crédit, une carte de membre de l'ordre fraternel de la police, un permis de chasse de Louisiane et les portraits d'identité de deux adolescentes, mais rien qui puisse nous indiquer quoi que ce soit sur la façon dont il avait retrouvé Fallon, ni sur la raison pour laquelle il avait fini décapité à l'arrière de cette camionnette. J'avais aussi récupéré un jeu de clés, un mouchoir et deux pièces de vingt-cinq cents, mais tout ça ne nous disait pas grand-chose.

Richard et Myers contournèrent Alvarez ; Richard devint blême en voyant la coulée de sang.

— Monsieur Chenier, dit Lucas, retournez à votre voiture. Ils n'ont rien à faire ici, Ray ! Nom de Dieu !

— Qu'est-ce qu'il y a là-dedans ? demanda Richard. Est-ce que... ? Est-ce que c'est... ?

— DeNice, répondis-je. Sa tête était posée sur une chaussure de Ben.

Richard et Myers se penchèrent à l'intérieur de la camionnette avant qu'Alvarez ait pu faire le moindre geste pour les en empêcher. Richard laissa échapper un violent hoquet.

— Dieu du ciel !

Il se raccrocha à Myers pour ne pas perdre l'équilibre, puis détourna la tête ; Myers, lui, continua de fixer les profondeurs obscures de la camionnette. Ses mâchoires se contractaient et se relâchaient, mais le reste de son corps ne bougeait pas. Une mouche verte se posa sur sa joue sans qu'il paraisse la sentir.

— Ils ont laissé une chaussure de Ben, marmonnai-je. Sa chaussure est là-dedans.

Richard, la tête entre les mains, se mit à tourner sur place en cercles frénétiques. Je me souvins alors de quelque chose que m'avait dit Pike sur les semblables de Fallon, qui n'agissaient que pour l'argent. Je repensai à DeNice dans cette camionnette, à la boucherie, à la basket orpheline de Ben, et compris soudain que ce n'était pas à moi qu'était destinée cette mise en scène, c'était Richard qu'ils cherchaient à atteindre.

— Ils ne se sont pas contentés de le tuer, Richard – ILS LUI ONT COUPÉ LA TÊTE !

Richard se mit à vomir. Une ombre inquiète envahit les traits de Starkey – peut-être parce que je venais de hurler.

— Calmez-vous, Cole, me dit-elle. Vous tremblez. Respirez profondément.

Richard haletait, plié en deux, l'œil hagard.

— Ils vous ont contacté pour demander une rançon, n'est-ce pas ? lui criai-je à la figure. Ils cherchaient à vous extorquer une rançon, et vous avez voulu la jouer fine en leur envoyant DeNice.

Starkey et Lucas me regardaient fixement. Richard voulut se redresser, mais fut ébranlé par un nouveau haut-le-cœur.

— Vous ne savez plus ce que vous dites ! réussit-il à répondre. Il n'y a pas un mot de vrai là-dedans !

— Vous délirez, Cole, renchérit Myers. On fait notre maximum pour retrouver ces ordures.

— Ils se sont servis de DeNice pour faire peur à quelqu'un, insistai-je. Et ce n'est pas moi.

— ALLEZ VOUS FAIRE FOUTRE ! tonna Richard, les traits soufflés de rage.

— Qu'est-ce qui vous permet d'affirmer ça ? me demanda Lucas.

— Fallon est un mercenaire. Il n'agit que s'il sent qu'il y a du fric à gagner, et Richard en a à la pelle. Leur objectif, c'est la rançon.

Richard fit un bond en avant, sans doute pour me frapper, mais Myers le retint par le bras. À la façon dont il tremblait, on aurait pu croire qu'il allait se disloquer.

— Tout ça, c'est votre faute, espèce de salopard ! Je ne vais pas rester ici à écouter vos boniments alors qu'on ne sait toujours pas où est mon fils ! Il faut le retrouver, et vous ne savez que raconter des conneries !

Il s'éloigna vers sa limousine en titubant. Il prit appui contre une aile et vomit de nouveau. Myers le suivit des yeux, mais j'eus l'impression que son regard n'était plus tout à fait aussi inexpressif.

— Qu'est-ce qui vous chiffonne, Myers ? interrogeai-je.
Il rejoignit Richard.

— Il ment, dis-je. Ils mentent tous les deux.
Starkey fixa Myers, puis Richard, puis la camionnette.

— Il s'agit de son fils, Cole. Si ces fils de pute avaient tenté de lui soutirer une rançon, pourquoi nous l'aurait-il caché ?

— Je n'en sais rien. La trouille, peut-être. Voyez ce qu'ils ont fait à DeNice.

— Supposons que vous ayez raison ; à quoi rimerait tout ce baratin sur votre passé militaire ?

— Aucune idée. Peut-être que j'étais concerné au départ mais qu'ensuite, en voyant débarquer Richard, ils ont flairé l'odeur de ses dollars.

Starkey ne paraissait pas convaincue.

— Et peut-être que DeNice les a approchés d'un peu trop près, suggéra-t-elle.

— DeNice n'était pas assez fort pour les retrouver, objectai-je. Ils ont dû arranger un rendez-vous parce qu'ils veulent faire casquer Richard, et ils se sont servis de DeNice pour le convaincre de passer à la caisse.

C'était la seule façon d'organiser correctement les pièces du puzzle.

Visiblement perturbée, Lucas s'humecta les lèvres.

— Je vais devoir reparler de tout ça avec M. Chenier. J'en parlerai aussi à M. Myers.

— Il pourrait être intéressant de reconstituer l'emploi du temps de DeNice à partir d'hier soir pour comprendre comment il est entré en relation avec les ravisseurs, proposa Starkey. On pourrait aussi en parler à son collègue, un certain Fontenot. Il sait peut-être quelque chose.

Lucas hocha la tête d'un air absent, se retourna vers la camionnette et la scruta comme si elle renfermait des secrets insondables.

— Ce n'est plus une simple affaire de disparition, dit-elle.

— Non, opina Starkey. Ça ne l'a probablement jamais été.

Le regard de Lucas effleura la chaussure de Ben avant de s'arrêter sur moi.

— J'ai des mouchoirs en papier et de l'alcool dans ma boîte à gants, Cole. Vous devriez vous débarbouiller.

Starkey, Lucas et Alvarez allèrent interroger Richard et Myers pendant que je récupérais les mouchoirs et l'alcool et emportais le tout à ma voiture. Après avoir retiré ma chemise et mes chaussures, je m'aspergeai les bras et les mains d'alcool. Je décollai autant de sang que possible à l'aide des mouchoirs en papier, remis de l'alcool et me frottai la peau de plus belle. J'enfilai le sweat-shirt et la vieille paire de tennis que je garde toujours en réserve à l'arrière de ma voiture et restai assis sur la banquette, observant le ballet des flics. Lucas, Alvarez et les inspecteurs du Parker Center faisaient cercle autour de Richard et de Myers. Richard leur criait à la figure qu'ils ne savaient pas de quoi ils parlaient. Il avait pété une Durite, en revanche Myers était aussi calme qu'une araignée tapie dans un coin de sa toile. Mon regard tomba sur la camionnette et, malgré les trente mètres qui me séparaient d'elle, je revis avec une netteté absolue ce qu'il y avait dedans. Je le reverrais sûrement toute ma vie. Je ne cesserais jamais de le voir. Ils l'avaient décapité – et Ben était aux mains des monstres qui avaient commis ce crime.

Mon portable sonna. D'un coup d'œil au lecteur d'appel, je vis que c'était Pike. Je lui annonçai la mort de DeNice. Je lui racontai que je m'étais faufilé dans la camionnette. Ma voix sonnait bizarrement, comme amortie par le brouillard ou emportée par le vent. Je parlai sans discontinuer – jusqu'au moment où il m'ordonna de la boucler.

— J'ai trouvé quelqu'un qui va pouvoir nous aider, me dit-il.

Je démarrai à la seconde.

19

Ben

Eric et Mazi changèrent d'attitude avec Ben après que Mike eut descendu l'inconnu. Ils s'arrêtèrent pour acheter des hamburgers sur le chemin du retour (double viande, double fromage, avec supplément oignons et frites pour tout le monde). Arrivés à la maison, ils ne l'enfermèrent pas dans la chambre et s'abstinrent de le ligoter ; ils le laissèrent même s'asseoir avec eux dans le salon vide pendant qu'ils mangeaient et jouaient aux cartes, et il eut droit à un Orangina. Ils avaient l'air nettement plus détendus. Même Mazi riait, maintenant. Comme si le meurtre les avait libérés.

Après avoir fini son hamburger, Eric fit une grimace.

— Putain, j'aurais dû zapper les oignons.

— Ah oui ? dit Mazi.

Eric expulsa un rot bruyant.

— Tu es pourri à l'intérieur, mec.

Ils étaient assis en cercle à même le sol. De temps en temps, Ben observait à la dérobée la bosse que faisait le flingue d'Eric sous sa chemise et tâchait d'imaginer un moyen de le lui piquer. Il passa le plus clair de l'après-midi à se demander comment choper ce flingue, les descendre et courir jusqu'à la maison d'en face. Et quand Mike reviendrait, il lui réglerait son compte à lui aussi.

Il détacha les yeux du flingue et vit que Mazi le regardait. Cette façon qu'il avait de le mater lui donna la chair de poule.

— Il cherche à te prendre ton calibre.

— Tu parles. Là-bas, il s'est bien tenu. C'est un tueur-né.

— Je sais tirer, déclara Ben.

Eric leva les yeux de ses cartes et haussa les sourcils.

— C'est vrai que t'es cajun, toi. Là-bas, il paraît que vous apprenez à chasser avant de savoir marcher, pas vrai ? Et avec quoi t'as déjà tiré, dis ?

— J'ai un fusil de chasse et aussi une 22. Je suis déjà allé à la chasse au canard avec mes oncles et mon grand-père. Et j'ai même tiré avec le pistolet de ma maman.

— Pas mal.

— Ça veut dire quoi, « Cajun » ?

— Les Cajuns, ben, c'est les descendants des Français de Louisiane.

Eric adorait causer flingues. Passant une main sous sa chemise, il sortit le sien. Il était gros et noir, avec une crosse rainurée et des sillons gravés à demi effacés dans le métal du canon.

— T'as envie de le tenir ?

— Arrête, intervint Mazi. Range ça.

— Oh, va te faire voir, mec. Y a aucun risque.

Eric tourna son pistolet d'un côté puis de l'autre pour le présenter à Ben sous tous les angles.

— C'est un Colt 45, modèle 1911. C'était le pistolet réglementaire de l'armée jusqu'au jour où les militaires ont flashé sur cette merde de 9 mm. Le 9 contient plus de balles, mais c'est de la connerie ; avec cet engin-ci, quand on touche sa cible, pas besoin d'autres balles.

Eric orienta son pistolet vers Mazi.

— Prends ce grand nègre de Mazi, tiens, il est aussi fort qu'un buffle et dix fois plus féroce. Eh bien, tu peux lui tirer dessus toute la journée avec un 9, il continuera à te charger, mais mets-lui-en une seule de ce Colt, et il se retrouvera sur le cul aussi sec. Ce flingue, c'est du point final.

Il se tourna de nouveau vers Ben.

— Ça te dirait de le tenir ?

— Oh, ouais !

Eric appuya sur un truc, et le chargeur sortit du bas de la crosse. Ensuite, il tira sur la culasse. Une cartouche fut éjectée. Il l'attrapa au vol et tendit le Colt à Ben par le canon.

— Si Mike te voyait, grogna Mazi, il te botterait le train.

— Mike est en train de s'éclater dehors pendant qu'on se fait chier ici. Je l'emmerde.

Ben empoigna le pistolet. Il était lourd et trop grand pour sa main. Eric déposa le chargeur au sol, montra à Ben comment actionner le cran de sûreté et la culasse, et lui rendit le pistolet en l'invitant à le faire à son tour. La culasse était dure à bouger.

Ben serra le pistolet dans sa main. Il fit reculer la glissière et la remit en place. Il ne restait plus qu'à remettre le chargeur, actionner la culasse, et le Colt serait prêt à cracher le feu. Le chargeur était à quelques centimètres de son genou.

Eric lui reprit le pistolet des mains.

— Ça suffit.

Il réinséra le chargeur, actionna la glissière, remit une balle dans la chambre, verrouilla le cran de sûreté et posa le Colt par terre devant lui.

— Ces gens qui disent qu'il faut jamais avoir de bastos chambrée, c'est de la foutaise. Faut toujours en avoir une prête à gicler. En cas de besoin, t'as pas le temps de traîner en route.

Ils jouèrent aux cartes tout l'après-midi comme si c'était leur lot quotidien. Ben s'assit à côté d'Eric, pensant au flingue chargé, armé, et à sa balle chambrée. Il n'aurait plus qu'à défaire le cran de sûreté. Il répéta mentalement l'opération. Si une occasion se présentait, lui non plus n'aurait pas le temps de traîner en route.

Eric alla aux cabinets, mais emporta son flingue avec lui. Quand il revint, le Colt avait retrouvé sa place à l'arrière de sa ceinture, sauf qu'Eric l'avait mis de l'autre côté. Ben déclara peu après qu'il avait besoin d'aller aux cabinets, lui aussi. Mazi l'escorta. Au moment de reprendre la partie de cartes, Ben s'assit près d'Eric du côté où il avait rangé son flingue.

Mike ne revint qu'au crépuscule.

— Ça y est, dit-il en s'avançant dans la pièce, tout est en place.

— Tu as trouvé l'endroit ? demanda Mazi.

— Du pur Delta, mec. Tout est réglé au millimètre. Ils ne verront rien venir.

— Rien à foutre, lâcha Eric. Moi, ce qui m'intéresse, c'est de savoir si on va voir la couleur du pognon.

— Quand ils auront trouvé ce qu'il y a dans la camionnette, je pense qu'ils ne se feront pas prier.

Eric éclata de rire.

— Si c'est pas mignon !

— Je vais me payer une douche, dit Mike. Commencez

à rassembler votre merdier. Quand je donnerai le top départ, il ne sera plus question de revenir en arrière.

Ben resta auprès d'Eric. S'ils s'y prenaient comme la dernière fois, Mike partirait seul, et lui suivrait Eric et Mazi. Il avait prévu de se placer aussi près que possible du flingue d'Eric. Il lui suffirait de se forcer à vomir pour qu'Eric se détourne, ou de laisser tomber quelque chose pour l'obliger à se baisser. *Hé, l'ami, ton lacet est défait !* Quand l'occasion se présenterait, il n'aurait pas le temps de traîner en route. Il était décidé à coller à Eric comme une seconde peau.

Sa maman lui avait parlé un jour d'une technique qui s'appelait visualisation et que pratiquaient tous les grands joueurs de tennis pour hausser leur niveau de jeu. On s'imagine en train de servir un ace parfait ou de tirer un passing assassin, et on se voit gagner le point. La répétition mentale vous apporte un soutien pour l'action réelle.

Ben visualisa tous les scénarios possibles pour s'emparer du pistolet d'Eric : Eric montant en voiture devant lui, Eric descendant de voiture, Eric se penchant pour ramasser une pièce de vingt-cinq cents, Eric chassant un insecte – Ben n'avait besoin que d'une seconde d'inattention, et voici comment il agirait : de la main gauche, il soulèverait la chemise d'Eric et s'emparerait du flingue de la droite ; il bondirait en arrière de toutes ses forces au moment où Eric ferait volte-face et débloquerait la sûreté ; il ne perdrait pas son temps à hurler un truc naze du genre *Plus un geste ou je tire !* ; il appuierait tout de suite sur la détente. Et il continuerait à appuyer dessus jusqu'à ce qu'ils soient tous refroidis. Ben se visualisa en train de le faire – PANPANPAN-PANPANPAN ! Et point final.

Soudain, ce fut l'heure. Mike revint des profondeurs de la maison, muni d'un fusil à pompe à canon scié et d'une paire de jumelles.

— Ça y est, mesdemoiselles, annonça-t-il. On entre en scène.

Eric se leva d'un bond en tirant sur le bras de Ben.

— C'est pas trop tôt, merde ! Allons-y !

Ils récupérèrent leurs sacs marin et traversèrent la maison en ordre de marche. Ben avait tellement peur que ses oreilles sifflaient, mais il ne lâcha pas Eric d'une semelle. Une petite voiture bleue déglinguée qu'il n'avait encore jamais vue les attendait dans le garage à côté de la berline de Mike. Eric l'entraîna vers elle.

— Allez, soldat, dit Eric, on embarque.

— Minute, lança la voix de Mike dans leur dos.

Ils s'arrêtèrent net.

— Le gosse vient avec moi.

Mike attrapa Ben par le bras et le poussa vers la berline. Eric, lui, monta dans la petite voiture avec Mazi. Ben chercha à résister.

— Je ne veux pas aller avec vous ! Je veux aller avec Eric !

— Va te faire foutre. Monte.

Mike l'installa de force sur le siège passager et s'assit derrière le volant avec son fusil à pompe. La porte du garage se souleva, et la voiture de Mazi et d'Eric prit les devants. Ben regarda le pistolet d'Eric s'éloigner avec eux, chargé, armé, avec sa balle chambrée et prête à gicler. C'était comme s'il voyait le courant emporter une bouée pendant qu'il se noyait.

Mike mit le moteur en marche.

— Reste tranquille et sage comme l'autre fois, et tout ira bien.

Il cala la crosse de son fusil à pompe entre ses genoux de manière à le garder à portée de main. Ben l'observa à la dérobée. Il y avait un calibre 20 Ithaca à la maison ; un jour, il avait tué un canard sauvage avec.

Ben regarda le fusil, puis Mike.

— Je sais tirer, dit-il

— Moi aussi.

Ils quittèrent le garage en marche arrière.

20

Temps écoulé depuis la disparition :
49 heures, 28 minutes

Pike m'attendait devant un des immeubles de bureaux anonymes qui s'entassent le long de Downey et de la Cité de l'Industrie, à la lisière sud de l'aéroport ; des bâtiments de qualité médiocre, construits par les compagnies aériennes pendant le boom des années soixante, en pleine guerre froide, et entourés à l'époque comme aujourd'hui de parkings pleins de voitures de taille moyenne, que des types en costume gris mal coupé utilisaient pour aller au travail.

Quand je sortis de ma Corvette, Pike m'observa avec cette fixité dont il a le secret.

— Qu'est-ce qu'il y a ? demandai-je.

— Il y a des toilettes à l'intérieur.

Il me précéda dans le hall de l'immeuble. J'entrai dans les toilettes pour hommes, ouvris le robinet et laissai couler l'eau chaude jusqu'à ce que la buée ait envahi le miroir. Du sang restait incrusté sous mes ongles et dans les replis de ma peau. Je me lavai les mains et les bras, les rinçai abondamment à l'eau fumante. Mes mains virèrent au rouge vif, presque aussi rouge que le sang de DeNice, mais je les maintins sous l'eau comme si je voulais les purifier par le feu. Je les lavai deux fois, retirai mon tee-shirt et me lavai le visage et le cou. Je recueillis un peu d'eau au creux de mes mains et bus ; je me regardai dans le miroir, mais la buée masquait tout. Je regagnai le hall.

Pike et moi montâmes à pied trois étages et pénétrâmes dans une salle d'attente où régnait une odeur de moquette neuve. Le nom de la boîte était gravé en lettres d'acier brossé sur le mur : RESNICK RESOURCE GROUP – *Conseil et Résolution de problèmes.*

Résolution de problèmes.

Une jeune femme nous sourit depuis son bureau encastré dans le mur.

— Puis-je vous être utile ? demanda-t-elle avec un accent anglais.

— Joe Pike, pour M. Resnick. Et voici Elvis Cole.

— Ah, oui. Nous vous attendions.

Un jeune homme en costume trois-pièces émergea d'une porte dans le dos de la réceptionniste et nous invita à entrer. Il était muni d'une sacoche de cuir noir.

— B'jour, messieurs. Si vous voulez bien me suivre.

Pike et moi passâmes devant lui dans un couloir. Dès que nous eûmes quitté la salle d'attente, le jeune homme ouvrit sa sacoche. Il avait la tête de l'emploi et affichait l'expression cordiale et professionnelle d'un cadre moyen sur la pente ascendante. Je remarquai qu'il portait à la main droite un anneau de l'académie navale d'Annapolis.

— Dale Rudolph, je suis l'assistant de M. Resnick. Les armes vont là-dedans, dit-il en montrant sa sacoche. Elles vous seront restituées à la sortie.

— Je ne suis pas armé, fis-je.

— C'est parfait.

Pike déposa son 357, un calibre 25, sa matraque et un couteau SOG à double tranchant au fond de la sacoche. L'expression de Rudolph ne s'altéra à aucun moment, comme si ce type de situation faisait partie de sa routine quotidienne. Bienvenue dans l'autre monde.

— Ce sera tout ?

— Oui, répondit Pike.

— Bon. Tenez-vous bien droit et levez les bras. Tous les deux, s'il vous plaît.

Courtois. À Annapolis, on leur apprenait les manières.

Rudolph promena sur toute la longueur de notre corps un détecteur de métaux, qu'il déposa ensuite dans la sacoche.

— Très bien. On y va.

Il nous précéda dans un bureau très clair, presque aérien, qui aurait pu appartenir à un assureur s'il n'y avait eu toutes ces photos de batteries de lance-roquettes mobiles, de cuirassés soviétiques et de véhicules blindés. Un homme en fin de cinquantaine, les cheveux gris coupés ras et la peau burinée, contourna son bureau pour venir vers nous. Sans doute un amiral ou un général à la retraite ayant conservé ses entrées au Pentagone ; c'était le profil type de ces hommes-là.

— John Resnick, se présenta-t-il. Ce sera tout pour le moment, Dale. Veuillez nous attendre dehors.

— Bien, monsieur.

Resnick s'assit à l'angle du bureau, sans nous offrir de siège.

— Lequel d'entre vous est Joe Pike ?

— Moi.

Resnick le dévisagea attentivement.

— Notre ami commun m'a dit beaucoup de bien de vous. Si j'ai accepté de vous recevoir, c'est uniquement parce qu'il s'est porté garant.

Pike hocha la tête.

— Il ne m'a pas précisé que vous seriez accompagné.

Je faillis me présenter comme son valet, mais il m'arrive parfois d'avoir un éclair d'intelligence. Mieux valait laisser Joe aux manettes.

— Si notre ami commun a dit du bien de moi, répondit Pike, vous devriez être rassuré là-dessus. Soit on est bon, soit on ne l'est pas.

La réponse parut satisfaire Resnick.

— Très juste. Vous aurez peut-être l'occasion de me prouver votre valeur, mais je suppose que nous verrons cela une autre fois.

Resnick savait ce que nous voulions ; il alla droit au but.

— J'ai travaillé dans le temps pour une entreprise para-militaire privée de Londres. Nous avons fait appel à Fallon une seule fois, et on ne m'y reprendra jamais plus. Si vous envisagez de l'embaucher, je ne saurais trop vous recommander d'abandonner cette idée.

— Nous n'envisageons pas de l'embaucher, répondis-je. Nous voulons le retrouver. Fallon a kidnappé le fils de ma compagne, avec au moins un complice.

La paupière gauche de Resnick tremblota sous l'effet d'une tension inattendue. Il m'étudia comme s'il cherchait à décider si oui ou non je savais ce que je disais, et se redressa légèrement.

— Mike Fallon est à Los Angeles ?

— Oui. Il a enlevé le fils de ma compagne.

La paupière de Resnick clignota de plus belle, et la tension se propagea à l'ensemble de son corps. Il haussa les épaules.

— Fallon est un individu dangereux. J'ai du mal à croire qu'il soit à Los Angeles, ou d'ailleurs n'importe où dans ce pays, mais si c'est le cas et s'il a fait ce que vous dites, vous devriez prévenir la police.

— C'est fait. Les flics essaient eux aussi de le retrouver.

— Nous ne disposons pas des mêmes moyens, dit Pike. Vous connaissez Fallon. Soit vous savez où le joindre, soit vous connaissez quelqu'un qui le sait.

Resnick dévisagea Joe, quitta l'angle de son bureau et regagna son fauteuil. Le soleil déclinait, ses rayons ricochaient sur les carrosseries. Plusieurs avions qui venaient de décoller de l'aéroport international dessinaient un éventail de sillages en filant vers l'ouest au-dessus de l'océan. Resnick les suivit des yeux.

— Ça remonte à des années, dit-il. Michael Fallon est poursuivi pour crimes de guerre à cause des atrocités qu'il a commises en Sierra Leone. Aux dernières nouvelles, il vivait en Amérique du Sud, au Brésil, je crois, à moins que ce ne soit en Colombie. Si je savais où le joindre, je l'aurais dénoncé au Département de la justice. Bon sang, je n'arrive pas à croire que ce salaud ait eu le culot de revenir aux États-Unis.

Il lança un nouveau coup d'œil à Pike.

— Si vous le retrouvez, vous avez l'intention de le tuer ?

La question fut posée d'un ton aussi placide que s'il avait souhaité savoir si Joe aimait ou non le football.

Pike ne semblant pas décidé à répondre, je le fis à sa place.

— Si c'est le prix à payer pour avoir votre aide, oui.

Pike me toucha l'avant-bras et secoua la tête, une seule fois, pour me faire comprendre que je devais arrêter.

— Si vous le voulez mort, poursuivis-je, il est mort. Vivant, il est vivant. La seule chose qui compte pour moi, c'est l'enfant. Je ferai n'importe quoi pour le récupérer.

Pike me toucha de nouveau le bras.

— Je crois aux règles, monsieur Cole, répondit Resnick. Dans un métier comme le mien, les règles sont la seule chose qui nous empêche de devenir des animaux.

Il revint à la contemplation de ses avions. Il les observa avec mélancolie, comme s'il espérait que l'un d'eux l'emmènerait loin d'une situation à laquelle il ne pouvait échapper.

— Quand j'étais à Londres, reprit-il, nous avons recruté Michael Fallon. Nous l'avons envoyé en Sierra Leone. Il était censé défendre les mines de diamants dans le cadre d'un contrat que nous avions signé avec le gouvernement, mais il est passé dans le camp des rebelles. Je n'ai jamais compris pourquoi – l'argent, je suppose. Ses hommes et lui ont commis des atrocités que vous n'imaginez même pas. Vous me prendriez pour un affabulateur.

Je lui racontai ce que j'avais trouvé dans la camionnette, au bord de la Los Angeles River. Resnick cessa de regarder les avions. J'imagine que ma description lui évoqua quelque chose de familier. Il secoua la tête.

— Un animal. Il ne peut plus exercer comme mercenaire, pas avec de telles mises en examen. Plus personne ne veut l'engager. Vous croyez qu'il a enlevé cet enfant pour la rançon ?

— Je crois, oui. Le père est riche.

— Je ne sais pas quoi vous dire. La dernière fois que j'ai eu de ses nouvelles, il était à Rio, mais je n'en suis même pas sûr. Il doit y avoir un paquet d'argent en jeu pour qu'il se risque à revenir ici.

— Il a un complice, dit Pike. Un Noir, très grand, avec des sortes de cicatrices sur la figure.

Resnick fit pivoter son fauteuil vers nous, porta une main à son visage.

— Sur le front et les joues ?

— C'est ça.

Il se pencha en avant, posa les avant-bras sur le bureau. Ce signalement lui était familier, j'en aurais mis ma main au feu.

— Ce sont des scarifications tribales. Parmi les hommes

employés par Fallon en Sierra Leone, il y avait un guerrier benté nommé Mazi Ibo. Il avait des scarifications de ce type. Est-ce qu'il n'y aurait pas un troisième homme dans le coup ?

— Nous n'en savons rien. Ça se peut.

— D'accord. Écoutez, Los Angeles commence à paraître plausible. À l'époque, Ibo était très lié à un autre mercenaire, un certain Eric Schilling. Je crois que c'était il y a un an, quelque chose comme ça, Schilling nous a contactés, il cherchait un boulot dans la sécurité. Il est d'ici, de L.A., et il est tout à fait possible qu'Ibo ait renoué le contact avec lui. J'en ai peut-être gardé la trace, un instant.

Resnick se pencha sur son ordinateur et actionna une série de touches pour consulter ses archives.

— Il a été mêlé aux massacres de la Sierra Leone ? demandai-je.

— Probable, mais il ne fait pas partie de la liste des personnes recherchées. C'est pourquoi lui peut encore travailler. C'était un homme de Fallon. Voilà pourquoi je me souviens de sa candidature. Il n'est pas question pour moi d'engager quelqu'un qui a eu des liens avec Fallon, même s'il n'a pas été mouillé. Ah, le voilà.

Resnick recopia une adresse et me tendit la feuille.

— Il avait une boîte aux lettres à San Gabriel, sous le nom de « Gene Jeanie ». Ces mecs-là adorent ce genre de pseudo. Je ne sais pas si elle existe encore, mais c'est tout ce que j'ai.

— Pas de numéro de téléphone ?

— Ils ne donnent jamais de téléphone. C'est comme pour la boîte aux lettres et les pseudos. Ça leur permet de se protéger.

Je jetai un coup d'œil sur l'adresse et la passai à Pike. Quand je me levai, mes jambes étaient cotonneuses. Resnick contourna son bureau.

— Nous parlons ici de gens extrêmement dangereux, dit-il. Ne confondez surtout pas ces hommes-là avec les petits merdeux que sont vos criminels de base. Fallon était le meilleur dans sa spécialité, et les deux autres ont été entraînés par lui. Personne ne sait tuer mieux qu'eux.

— L'ours, grommela Pike.

Resnick et moi le regardâmes, étonnés, mais Joe fixait toujours l'adresse. Resnick me serra la main et la garda dans la sienne. Il me fixa au fond des yeux, comme s'il cherchait quelque chose.

— Vous croyez en Dieu, monsieur Cole ?

— Quand j'ai la trouille.

— Je prie chaque soir. Je prie parce que c'est moi qui ai envoyé Mike Fallon en Sierra Leone, et que je me suis toujours senti coupable d'une partie de ses péchés. J'espère que vous le retrouverez. J'espère que ce petit garçon est sain et sauf.

En voyant l'ombre de désespoir qui planait sur les traits de Resnick, je la reconnus comme étant la mienne. Un papillon de nuit éprouve probablement la même sensation quand il contemple une flamme. Je n'aurais pas dû poser cette question, mais je ne pus m'en empêcher :

— Que s'est-il passé là-bas ? Qu'a fait Fallon ?

Après m'avoir dévisagé un temps infini, Resnick fit sa confession.

Sierra Leone
Afrique
1995

Le Jardin de pierres

Ce matin-là, Ahbeba Danku entendit les coups de feu quelques secondes avant de voir le petit garçon dévaler en hurlant la piste qui reliait le village à la mine. Ce joli brin de fille, qui avait fêté ses douze ans l'été précédent, possédait les pieds fins, les longues mains et le cou gracile d'une princesse. Sa mère affirmait que sa fille aînée était en vérité une princesse royale de la tribu Mendé et priait chaque soir pour qu'un prince la choisisse pour épouse. La famille pourrait obtenir jusqu'à six chèvres en guise de dot, prédisait-elle, et deviendrait alors assez riche pour échapper à la guerre sans fin que se livraient les rebelles du Front révolutionnaire uni et les forces gouvernementales pour le contrôle des gisements de diamants.

Ahbeba pensait que sa mère était devenue folle à force de fumer du majijo. Il était beaucoup plus vraisemblable qu'elle finirait par épouser un des jeunes miliciens sud-africains qui défendaient la mine et le village contre les incursions rebelles. Ces garçons beaux et forts, avec leurs armes et leurs cigarettes, lançaient des clins d'œil aux filles du village, qui soutenaient leur regard avec effronterie.

Ahbeba passait la plupart de ses journées avec sa mère, ses sœurs et les autres femmes du village à tirer leur subsistance d'un lopin de terre rocailleuse proche de la rivière Pampana. Les femmes y élevaient un petit troupeau de chèvres et faisaient pousser des patates douces ainsi qu'une variété de fève appelée kaiya *pendant que les hommes (dont le père d'Ahbeba) creusaient les pentes abruptes d'une mine de diamants à ciel ouvert. Ils étaient payés quatre-vingts* cents par jour, plus deux bols de riz aromatisé au poivre et une petite commission sur chaque diamant trouvé. Un travail pénible – ramasser à la pelle le gravier des carrières, le transporter jusqu'aux petites unités de lavage où ils devaient ensuite le tamiser pour l'or, et le trier à la main pour les diamants. Les hommes travaillaient en short ou en caleçon, douze heures par jour ; ils n'avaient rien d'autre que la poussière qui leur craquelait la peau pour se protéger du soleil et personne d'autre que les miliciens sud-africains pour se protéger des rebelles. Les princes étaient rares. Encore plus rares que les diamants.

Ce matin-là, Ahbeba Danku était restée au village pour piler la kaiya en vue du prochain repas pendant que ses sœurs partaient travailler aux champs. Ahbeba n'avait émis aucune objection ; elle allait pouvoir en profiter pour bavarder à loisir avec sa meilleure amie, Ramal Momoh (qui avait deux ans de plus qu'elle et des seins gros comme des gourdes), et aguicher les miliciens. La peau bleuie de kaiya, les deux filles adressaient des œillades insistantes au guetteur de faction à l'orée du village. Le jeune Sud-Africain, grand, mince et mignon comme une femme, leur retourna un clin d'œil et leur fit signe d'approcher. Ahbeba et Ramal gloussèrent, et chacune mit l'autre au défi d'y aller, disant vas-y, non, toi, quand un chapelet de détonations étouffées crépita derrière la colline.

Tactactac... tac... tac... tactactac.

Le guetteur pivota sur lui-même d'un mouvement saccadé, comme les marionnettes du bazar de Freetown. Ramal se leva en lâchant son pilon.

— Ça vient de la mine, dit-elle.

Ahbeba avait déjà entendu les Sud-Africains tirer sur des rats, mais ça n'avait rien à voir. Les vieilles femmes sortirent des cases, les enfants cessèrent de jouer. Le jeune Sud-Africain apostropha un autre guetteur, posté ailleurs dans le

308

village, et retira la bandoulière de son fusil. Ses yeux luisaient de peur.

Plusieurs rafales d'arme automatique s'entrecoupèrent, une explosion de folie furieuse qui cessa aussi vite qu'elle avait commencé. La vallée redevint silencieuse.

— Pourquoi est-ce que les miliciens ont tiré ? demanda Ahbeba à son amie. Qu'est-ce qui se passe ?

— Ce ne sont pas les miliciens. Écoute ! Tu entends ?

Le hurlement d'un enfant atteignit le village et, peu après, la frêle silhouette d'un petit garçon émergea entre deux cases. Ahbeba reconnut aussitôt Julius Saibu Bio, huit ans, dont la famille vivait à la lisière nord du village.

— C'est Julius !

Le petit garçon s'arrêta net, le visage inondé de larmes, en agitant les mains comme s'il cherchait à se débarrasser d'un objet brûlant.

— Les rebelles ! s'écria-t-il. Ils sont en train de tuer les miliciens ! Ils ont tué mon père !

Le garde sud-africain s'approcha en courant de Julius, mais fit volte-face en direction de la brousse au moment où un homme blanc, aux cheveux couleur de flamme, émergeait des feuillages et faisait feu sur lui, l'atteignant de deux balles en plein visage.

Le village sombra dans le chaos. Les femmes attrapèrent leurs enfants et leurs bébés et s'enfuirent vers la jungle. Les enfants pleuraient. Ramal se mit à courir.

— Ramal ! Qu'est-ce qui se passe ? Qu'est-ce que tu fais ?

— Cours ! Cours, VITE !

Deux autres miliciens sud-africains surgirent d'entre les cases. L'homme aux cheveux de flamme se mit en appui sur un genou et tira de nouveau – tac-tac, tac-tac –, des tirs tellement rapprochés qu'on aurait pu croire qu'il n'avait fait feu qu'une fois. Les deux Sud-Africains s'écroulèrent.

Ramal disparut dans la forêt.

Abbeba se précipita d'abord vers la case de sa famille, revint sur ses pas et saisit Julius par le coude.

— Suis-moi, Julius ! Il faut qu'on se cache !

Un camion découvert chargé d'hommes s'engouffra en trombe dans le village avec des hurlements de klaxon. Des hommes en sautèrent par groupes de trois ou quatre chaque fois qu'il ralentissait entre les cases. L'homme aux cheveux de flamme leur aboya des ordres en krio, le créole à base d'anglais parlé par une bonne partie de la population de la Sierra Leone.

Les rebelles commencèrent à tirer en l'air et à frapper à coups de crosse les femmes et les enfants qui cherchaient à fuir. Abbeba entraîna Julius, mais plusieurs rebelles sautèrent du camion quelques mètres derrière eux. Un adolescent décharné, armé d'un fusil plus grand que lui, traîna Ramal hors des fourrés, la jeta à terre et la frappa dans le dos à coups de pied. Un homme seulement vêtu d'un short et d'un gilet rose fluorescent s'amusa à tirer sur les chiens du village, en riant lorsqu'un chien se mettait à couiner en titubant.

— Dis-leur d'arrêter ! hurla Julius. Dis-leur d'arrêter !

Le camion pila sur la place centrale. Aussi vite que la fusillade avait éclaté puis cessé à la mine, le village fut investi. Tous les Sud-Africains étaient morts. Il ne restait plus personne pour les protéger. Abbeba se jeta au sol, rêvant de disparaître sous terre avec Julius. Comment une chose pareille pouvait-elle arriver à une princesse en attente de son prince ?

Un homme musculeux portant de grosses lunettes noires et un tee-shirt en lambeaux à l'effigie de Tupac grimpa sur le plateau du camion et promena un regard noir sur la foule des villageois. Son collier d'os tintait contre la bande de cartouches qu'il portait en bandoulière. Un autre, à côté de lui, avait sur le front un bandeau de douilles ; un autre, un tee-shirt à mailles sur lequel étaient cousus des testicules de phacochère. Ces guerriers étaient féroces et terrifiants, et Ahbeba tremblait de peur.

L'homme au collier d'os brandit au-dessus de sa tête un fusil long et noir.

— Je suis le commandant Blood ! Apprenez à connaître et à redouter ce nom ! Nous sommes les combattants de la liberté du Front révolutionnaire uni, et vous, vous avez trahi le peuple de Sierra Leone ! Vous ramassez des diamants pour le compte des étrangers qui contrôlent le gouvernement fantoche de Freetown ! C'est le moment de payer, et vous allez mourir ! On va tuer tout le monde ici !

Le commandant Blood tira en l'air et ordonna à ses hommes d'aligner tous les villageois en vue de l'exécution.

L'homme aux cheveux de flamme et un deuxième Blanc contournèrent le camion. Ce dernier, vêtu d'un pantalon de treillis vert olive et d'un tee-shirt noir, était plus grand et plus âgé que l'autre. Sa peau pâle était brûlée par le soleil.

— Personne ne tuera personne, lança-t-il. Il y a mieux à faire.

Il avait parlé en krio, comme l'homme aux cheveux de flamme.

Les deux hommes blancs étaient au sol ; le commandant Blood chargea comme un lion furieux vers le bord du camion jusqu'à surplomber les deux Blancs de toute sa hauteur. D'un geste rageur, il tira de nouveau en l'air.

— J'ai donné un ordre ! On va tuer ces traîtres, et la nouvelle se répandra dans toutes les mines de diamants ! Il faut que les mineurs aient peur de nous ! Tout le monde en ligne ! Maintenant !

Le bras de l'homme au tee-shirt noir partit soudain en avant et faucha les deux jambes du commandant Blood, qui atterrit lourdement sur le dos. Le Blanc le tira à bas du camion par les pieds et lui marcha sur la figure. Trois féroces guerriers sautèrent à bas du camion pour venir en aide à leur *chef. Jamais Ahbeba n'avait vu des hommes se battre avec une telle furie ni de manière aussi étrange — le Blanc au tee-shirt et son compère aux cheveux de flamme neutralisèrent les guerriers tellement vite que le combat ne dura que le temps d'un battement de cœur, et se termina par la victoire des deux Blancs sur les quatre rebelles. L'un d'eux hurlait de douleur ; les autres étaient soit inconscients, soit morts.*

— Ce sont des démons, chuchota Ramal, qui avait rejoint Ahbeba. Regarde, celui-là porte la marque des damnés !

Pendant que l'homme au tee-shirt relevait le commandant Blood par la peau du cou, Ahbeba vit un triangle tatoué sur le dos de sa main. Sa peur grandit encore. Ramal savait de quoi elle parlait.

Une fois le commandant Blood debout, le démon ordonna à ses hommes de rassembler les Sud-Africains morts devant le puits du centre du village. Le commandant, éberlué et soumis, n'émit aucune objection. L'homme aux cheveux de flamme parla dans un petit appareil de radio.

Ahbeba attendit, anxieuse, serrant Julius contre elle et s'efforçant de le calmer, de peur que ses sanglots n'attirent l'attention des rebelles. Deux fois, elle sentit qu'elle avait une petite possibilité de s'enfuir, mais ne put se résoudre à laisser l'enfant. Elle se consola en pensant que le nombre était peut-être une garantie ; que Julius et elle ne risquaient pas grand-chose au milieu de la foule.

Tandis que les rebelles entassaient les Sud-Africains morts à côté du puits, un deuxième camion déboula en grondant sur la place. Ce camion était cabossé et maculé de terre noirâtre. Les pare-chocs énormes qui enveloppaient les roues avaient l'aspect d'une cape de sorcier, et ses phares au verre brisé, tapis derrière une grille de protection qui rappelait le sourire déchiqueté d'une hyène, semblaient lorgner les villageois ; une hyène aux dents d'acier, dont la rouille avait la couleur du sang séché. Une dizaine de jeunes hommes au regard fixe et vitreux étaient accroupis à l'arrière. La plupart d'entre eux avaient le haut des bras enveloppé d'un bandage sanguinolent très serré. Ceux qui ne portaient pas de bandage arboraient des cicatrices irrégulières aux mêmes endroits.

— Tu vois leurs bras ? murmura Ramal, qui connaissait Freetown et avait déjà vu ces choses-là. Ils s'ouvrent la chair et bourrent leurs plaies de cocaïne et d'amphétamines. Ils font ça pour devenir fous.

— Mais... pourquoi ?

— Pour être de meilleurs guerriers. Pour ne plus sentir la douleur.

Un guerrier de très haute taille descendit du deuxième camion et rejoignit les deux Blancs. Il portait une tunique en grosse toile et un pantalon large, mais ce fut autre chose qui attira le regard d'Ahbeba : son visage, aussi lisse et ciselé qu'un diamant taillé. Le haut de ses bras portait des cicatrices semblables à celles de ses hommes mais, à la différence de tous les autres, son visage aussi était marqué : trois scarifications concentriques ornaient chacune de ses joues comme une seconde paire d'yeux, et plusieurs incisions plus petites étaient alignées en travers de son front. Son regard flamboyait comme un brasier énigmatique, et il était d'une beauté à couper le souffle ; jamais Ahbeba n'avait vu d'homme aussi beau – aussi princier. Son port était celui d'un roi.

Le démon au tee-shirt noir poussa le commandant Blood vers le monceau de cadavres sud-africains.

— Voilà comment on crée la peur, dit-il.

Il lança un bref coup d'œil à l'immense guerrier scarifié, qui fit signe aux hommes hallucinés du second camion. Tous sautèrent à terre en hurlant et en se contorsionnant comme des possédés. Ils n'avaient ni fusils ni mitraillettes comme les rebelles du premier groupe ; ils n'étaient armés que de haches et de machettes ébréchées.

Ils se ruèrent en tourbillonnant sur les Sud-Africains tués et, à coups de machette, ils les décapitèrent. Puis ils jetèrent les têtes au fond du puits.

Ahbeba fondit en larmes, Ramal se cacha les yeux derrière ses mains. Autour d'eux, les femmes, les enfants et les vieillards sanglotaient. Ishina Kotay, une jeune femme vigoureuse, qui enfant avait été aussi rapide que n'importe quel garçon du village, se leva d'un bond, avec ses deux bébés dans les bras, et détala vers la jungle. L'homme aux cheveux de flamme l'abattit d'une balle dans le dos.

Ahbeba avait le tournis, comme quelqu'un qui a fumé le majijo. *Elle perdit complètement le fil des événements et se sentit vomir. Le monde rapetissa et se couvrit de brume, avec de grands vides entrecoupés d'instants lumineux. La journée avait commencé par des beignets au petit déjeuner, à l'heure où le premier baiser du soleil frôlait le sommet de la colline qui dominait le village. Sa mère avait encore parlé de princes.*

Le commandant Blood tira en l'air et se mit à sauter sur place en hurlant. Ses hommes l'imitèrent, contaminés par la frénésie ambiante.

— Vous savez maintenant à quoi ressemble la colère du Front ! Voilà le prix à payer pour ceux qui ont osé nous défier ! On va remplir ce puits avec vos têtes !

Le démon blanc et le guerrier scarifié se tournèrent vers la foule des villageois terrorisés. Ahbeba sentit le poids de leur regard s'abattre sur eux.

Le démon blanc secoua la tête.

— Arrêtez de sauter comme un babouin, lança-t-il au commandant Blood. Si vous les tuez, personne ne saura ce qui s'est passé ici. Il n'y a que les vivants qui peuvent avoir peur. Vous comprenez ?

Le commandant Blood cessa de sauter.

— Donc, dit-il, il vaut mieux une preuve vivante.

— Exact. Une preuve horrible, qui fera chier tous les

314

autres mineurs dans leur froc. Une preuve qu'aucun de vos ennemis ne pourra contester.

Le commandant Blood s'approcha des corps sans tête des miliciens sud-africains.

— Mais... qu'est-ce qu'on pourrait faire de plus horrible ?

— Ça.

Le démon blanc s'adressa au guerrier scarifié dans une langue qu'Ahbeba ne comprenait pas. Les rebelles fous de drogue se précipitèrent sur les villageois en brandissant leurs haches et leurs machettes et leur tranchèrent les mains à tous, hommes, femmes et enfants.

Ahbeba Danku et les siens ne furent laissés en vie que pour pouvoir raconter leur histoire, ce qu'ils firent.

QUATRIÈME PARTIE

Le dernier détective

21

Temps écoulé depuis la disparition :
49 heures, 58 minutes

J'appelai Starkey du parking de l'immeuble pendant que Pike se chargeait de téléphoner aux renseignements de San Gabriel. Elle décrocha son portable à la sixième sonnerie.

— J'ai deux noms de plus pour votre avis de recherche, annonçai-je. Vous êtes toujours sur la berge ?

— Vu le merdier, on y est pour la nuit. Ne quittez pas, j'attrape mon stylo.

— L'homme que Mme Luna a vu avec Fallon s'appelle Mazi Ibo, m-a-z-i, i-b-o. Il a travaillé sous ses ordres en Afrique.

— Attendez un peu, Cole, doucement. D'où est-ce que vous tenez ça ?

— Pike connaît quelqu'un qui a reconnu son signalement. Vous n'avez plus qu'à récupérer sa photo sur la base de données du NLETS et à le faire identifier formellement par Mme Luna. Richard a lâché le morceau pour la rançon ?

— Il nie toujours. Ils sont repartis ventre à terre il y a à peu près une heure, mais je crois que vous avez mis le doigt dessus, Cole. Le pauvre, il chiait dans son froc, ce salaud.

Pike rangea son portable et me regarda en secouant la tête : Schilling n'était pas dans l'annuaire.

— On en a un deuxième, dis-je à Starkey. Je ne sais pas s'il a participé au rapt, mais il se peut qu'il soit en contact avec les autres.

J'épelai le nom de Schilling et lui décrivis ses liens avec Ibo et Fallon.

— Ne quittez pas, dit Starkey. Je vais passer un appel radio. Il faut que tout ça soit inclus dans l'avis de recherche.

— Schilling a une boîte aux lettres à San Gabriel. On vient d'avoir les renseignements, il n'est pas dans l'annuaire. Vous pourriez vous rencarder là-dessus ?

— Restez en ligne.

J'attendis sous le regard de Pike, qui au bout d'un moment secoua de nouveau la tête.

— Il a sûrement pris son abonnement sous un autre nom, lâcha-t-il.

— On ne sait jamais. On pourrait avoir un coup de bol.

Pike regarda l'adresse correspondant à la boîte aux lettres de Schilling et tapota pensivement la feuille du bout de l'index. Il releva la tête lorsque la voix de Starkey revint en ligne :

— On n'a que dalle sur Eric Schilling. Qu'est-ce que vous avez comme adresse ?

Je fis signe à Pike de me passer la feuille ; il l'empocha, m'arracha mon portable de la main et l'éteignit.

— Qu'est-ce qui te prend ?

— Il y a sûrement un contrat de location à son nom sur place, mais Starkey va être obligée d'obtenir un mandat pour vérifier ça. L'agence sera fermée quand les flics débarqueront là-bas. Ils vont devoir retrouver le propriétaire, l'attendre, et ça prendra un temps fou. On peut avoir l'info beaucoup plus vite.

Comprenant ce que Pike voulait dire, j'acquiesçai sans l'ombre d'une hésitation, comme si la justesse de son raisonnement était si évidente qu'elle ne souffrait aucun débat. J'étais au-delà de toute hésitation – et même de toute réflexion. Je n'étais plus que tension vers l'avant. Je n'étais plus que désir de retrouver Ben.

Pike regagna sa Jeep et je regagnai ma Corvette, le cerveau farci des atrocités décrites par Resnick. J'entendais encore les mouches bourdonner à l'intérieur de la camionnette ; je les sentais se heurter à mon visage, ivres de sang Je me rappelai que je n'étais pas armé. J'avais pris soin de mettre mon pistolet au coffre avant l'arrivée de Ben chez moi, et il y était toujours. Le désir de flingue me tomba dessus d'un seul coup.

— Joe ? J'ai laissé mon calibre à la maison.

Pike ouvrit la portière droite de sa Jeep et passa un bras sous la planche de bord. Il en retira une chose noire, revint vers moi en plaquant la chose contre sa cuisse de manière que les passants ne puissent rien voir. Il me la passa et repartit vers sa Jeep. C'était un Sig Sauer 9 mm, dans un holster noir à pince. Je le fixai à ma ceinture côté droit, sous ma chemise. J'avais cru que sa présence me redonnerait de l'assurance ; ce ne fut pas le cas.

L'autoroute I-10 traverse Los Angeles dans le sens de la largeur comme un élastique tendu à la limite du point de rupture, de la mer jusqu'au désert, et au-delà. La circulation était de plus en plus dense, et nous passâmes le plus clair de notre temps à jouer du klaxon, roulant presque aussi souvent sur la bande d'arrêt d'urgence que sur les voies.

Eric Schilling avait ouvert sa boîte aux lettres à la Stars & Stripes, une agence de messagerie privée située dans un quartier de San Gabriel dont la plupart des habitants étaient d'origine asiatique. La galerie commerciale où était installée l'agence comportait aussi trois restaurants chinois, une pharmacie et une animalerie. Le parking était envahi de familles qui attendaient d'avoir une table pour dîner dans un des restaurants ou qui flânaient devant l'animalerie. Après avoir laissé nos bagnoles dans une rue latérale, Pike et moi nous dirigeâmes à pied vers l'agence postale. Elle était fermée.

L'agence Stars & Stripes était parfaitement visible de la galerie, encadrée par l'animalerie d'un côté et la pharmacie de l'autre. Un système d'alarme était installé dans l'angle supérieur de la vitrine. À l'intérieur, les boîtes aux lettres étaient aménagées dans les deux murs latéraux de la partie avant de l'agence, isolée de l'arrière par un comptoir. Le propriétaire avait fait installer un lourd rideau de fer devant le comptoir pour diviser son agence en deux zones distinctes. Les clients pouvaient accéder à toute heure à la partie avant pour retirer leur courrier, mais il n'était pas question de les laisser piquer les timbres ou les colis conservés dans la partie bureau. Le rideau de fer aurait pu servir de cage à rhinocéros.

Le numéro de boîte aux lettres de Schilling était – ou avait été – le 205. Pour savoir si cette boîte était encore la sienne, il fallait entrer. De ma position, je voyais la boîte 205, mais impossible de dire si elle contenait ou non du courrier. À la limite, il pouvait tout à fait y avoir là-dedans un plan dessiné par Fallon pour indiquer l'endroit où ils séquestraient Ben Chenier.

— Les contrats de location doivent être dans le bureau, dit Pike. On aura peut-être moins de mal à entrer par le fond.

Nous contournâmes la galerie jusqu'à l'allée de service qui la bordait à l'arrière. D'autres voitures étaient garées là, entre les bacs à ordures et les portes de service des divers commerces. Deux hommes en tablier blanc étaient assis chacun sur un cageot devant la porte ouverte d'un des restaurants chinois. Ils épluchaient des patates et des carottes au-dessus d'un grand récipient en métal.

Le nom du commerce correspondant était peint sur chaque porte, accompagné des mentions ENTRÉE INTERDITE et STATIONNEMENT RÉSERVÉ AUX LIVRAISONS. Nous approchâmes de l'entrée de service de la messagerie Stars & Stripes. La porte était blindée et équipée de deux serrures de type industriel. Les gonds étaient également de gros calibre. Il nous aurait fallu un camion et des chaînes pour les arracher.

— Tu saurais forcer ça ? me demanda Pike.

— Oui, mais ça prendrait trop de temps. Ces serrures sont conçues pour résister aux pieds-de-biche, et t'a vu ces types, là ?

Pike et moi jetâmes un coup d'œil sur les deux aides-cuistots, qui faisaient de leur mieux pour nous ignorer. Nous serions plus vite entrés par l'avant.

Nous revînmes sur le parking. Un couple chinois et ses trois petits garçons étaient plantés devant l'animalerie, observant les chiots et les chatons de la vitrine. Le père, qui tenait le benjamin dans ses bras, montrait du doigt un des chiots :

— Et celui-là, tiens. Tu vois comme il joue ? Celui qui a une tache sur le nez...

Leur mère me sourit lorsque nous passâmes à leur hauteur, et je lui rendis son sourire – tout allait pour le mieux dans le plus tranquille et le plus aimable des mondes.

Pike et moi nous arrêtâmes devant la porte vitrée de

l'agence. Nous avions la possibilité d'attendre que quelqu'un vienne chercher son courrier pour entrer derrière lui, mais si c'était pour poireauter jusqu'à minuit, autant demander tout de suite à Starkey de réclamer un mandat et de tirer le propriétaire de son lit.

— Si on force cette porte, dis-je, l'alarme va se déclencher. Il se peut que ça sonne aussi dans le bureau d'un vigile, qui s'empressera de donner l'alerte. Il va falloir péter la vitrine, forcer le rideau de fer et traverser le bureau. Tous ces gens du parking vont nous voir faire, et l'un d'eux appellera forcément la police. Ça ne nous laissera pas beaucoup de temps. Ensuite, il faudra se barrer. Quelqu'un pensera sans doute à relever nos numéros de plaque.

— Tu cherches à me dissuader d'y aller, ou quoi ?

Le ciel du soir, de plus en plus sombre, était en train de virer à l'indigo, mais les réverbères n'étaient pas encore allumés. Un certain nombre de familles allaient et venaient sur l'étroit trottoir, attendant qu'une table se libère dans l'un ou l'autre des restaurants. Un vieil homme ressortit en boitillant de la pharmacie. Plusieurs voitures roulaient au pas sur le petit parking, en quête d'une place libre. Et nous, nous étions sur le point de pénétrer par effraction dans la propriété commerciale d'un brave citoyen. Nous allions endommager son bien, et ces dommages devraient être remboursés. Nous allions violer ses droits, ce qui était impossible à rembourser, et nous allions flanquer une trouille bleue à tous ces gens, qui témoigneraient contre nous si nous étions présentés à la justice.

— Je suppose que oui, répondis-je. Laisse-moi m'occuper de ça tout seul. Si tu allais m'attendre dans ta voiture ?

— N'importe qui est capable d'attendre dans une voiture. Je ne suis pas n'importe qui.

— Certes. Allons plutôt nous garer dans l'allée. On va entrer par ici, et on ressortira par-derrière.

La famille de l'animalerie était maintenant à l'arrêt devant l'agence Stars & Stripes. L'homme et la femme essayaient de décider dans quel restaurant ils avaient le plus de chances d'avoir rapidement une table pour cinq.

— Vous êtes trop près de la porte, leur dis-je. S'il vous plaît, écartez-vous.

— Je vous demande pardon ? fit la femme. Qu'est-ce qu'il y a ?

Je pointai ma manivelle de cric vers la porte vitrée.

— Il va y avoir de la casse. Il faut vous éloigner.

Pike s'approcha du mari, qu'il dominait de la tête et des épaules, et son ombre le couvrit entièrement.

— *Partez.*

Comprenant soudain ce qui allait se passer, ils se mirent à parler très vite en chinois et entraînèrent leurs enfants à l'écart.

J'assenai un grand coup de cric sur la porte vitrée, et la vitre éclata. L'alarme se déclencha, un ronflement puissant et monocorde qui se répandit sur le parking et jusqu'au-delà du carrefour comme une sirène d'alerte anti-aérienne. Tous les piétons du parking et des trottoirs voisins tournèrent la tête en même temps. Je fis tomber les derniers morceaux de verre accrochés à la porte et entrai. Une pointe acérée me griffa le dos. Il y eut un nouveau tintement de verre brisé, et Pike pénétra derrière moi.

Il s'approcha du rideau de fer pendant que je me dirigeais vers les boîtes aux lettres. Elles semblaient solides, une porte en bronze montée sur un cadre de métal. Chaque porte était équipée d'une serrure renforcée et d'une petite fente vitrée permettant de voir s'il y avait du courrier à l'intérieur. La boîte 205 était pleine d'enveloppes.

J'insérai la lame de mon tournevis de poche entre la

porte et le cadre de la boîte 205 et réussis à la forcer en frappant sur la poignée du tournevis avec ma manivelle de cric. Il n'y avait pas un seul courrier au nom d'Eric Schilling, ni à celui de Gene Jeanie ; tous étaient adressés à Eric Shear.

— C'est lui ! criai-je à Pike pour couvrir le mugissement de l'alarme. C'est son faux nom, Eric Shear !

Après avoir fourré tout le courrier dans mes poches, je courus rejoindre Pike.

Le rideau de métal courait sur deux rails, un au sol et un au plafond, de sorte qu'on ne pouvait passer ni dessus ni dessous, et il était soutenu verticalement par deux barres de métal ancrées en plusieurs points dans le mur. Avec le pied-de-biche et la manivelle, nous évidâmes le mur tout autour d'un des points d'ancrage et réussîmes ainsi à désolidariser la barre. Elle s'inclina selon un angle absurde, et nous poussâmes dessus.

— Hé, regardez ça ! cria une voix dehors.

Des curieux s'étaient rassemblés sur le parking, accroupis derrière les voitures ou debout par petits groupes, fascinés par ce qui se passait dans l'agence et se tordant le cou pour tenter de voir ce que nous faisions. Deux hommes se risquèrent à passer la tête à travers la porte d'entrée endommagée et détalèrent. Je n'aurais su dire depuis combien de temps Pike et moi étions là, mais ça n'allait pas chercher bien loin : quarante secondes, une minute. Le grondement de l'alarme submergeait toujours la pièce, tellement fort qu'il risquait de couvrir l'arrivée des sirènes.

Nous nous faufilâmes derrière le rideau de fer, qui menaçait dangereusement de s'effondrer, et pénétrâmes dans la partie bureau. Des montagnes de colis envahissaient le sol. Une armoire à dossiers occupait un coin de la pièce, non loin d'un petit meuble couvert de ce qui devait être du courrier pas encore trié et de reçus postaux. Pike alla vérifier la porte de service tandis que je m'intéressais à l'armoire.

Il me cria par-dessus son épaule que la voie était dégagée.

— C'est bon, Elvis ! Ce sont des loquets !

J'ouvris le tiroir supérieur de l'armoire, m'attendant à trouver des chemises en carton pleines de papiers, mais il ne contenait que des fournitures de bureau. Idem pour les deux suivants. Pike faisait le guet à la porte de service au cas où quelqu'un se pointerait. Nous n'avions plus beaucoup de temps.

— Plus vite, Elvis.

— Je regarde.

Après avoir passé en revue les journaux, magazines et enveloppes étalés sur le bureau, j'ouvris le tiroir sous la table. Il ne restait plus que celui-là. Il fallait qu'il contienne les contrats de location des clients de l'agence qui disposaient d'une boîte aux lettres – et pourtant je n'y trouvai que des factures et des bons de commande concernant les fournitures et services utilisés par Stars & Stripes ; pas la moindre référence aux boîtes aux lettres, ni à leurs titulaires.

Pike me toucha l'épaule tout en regardant vers le parking.

— On a un problème.

Sur l'asphalte, un type obèse en chemise de laine jaune était entouré par plusieurs personnes, qui toutes montraient l'agence du doigt. Sa chemise était tellement tendue qu'elle lui moulait le ventre, qui débordait de sa ceinture comme un sac de gelée. Le mot SÉCURITÉ était écrit dessus à hauteur du cœur, et j'aperçus un pistolet dans un holster de nylon noir fixé à sa hanche droite, aux trois quarts caché par les replis de sa graisse. Il s'ébranla dans notre direction, une main sur son flingue. Il n'avait pas l'air rassuré.

— Merde, grommelai-je, d'où il sort, celui-là ?

— Continue à fouiller.

Pike repassa devant moi, pistolet au poing. Je lui saisis le bras.

— Joe. Ne fais pas ça.

— Je ne vais pas lui faire de mal. Continue à fouiller.

Le vigile s'agenouilla derrière le pare-chocs d'une auto et jeta un coup d'œil prudent au ras du capot. Pike s'avança dans l'encadrement de la porte démolie de manière à être vu. Ce fut suffisant. Le vigile se jeta à plat ventre et se mit en boule derrière le pneu. Il avait au moins le mérite de ne pas avoir déclenché de fusillade. Quand on est payé au salaire minimum, la valeur se mesure à l'aune de la discrétion.

Pike et moi entendîmes les sirènes en même temps. Il me lança un regard par-dessus son épaule, et je lui fis signe de se replier vers la porte de service. Nous n'avions plus une seconde à perdre.

— On y va, dis-je.

— Tu as trouvé ?

— Non.

Pike repassa derrière le comptoir.

— Continue à fouiller. Il nous reste quelques secondes.

— On n'aura plus aucune chance de retrouver Ben si on se fait coffrer.

— Continue à fouiller.

Ce fut alors que je remarquai une caisse de carton brun sous le bureau. Elle avait juste les dimensions qu'il fallait pour contenir des dossiers au format standard. Je la tirai vers moi, soulevai le couvercle. Elle était bourrée de chemises numérotées de 1 à 600, et je compris sur-le-champ que chaque numéro correspondait à une boîte aux lettres. Je retirai la chemise portant le numéro 205.

— Ça y est. On se casse !

Pike ouvrit en grand la porte de service. Dehors, l'air était frais et l'alarme faisait moins de boucan. Les deux éplucheurs de patates se tournèrent vers leur cuisine en poussant les hauts cris quand ils nous virent sortir, et plusieurs collègues à eux émergèrent du restaurant au moment où nous remontions chacun dans notre voiture. À huit blocs de distance, nous nous arrêtâmes dans une rue déserte à l'arrière d'un multiplexe et examinâmes le contenu de la chemise. Il s'agissait effectivement d'un contrat de location au nom d'Eric Shear. Avec un numéro de téléphone et une adresse.

Temps écoulé depuis la disparition :
50 heures, 37 minutes

Eric Shear habitait le Casitas Arms, un immeuble résidentiel sur quatre niveaux construit à la lisière ouest de San Gabriel, à moins de dix minutes de Stars & Stripes. Un très gros immeuble, le genre à entasser une centaine d'appartements autour d'une cour centrale et à s'auto-proclamer « résidence sécurisée de luxe ». En général, s'introduire dans ce genre d'immeuble est simple comme bonjour.

Nous nous garâmes en stationnement interdit le long du trottoir d'en face, et Pike me rejoignit dans ma voiture. En consultant mon portable, je vis qu'il y avait trois messages de Starkey, que j'ignorai. Qu'aurais-je pu lui dire ? Que le prochain avis de recherche qu'elle recevrait me concernerait sans doute ? Je composai le numéro de Schilling. Un

329

répondeur se déclencha après la deuxième sonnerie, une voix masculine.

— Parlez après le bip.

Je raccrochai.

— Allons voir, proposa Pike.

Nous longeâmes à pied le flanc de l'immeuble jusqu'à arriver au pied d'un escalier extérieur que les habitants pouvaient emprunter pour éviter les ascenseurs du hall. L'accès de cet escalier était barré par une porte grillagée aux allures de cage fermée à clé, mais Pike inséra son pied-de-biche entre le cadre et la grille et fit facilement sauter la serrure. Nous montâmes au deuxième étage. L'appartement d'Eric Shear portait le numéro 313. L'immeuble était distribué autour d'une cour intérieure centrale, avec de longs couloirs en forme de T qui à leur extrémité se scindaient en deux couloirs secondaires. L'appartement 313 se trouvait de l'autre côté de l'immeuble.

Le crépuscule venait de tomber, la soirée commençait à peine. Des odeurs de cuisine, de la musique s'échappaient des appartements, avec çà et là un éclat de voix. J'entendis un rire de femme. Tous ces gens vivaient tranquillement leur vie, et personne ne savait qu'Eric Shear s'appelait en réalité Eric Schilling. Peut-être lui souriaient-ils dans l'ascenseur ou lui adressaient-ils un petit signe de tête dans le garage souterrain, sans imaginer une seconde la nature de ses activités actuelles, et encore moins ses sinistres antécédents – *Tiens, salut, comment ça va ? Bonne journée à vous !*

Nous continuâmes à remonter le couloir après la batterie d'ascenseurs jusqu'à atteindre la barre du T. Face à nous, sur le mur, des flèches indiquaient les numéros d'appartement situés à gauche et à droite. Le 313 était à gauche.

— Attends, fis-je.

Je m'approchai prudemment de l'intersection et jetai un

coup d'œil au ras du couloir de gauche. Le 313 était tout au bout, face à une sortie de secours menant probablement à une cage d'escalier semblable à celle que nous avions empruntée. Encore quelques mètres, et nous nous retrouvâmes devant la porte de Schilling. Deux feuilles de papier pliées en deux étaient glissées entre le cadre et la porte, quelques centimètres au-dessus de la poignée.

Pike et moi prîmes position de part et d'autre de la porte et tendîmes l'oreille. L'appartement de Schilling était silencieux. Les papiers glissés dans la porte étaient des avis du syndic, l'un pour rappeler que le loyer était payable le premier de chaque mois, et l'autre pour avertir que l'eau de l'immeuble serait coupée pendant deux heures le jeudi précédent.

— Ça fait un moment qu'il n'a pas mis les pieds chez lui, observa Pike.

Si ces avis avaient été mis là aux dates mentionnées, personne n'avait franchi le seuil de l'appartement de Schilling depuis au moins six jours.

Je collai l'index sur le judas et frappai. Personne ne répondit. Je frappai encore, dégainai mon pistolet et le maintins canon bas le long de ma cuisse.

— Ouvre, dis-je à Pike.

Il cala le pied-de-biche entre le cadre et le panneau et appuya dessus. La porte fit entendre un craquement sonore ; je l'enfonçai d'un coup d'épaule et me retrouvai tout à coup dans un vaste séjour, mon flingue à bout de bras. La cuisine et le coin salle à manger occupaient la partie opposée de la pièce. Un corridor filait sur notre gauche, percé de trois portes. L'éclairage collectif du couloir de l'immeuble était la seule source de lumière. Pike traversa à grandes enjambées le séjour, jusqu'à la cuisine, avant de me rejoindre dans le corridor ; pistolet au poing, nous stoppâmes quelques secondes sur le seuil de chaque pièce pour nous assurer que l'appartement était vide.

— Joe ?

— Personne.

Nous revînmes dans le vestibule pour fermer la porte d'entrée et allumâmes quelques lampes. Le salon ne comportait quasiment aucun meuble, juste un canapé de cuir, une table de jeu, et un énorme téléviseur Sony dans l'angle qui faisait face au canapé. Cet appartement, si peu aménagé, montrait que Schilling ne devait pas y passer beaucoup de temps ; à croire qu'il était prêt à boucler ses valises au quart de tour, sans rien laisser derrière lui. Cela ressemblait plus à un bivouac qu'à un foyer. Un petit téléphone sans fil trônait sur le bar qui séparait la cuisine du salon, mais je ne vis pas de répondeur. Ce fut la première chose que je cherchai, au cas où quelqu'un lui aurait laissé un message.

— Le répondeur doit être dans une des pièces du fond, dis-je.

Pike repartit vers le corridor.

— Je l'ai vu en inspectant la chambre. Je m'en occupe, tu n'as qu'à fouiller ici.

Il y avait une telle quantité de bouteilles d'Orangina et de Corona amoncelées dans la cuisine qu'elles pouvaient difficilement avoir été bues par un seul homme. Des assiettes sales étaient empilées dans l'évier, et la poubelle débordait de barquettes de plats à emporter. Les restes de nourriture y étaient depuis si longtemps qu'ils sentaient le pourri. Je vidai la poubelle sur le carrelage et récupérai tous les tickets de caisse que je pus trouver. L'achat le plus récent remontait à six jours. Les quantités étaient importantes, beaucoup trop pour un homme seul. Au moins de quoi nourrir trois personnes.

— Ils sont venus ici, Joe, criai-je.

— Je sais, me répondit-il de loin. Viens voir ça !

Je le rejoignis dans la chambre.

Pike était accroupi à côté d'un futon défait, l'unique meuble de la pièce. La porte du placard était ouverte sur un rangement presque vide. Quelques chemises et sous-vêtements sales jonchaient le sol. À l'image du reste de l'appartement, la chambre de Schilling dégageait une impression de vacuité, comme si c'était davantage une planque qu'un véritable domicile. Un radio-réveil était posé par terre à côté du futon, non loin d'un deuxième téléphone numérique sans fil ; celui-ci possédait un répondeur intégré.

— Quelque chose sur le répondeur ?

— Aucun message. J'ai trouvé des lettres, mais je t'ai surtout appelé pour ça.

Pike m'indiqua une série de photos punaisées sur le mur au-dessus du futon. Des photos de cadavres. Les morts étaient de plusieurs races. Quelques-uns portaient un reste d'uniforme, d'autres rien du tout. La plupart avaient été tués par balles ou par une explosion, et l'un d'eux était atrocement brûlé. Sur plusieurs clichés, un jeune homme roux au sourire halluciné posait à côté des cadavres. Il était flanqué sur deux d'entre elles d'un grand Noir au visage scarifié.

Pike toucha son visage sur l'une d'elles.

— Ibo, fit-il. Le rouquin doit être Schilling. Ces photos ne viennent pas seulement de Sierra Leone. Regarde les victimes. Celle-ci pourrait avoir été prise en Amérique centrale. Et celle-là en Bosnie.

Sur un des clichés, le rouquin tenait un bras humain par le petit doigt, comme un trophée de pêche. Mon estomac se noua.

— Ils ont pété les plombs.

333

— C'est bien ce qu'a dit Resnick, acquiesça Pike. Ils ont abandonné les règles. Ils ont basculé dans autre chose.

— Je ne vois personne qui ressemble à Fallon.

— Fallon est un ancien Delta. Même cinglé, il est bien trop prudent pour se laisser tirer le portrait.

— Voyons le courrier, dis-je en me détournant.

Pike avait découvert une liasse de lettres maintenue par un élastique. Elles avaient toutes été envoyées à Eric Shear à l'adresse de sa boîte aux lettres et contenaient entre autres un relevé bancaire indiquant un solde positif de six mille cent vingt-trois dollars et dix-huit cents, plusieurs chèques annulés, et ses factures téléphoniques des deux derniers mois. Presque tous ses appels concernaient des numéros de la région de Los Angeles, à l'exception de six d'entre eux, qui se détachaient du reste comme des phares dans la nuit. Trois semaines auparavant, Eric Schilling avait appelé, six fois en quatre jours, un numéro international à San Miguel, au Salvador.

— Tu crois que c'est Fallon ? demandai-je à Pike en lui jetant un coup d'œil. Resnick a mentionné l'Amérique du Sud.

— Appelle. On verra bien.

J'examinai un instant le téléphone de Schilling et appuyai d'abord sur la touche de rappel ; une jeune femme récita d'un ton enjoué le nom d'une pizzeria du quartier. Après avoir raccroché, j'examinai de nouveau le combiné. Certains téléphones numériques gardent en mémoire les appels entrants et sortants, mais ce n'était pas le cas de celui de Schilling. Je composai donc le numéro salvadorien figurant sur la facture. Un sifflement distant se fit entendre au moment où la connexion fut retransmise par le satellite et, après deux sonneries, un message enregistré me répondit.

— Vous connaissez la musique. Parlez-moi.

Une vague de chair de poule m'envahit, comme le premier soir, sauf qu'elle s'accompagnait cette fois d'un bouillonnement de rage. Je raccrochai lentement. C'était la voix de l'homme qui m'avait téléphoné le soir de l'enlèvement de Ben, la voix enregistrée par Lucy sur son répondeur.

— C'est lui. Je reconnais sa voix

Le coin de la bouche de Pike se contracta légèrement.

— Starkey va adorer, dit-il. Elle va pouvoir coffrer un criminel de guerre.

Je m'approchai une nouvelle fois des photos. Je n'avais jamais rencontré ni Schilling, ni Fallon, ni aucune autre personne présente sur ces images – ces mecs n'avaient strictement aucun lien avec moi ; ils n'avaient aucune raison de savoir quoi que ce soit à mon sujet. Il y avait des milliers d'enfants dans le pays dont les parents étaient plus riches que Richard, pourtant c'était Ben qu'ils avaient kidnappé. Après avoir tâché de faire passer leur acte pour une vengeance à mon encontre, ils étaient très certainement en train d'essayer d'extorquer une rançon à Richard, malgré les dénégations de celui-ci. Tous les ravisseurs exigent de leurs victimes qu'elles ne préviennent pas la police, et je pouvais comprendre la peur de Richard, mais c'était à peu près tout ce que je comprenais. Les pièces du puzzle ne s'emboîtaient pas, comme si chacune était issue d'un puzzle différent, et, quelle que fût la façon dont je m'y prenais pour les agencer, le tableau qu'elles composaient ne semblait avoir aucune cohérence.

Nous retournâmes le futon et défîmes les draps sans rien trouver d'autre. Je passai dans la salle de bains. Une pile de magazines était posée au sol à côté de la cuvette des toilettes. La poubelle était pleine de mouchoirs en papier, de Cotons-Tiges et de cylindres en carton de papier cul, mais j'aperçus aussi entre les déchets des bouts de feuilles de papier blanc. Je renversai la poubelle. Les pages de mon dossier 201 tombèrent sur le carrelage.

— Mon dossier militaire, Joe ! lançai-je par-dessus mon épaule. Schilling a mon dossier.

Pike apparut sur le seuil derrière moi. Je parcourus mon dossier en diagonale, envahi par une sorte d'hébétude, avant de tendre les feuilles à Joe.

— Il n'y a que deux personnes qui ont eu accès à ce document, repris-je. Starkey et Myers. Myers en a obtenu une copie par l'intermédiaire d'un juge de La Nouvelle-Orléans, sur demande de Richard. Je ne vois pas qui d'autre aurait pu mettre la main dessus.

Les pièces du puzzle s'assemblaient petit à petit. L'image demeurait floue, mais commençait à prendre forme.

— Myers a eu ça entre les mains ? demanda Pike en regardant mon dossier.

— Oui. Myers et Starkey.

Il inclina la tête. Une ombre passa sur ses traits.

— Comment Myers aurait-il connu ces types ?

— Il est responsable de la sécurité de la compagnie de Richard. Resnick nous a dit que Schilling l'avait appelé parce qu'il se cherchait un job dans le domaine de la sécurité. Peut-être qu'il a été embauché par Myers. Et qu'ensuite il lui a présenté les deux autres.

Pike considéra de nouveau les pages de mon dossier et secoua la tête, comme s'il avait toujours du mal à y voir clair.

— Mais pourquoi Myers leur aurait-il donné ton dossier ?

— Peut-être que c'est lui qui a eu l'idée d'enlever Ben.

— Nom de Dieu.

— Myers bénéficiait d'une vue imprenable sur la vie privée de Richard. Il était au courant pour Lucy et moi, il savait que Lucy et Ben s'étaient installés ici, et combien Richard se faisait du souci à leur sujet. Fallon et Schilling n'avaient pas la moindre information là-dessus, mais Myers, lui, savait tout de A à Z. Richard s'est sans doute contenté de fulminer sur les dangers que je faisais courir à son ex et à son fils, et Myers a exploité le filon pour lui extorquer un paquet de fric.

— En organisant un kidnapping et en contrôlant la suite de l'intérieur ?

— Oui.

Pike secoua la tête.

— C'est maigre, lâcha-t-il.

— Sans ça, comment auraient-ils eu mon dossier ? Pourquoi auraient-ils pris Ben pour cible et fait comme si j'étais la cause de son enlèvement ?

— Tu vas appeler Starkey ?

— Pour lui dire quoi ? Pour qu'elle fasse quoi ? Myers n'avouera pas sans preuve.

De retour dans la chambre, nous épluchâmes les factures téléphoniques de Schilling pour voir s'il avait contacté quelqu'un en Louisiane mais, hormis ses six coups de fil au Salvador, il n'y avait pas trace d'appel en dehors de la région de Los Angeles. Nous visitâmes l'appartement d'un bout à l'autre. Nous fouillâmes partout où nous estimions avoir une chance de trouver un élément susceptible de relier Schilling à Myers ou Myers à Schilling, en vain. L'idée me vint alors d'aller fouiner ailleurs.

— On va fouiller le bureau de Myers, lâchai-je à brûle-pourpoint. Suis-moi.

Je m'élançai vers la porte, mais Pike resta planté sur place, à me regarder comme si j'avais perdu les pédales.

— Qu'est-ce qui te prend, Elvis ? Le bureau de Myers est à La Nouvelle-Orléans.

— Lucy peut faire ça. Lucy est capable de fouiller son bureau d'ici.

Je lui expliquai mon plan tandis que nous repartions au pas de course vers nos voitures.

22

Temps écoulé depuis la disparition :
51 heures, 36 minutes

Lucy entrebâilla sa porte et m'épia d'un œil méfiant. Son visage était recouvert d'une ombre qui n'était pas seulement due à l'absence de lumière ; à la seconde où je la vis, je compris qu'elle savait ce qui était arrivé à DeNice.

— Un des détectives de Richard…

— Je sais. Joe est en bas. Laisse-moi entrer, Luce. Il faut que je te parle.

J'ouvris la porte en douceur et pénétrai dans l'appartement sans attendre qu'elle m'y ait invité. Le téléphone était toujours dans sa main. Elle ne l'avait vraisemblablement pas lâché depuis la veille au soir.

Elle semblait hébétée, comme si le poids écrasant d'un cauchemar l'avait vidée de ses forces. D'un pas de somnambule, elle rejoignit le canapé.

— Ils l'ont décapité, souffla-t-elle. C'est un inspecteur du centre qui me l'a dit ; il m'a dit aussi qu'une chaussure de Ben baignait dans son sang.

— On va le retrouver, Luce. On te le ramènera. Tu as parlé à Starkey ? ou à Lucas ?

— Elles sont passées me voir tout à l'heure. Avec cet inspecteur du centre...

— Tims.

— Ils m'ont expliqué pour la camionnette. Ils ont dit que ça passerait aux infos et qu'ils ne voulaient pas que j'apprenne la nouvelle à la télé. Ils m'ont posé des questions sur Fallon, et aussi sur deux autres types, un Africain et un certain Schilling. Ils avaient des photos.

— Et Richard ? Ils t'ont parlé de Richard ?

— Pourquoi m'auraient-ils parlé de Richard ?

— Tu as été en contact avec lui ce soir ?

— J'ai essayé de le joindre, mais il ne m'a pas rappelée. Soudain inquiète, elle fronça les sourcils.

— Pourquoi m'auraient-ils parlé de Richard ? Il lui est arrivé quelque chose, à lui aussi ?

— Nous pensons que Fallon aurait pu le contacter pour exiger une rançon. C'est probablement pour ça qu'il a tué DeNice – pour faire peur à Richard et le pousser à payer.

— Ils ne m'ont pas du tout parlé de ça. (Le front de Lucy se plissa ; elle secoua la tête.) Richard ne m'a absolument pas parlé de ça.

— Si Fallon lui a vraiment fait peur, il ne t'en parlera pas, et à mon avis Fallon lui a fait très peur. Il nous fait peur à tous. Lucy, écoute-moi bien, je soupçonne Myers d'être impliqué dans le rapt. C'est ce qui explique qu'ils aient choisi Ben et qu'ils aient eu des informations sur moi. Ça vient de Myers.

— Mais... pourquoi ?

Je lui remis mon 201. Elle le regarda sans comprendre.

— C'est mon dossier militaire. Un document confidentiel. L'armée ne le communique à personne, sauf à ma demande ou sur présentation d'un mandat judiciaire. Les militaires n'en ont délivré que deux exemplaires, Luce, un à Starkey dans le cadre de cette enquête, et l'autre à un juge de La Nouvelle-Orléans, il y a trois mois. Ce juge l'a transmis à Leland Myers.

Lucy feuilleta les pages. Je sentis, à la façon dont sa mine s'assombrissait, qu'elle était en train de se remémorer Richard dans la salle d'audition.

— Richard a commandé une enquête sur ton passé, dit-elle.

— En tant que responsable de la sécurité de sa boîte, c'est Myers qui a dû s'en occuper, ça paraît logique. Il supervise aussi la sécurité des filiales étrangères du groupe. Tout à l'heure, j'ai rencontré un homme qui m'a dit avoir été contacté par Schilling, lequel recherchait un poste dans le domaine de la sécurité en Amérique centrale.

— Richard a une filiale au Salvador.

Quand Lucy releva la tête, toute trace de brume avait disparu de son regard, au profit de la colère.

— Ce juge de La Nouvelle-Orléans, demanda-t-elle, qui est-ce ?

— Rulon Lester. Tu le connais ?

Elle réfléchit, fouilla en silence dans sa mémoire, finit par secouer la tête.

— Non, je ne crois pas.

— J'ai eu sa secrétaire au bout du fil. Mon dossier a été transmis à Myers, qui a donc eu entre les mains un des deux seuls exemplaires délivrés par l'armée. Joe et moi avons retrouvé cet exemplaire à San Gabriel, dans un appartement loué par Eric Schilling. Schilling a passé pas moins de six coups de téléphone à San Miguel, au Salvador, toujours au même numéro, celui de Fallon. C'est la voix de Fallon que tu as enregistrée sur ton répondeur, Lucy. J'ai appelé ce numéro. Je l'ai reconnue.

Je dépliai les factures de Schilling et lui indiquai les six appels à destination du Salvador. Après avoir longuement fixé le numéro, elle le composa sur son téléphone. Je ne la quittai pas des yeux pendant les sonneries. Je ne la quittai pas des yeux quand le répondeur se mit en marche. Une ombre envahit ses traits lorsqu'elle entendit la voix, et elle donna un coup de poing au combiné pour mettre fin à la communication, puis le tapa contre le bras du canapé. Je n'eus pas un geste pour la retenir.

— C'est forcément par Myers qu'ils se sont procuré mon 201, dis-je. C'est sans doute Myers qui a tout manigancé et qui les a mis sur le coup. Ils ont enlevé Ben pendant son séjour chez moi pour brouiller les pistes et parce qu'ils savaient que Richard tomberait tête baissée dans le panneau. Myers l'a probablement persuadé de venir ici avec des hommes à lui pour retrouver Ben. Ça lui permettait de tout piloter de l'intérieur et de contrôler les réactions de Richard. Sa position d'homme de confiance était idéale pour transmettre à Richard la demande de rançon et l'inciter à payer.

Lucy se leva brusquement.

— Richard est descendu à l'hôtel Beverly Hills. Allons-y.

Je ne bougeai pas.

— Pour lui dire quoi ? On a mon dossier militaire, mais ça ne prouve pas que Myers connaisse Fallon et les autres. En l'absence d'élément tangible, tu peux être certaine qu'il niera en bloc, et on sera dans l'impasse. Myers saura que nous savons, et il ne lui restera plus qu'une solution : éliminer les preuves.

Éliminer Ben.

Lucy se rassit sur le canapé, le regard vrillé sur moi.

— Tu m'as dit tout à l'heure que tu avais besoin de mon aide. Tu sais déjà comment tu veux que je t'aide, et c'est quelque chose que tu ne peux pas faire toi-même, sans quoi tu serais déjà en train de le faire.

— Si Myers a engagé un ou plusieurs de ces mercenaires avant de commencer à échafauder son plan, il l'a sûrement fait de façon tout à fait légale. Dans ce cas, la société de Richard doit en avoir gardé une trace quelconque. Nous avons le numéro de téléphone de Fallon au Salvador, celui de Schilling à San Gabriel. Si Myers a appelé l'un ou l'autre de ces numéros, quelle que soit la date ou le motif, sur sa ligne professionnelle, cette trace doit pouvoir être retrouvée.

— Et tu ne veux pas en parler à Richard, parce qu'il pourrait vendre la mèche à Myers.

— Myers ne doit rien savoir.

Lucy se laissa aller en arrière sur le canapé, pensive. Elle jeta un coup d'œil sur sa montre.

— Il est presque dix heures du soir en Louisiane. Il n'y a plus personne dans les bureaux.

Elle passa dans sa chambre, en ressortit peu après avec un vieux carnet d'adresses de cuir patiné, l'ouvrit.

— J'avais pas mal d'amis dans la boîte avant notre divorce. Et même quelques amis proches. Tout le monde considérait Richard comme un connard – surtout ceux qui le connaissaient bien.

Elle revint sur le canapé avec son téléphone et son carnet, ramena ses jambes pour s'asseoir en tailleur et composa un numéro.

— Allô, Sondra ? Ici Lucy. C'est ça, oui, je t'appelle de L.A. Comment ça va ?

Sondra Burkhardt était le contrôleur de gestion de Richard depuis seize ans. Elle chapeautait un service de comptabilité qui avait la charge de payer les factures de l'entreprise, d'encaisser les recettes et de suivre la trésorerie. L'essentiel de son travail s'effectuait par ordinateur, mais c'était elle qui disait à l'ordinateur ce qu'il devait faire. Sondra avait joué au tennis avec Lucy à l'université d'État de la Louisiane avant que Lucy lui trouve ce poste. Sondra avait trois enfants, et Lucy était la marraine de la benjamine, âgée de six ans.

— Sondra, j'ai besoin que tu me rendes un service qui te paraîtra certainement étrange, mais je n'ai pas le temps de...

Lucy s'interrompit, écouta, et finalement hocha la tête.

— Merci, tu es un ange. Bon, je vais te donner trois noms, et j'ai besoin de savoir si oui ou non ils ont été payés par la société à un moment ou à un autre. Tu peux vérifier ça de chez toi ?

— En Amérique centrale, chuchotai-je. L'année dernière.

Lucy opina.

— Ils auraient été recrutés à l'étranger, reprit-elle, a priori en Amérique centrale, l'année dernière. Par Myers. Non, je n'ai pas de numéro de sécurité sociale, juste leur nom. Je comprends, ça va te compliquer la tâche. Je sais.

Lucy lui énuméra les noms et demanda à Sondra si elle pouvait nous fournir en outre un listing de tous les appels passés par Myers à Los Angeles et au Salvador. Elle écouta la réponse avec un froncement de sourcils, demanda à Sondra de rester en ligne et plaqua sa paume sur le combiné avant de se tourner vers moi.

— Si on ne lui fournit pas de date, elle risque de devoir vérifier des dizaines de milliers d'appels. Plusieurs centaines de communications internationales partent chaque jour du siège de la compagnie.

— Demande-lui si elle peut restreindre sa recherche à des numéros spécifiques.

Lucy répercuta la question, écouta la réponse, remit sa main sur l'appareil.

— C'est possible, mais elle va devoir rechercher période

de facturation par période de facturation. J'imagine que sa base de données est organisée de cette façon.

Je cherchai sur la facture de Schilling les dates du premier et du quatrième appel au Salvador. Myers avait certainement participé à la planification de l'opération.

— Demande-lui de vérifier sur la période de facturation qui englobe cet intervalle de quatre jours. Si elle ne trouve rien, qu'elle vérifie sur la période immédiatement antérieure.

Lucy lui donna le numéro de téléphone de Schilling, puis celui de Fallon à San Miguel, avec les dates. Ensuite, elle se carra au fond de son canapé, le combiné contre l'oreille, et attendit.

— Elle cherche, me dit-elle.

— D'accord.

Nous échangeâmes un long regard. Lucy ébaucha un embryon de sourire, que je lui rendis. Tout se passait comme si le malaise entre nous s'était dissous dans notre effort conjoint pour retrouver Ben, comme si nous ne faisions de nouveau plus qu'un, et, à cet instant, j'eus l'impression que mon cœur s'apaisait. Mais tout à coup, Lucy fronça les sourcils et se pencha en avant.

— Je te demande pardon, Sondra ? Tu peux répéter ?

— Qu'est-ce qu'il y a ?

Elle leva une main pour me faire taire. Son front s'était creusé sous l'effet de la concentration. Elle secoua la tête, comme si elle n'arrivait pas à comprendre ce qu'elle entendait, mais je sentis au bout d'un moment qu'elle ne voulait pas l'admettre.

— Qu'est-ce qu'il y a ? insistai-je.

— Sondra a relevé onze appels adressés au numéro de San Miguel. Pas un seul vers Los Angeles, mais onze vers San Miguel. Myers en a seulement passé quatre. Les sept autres ont été passés par Richard.

— Impossible. C'est forcément Myers. Il a dû appeler sur le poste personnel de Richard.

Lucy, sonnée, secoua la tête.

— Ces appels n'ont pas été passés du bureau de Richard. La compagnie règle aussi ses factures personnelles. Richard a appelé San Miguel de chez lui.

— Est-ce qu'elle peut nous imprimer la liste des appels ?

Lucy répéta ma question à la façon d'un robot, d'une voix monocorde.

— Oui.

— Demande-lui de le faire.

Lucy s'exécuta.

— Demande-lui de nous la faxer.

Lucy donna son numéro de fax et demanda à Sondra de nous faxer la liste d'appels. Avec la voix lointaine d'une petite fille perdue au fond des bois.

La liste d'appels s'imprima sur le télécopieur quelques minutes plus tard. Nous attendîmes la fin de la transmission, penchés sur la machine comme sur une boule de cristal.

Lucy lut la liste en me pressant si fort la main que je sentis ses ongles s'enfoncer dans ma chair. Elle tenait à vérifier par elle-même. Elle répéta à haute voix le numéro personnel de Richard.

— Qu'est-ce qu'il a fait ? Mon Dieu, qu'est-ce qu'il a fait ?

Je m'étais planté sur toute la ligne. Richard avait eu tellement peur qu'il n'arrive quelque chose à Ben et à Lucy par ma faute qu'il avait décidé de prendre les devants. Il avait organisé l'enlèvement bidon de son propre fils de manière à m'en faire porter la responsabilité. Il espérait que son ex ouvrirait les yeux. Il avait voulu nous séparer pour la sauver, et il avait engagé des hommes prêts à tout – Fallon, Schilling et Ibo. Sans doute n'avait-il pas su à qui il

346

s'adressait, ni quels étaient leurs antécédents, avant que Starkey et moi n'ayons agité sous son nez le dossier Interpol de Fallon. Myers, lui, l'avait aidé à réaliser son plan. Sauf que, à partir du moment où il avait eu Ben entre les mains, Fallon avait décidé de les doubler, et maintenant Richard se retrouvait pris à son propre jeu.

— *Mon Dieu, mais qu'est-ce qu'il a fait ?*

Richard avait fait enlever Ben.

Je sortis le fax et pris la main de Lucy.

— Le moment est venu d'aller voir Richard. Je vais te ramener Ben, Luce. Je vais le retrouver.

Nous descendîmes l'escalier ensemble, rejoignîmes Pike et partîmes en voiture vers l'hôtel de Richard.

Temps écoulé depuis la disparition :
52 heures, 21 minutes

L'hôtel Beverly Hills est un énorme monstre de béton rose qui se dresse en bordure de Sunset Boulevard à l'endroit où Benedict Canyon rejoint Beverly Hills. Quelques-unes des personnes les plus fortunées du monde ont élu domicile dans cette partie de Beverly Hills que le « palais rose », comme on le surnomme, ne dépare pas, véritable joyau du style renouveau missionnaire érigé sur une petite butte. Les stars de cinéma et les cheiks orientaux du pétrole se sentent à l'aise derrière ses murs impeccables ; apparemment, Richard s'y sentait à l'aise lui aussi. Il était descendu dans un bungalow à deux mille dollars la nuitée.

Lucy savait quel bungalow et, de nous trois, c'était la seule à paraître se sentir chez elle dans cet hôtel. Pour ma part, j'avais l'air d'un fou, et Pike avait l'air de Pike.

Après avoir passé la réception, nous empruntâmes une

allée qui serpentait à travers une enfilade de jardins verdoyants parfumés de jasmin. Personne ne savait où était Ben, mais Richard, lui, était au bercail : Myers avait décroché quand nous avions appelé sa suite. Ce qui signifiait que Fallon tenait toujours Ben, et que Richard cherchait toujours à le récupérer moyennant rançon.

— Tu comptes la jouer comment ? me demanda Pike.

— Tu t'en doutes.

— Devant Lucy ?

— Il faudra bien, intervint-elle.

Les suites-bungalows qui bordaient l'allée coûtaient la peau des fesses parce qu'elles étaient isolées ; chaque bungalow était dissimulé des autres par un aménagement du paysage. J'avais plus ou moins l'impression d'évoluer dans une jungle sur mesure.

Assez loin devant nous, à hauteur d'une fourche de l'allée, Fontenot se tenait debout devant une porte. Il fumait en se dandinant d'un pied sur l'autre. Nerveux. Myers apparut sur le seuil, lui adressa quelques mots et s'éloigna dans l'allée. Fontenot réintégra la pièce que Myers venait de quitter.

— C'est le bungalow de Richard ?

— Non, c'est Myers qui est installé ici. Ce n'est pas une suite, juste une chambre. Richard est dans le bungalow d'en face.

— Attends-nous ici.

— Si tu t'imagines que je vais attendre, tu es cinglé.

— Attends-nous, Luce. Je tiens à m'occuper de Fontenot d'abord, et ensuite on ira voir Richard ensemble. Fontenot pourra peut-être nous aider, et ça ira beaucoup plus vite si tu nous attends.

— Fontenot nous aidera, opina Pike. Je te le promets.

Lucy jeta un coup d'œil sur Joe et finit par hocher la

tête. Elle savait qu'il ne parlait pas en l'air et que la vitesse était un élément clé.

Elle resta immobile dans l'ombre de l'allée pendant que Joe et moi nous dirigions vers la porte de la chambre de Myers. Nous ne nous donnâmes pas la peine de frapper ni de nous faire passer pour le room service ou autre finasserie de ce genre ; Pike expédia dans la porte un coup de tatane d'une telle puissance que la poignée s'encastra dans le mur. Nous en étions déjà à notre troisième porte enfoncée en vingt-quatre heures... mais à quoi bon compter ?

Fontenot regardait la télévision, les pieds sur le lit. Son pistolet était posé au sol à côté de lui, mais Pike et moi fûmes dans la place avant qu'il ait eu le temps de faire un geste pour l'atteindre. Il hésita en voyant nos deux armes braquées sur lui, s'humecta les lèvres.

— Vous avez vu DeNice ? lançai-je. Vous avez vu ce qu'ils lui ont fait ?

Fontenot se leva en tremblant. Il clignait des yeux comme quelqu'un qui vient de passer une sale journée. La piaule empestait le bourbon.

— C'est quoi, cette connerie ? Qu'est-ce qui vous prend ?

D'un coup de pied, je repoussai son calibre sous le lit.

— Richard est dans sa suite ?

— Je ne sais pas où il est. Dégagez. Vous n'avez rien à foutre ici.

Pike le frappa en pleine poire avec son 357, comme lors de leur première rencontre. Fontenot s'effondra sur le matelas. Pike arma et lui enfonça le canon dans l'oreille.

— On sait tout, dis-je. On sait que c'est Richard qui les a engagés pour enlever Ben. On sait qu'il a fait ça pour me foutre dans la merde et que ça lui est retombé dessus.

Est-ce qu'il est en négociation avec ces enfoirés ? Est-ce qu'il a conclu un marché avec eux pour récupérer son fils ?

Fontenot ferma les yeux.

— *Est-ce que Ben est vivant ?*

Il voulut dire quelque chose, mais sa lèvre inférieure tremblait trop. Il pressa convulsivement les paupières comme s'il ne voulait plus rien voir.

— Debbie... Ils lui ont... coupé la tête, bredouilla-t-il.

— EST-CE QUE BEN EST VIVANT ? hurlai-je à deux centimètres de son oreille.

— Richard n'a pas assez de fric. Ils veulent du cash, et il n'a pas pu en réunir assez. Ils lui ont juste laissé quelques heures. On a une partie du fric, mais pas tout. C'est pour ça que Debbie est allé les voir, et regardez ce qu'ils ont fait de lui. On s'est défoncés toute la journée pour essayer d'arranger les choses, mais regardez, regardez ce qu'ils ont fait...

Je sentis un léger mouvement derrière moi. Lucy était sur le seuil.

— Combien demandent-ils pour nous rendre mon fils ? interrogea-t-elle.

— Cinq millions. Ils veulent cinq millions en cash, mais Richard n'arrive pas à les avoir. Il s'est démené toute la journée, mais on n'a que ça.

Fontenot indiqua le placard d'un geste et fondit en larmes.

J'ouvris le placard et y trouvai un gros sac de voyage en toile noire. Il était plein de liasses de billets de cent dollars, mais, apparemment, ce n'était pas assez.

Dès que Myers nous eut ouvert la porte, je poussai violemment Fontenot à l'intérieur de la suite. Richard était hagard ; à voir l'état de ses cheveux, on aurait pu croire qu'il avait consacré son après-midi à se passer la main dedans. Myers lui-même semblait abattu. Richard tenait à deux mains son téléphone portable, comme une bible.

— Sortez, dit-il. Faites-les sortir d'ici, Lee.

Pike laissa tomber le sac de voyage au milieu de la pièce.

— Ça vous évoque quelque chose ?

Une ombre de sourire fit frémir un coin de la bouche de Myers. Peut-être était-il soulagé.

— On dirait qu'ils ont trouvé le fric et qu'ils savent où nous en sommes, soupira-t-il.

Lucy entra dans le sillage de Joe. Richard écarquilla les yeux et se passa une main dans les cheveux. À croire que c'était devenu un tic nerveux.

— Ils ne savent rien du tout, fit-il. Fermez-la, Lee.

Myers lui jeta un regard dur.

— Laissez tomber. Il serait temps d'arrêter de jouer avant que cette connerie n'ait vraiment dégénéré. On a perdu la main, Richard. Ouvrez les yeux, bon Dieu.

Lucy était aussi raide qu'une statue. Les jambes serrées, le visage fermé. Les sourcils froncés à tel point qu'on voyait à peine ses yeux.

— Espèce de fils de pute égoïste, gronda-t-elle. Où est mon fils ?

Les yeux de Richard zigzaguèrent comme deux papillons de nuit pris au piège d'une bougie. Sa mâchoire inférieure se décrocha, on aurait dit qu'il avait vieilli de mille ans depuis la veille Je ne me sentais plus en colère ; je me sentais vide – et terriblement inquiet pour Ben.

351

Richard était tellement affolé que je préférai me tourner vers Myers.

— Où en est Fallon, Myers ? Comment est-ce qu'il a décidé de jouer la partie ?

— *Fermez-la !* glapit Richard.

Myers réagit plus vite que je ne l'en aurais cru capable ; il empoigna Richard par le col et le poussa vers le lit.

— Ils savent. Enfoncez-vous ça dans le crâne, Richard – *ils savent !* Et maintenant, tâchons de nous remettre au boulot. Votre fils attend toujours.

Après l'avoir poussé une deuxième fois, Myers se tourna vers le sac de voyage.

— Il y a trois millions deux là-dedans, mais ils en demandent cinq. On a essayé de les raisonner, mais voyez-vous, dans ce genre d'affaire, personne n'a confiance en personne. Le meurtre de DeNice a été leur réponse.

Myers contourna le sac et vint se planter face à moi.

— Fallon sait ce qu'il fait, Cole. Il nous a harcelés toute la journée, en remettant sans cesse la pression pour nous empêcher de reprendre notre souffle. Avant ce matin, on n'avait rien vu venir. Les rebondissements se sont enchaînés à vitesse grand V dans la journée. L'embrouille a commencé ce matin.

— Et maintenant, où en êtes-vous ?

— Fallon nous a donné la journée d'aujourd'hui pour réunir le fric et c'est tout. Une journée ouvrable, rien de plus. Richard doit les rappeler à neuf heures. C'est-à-dire dans huit minutes. Fallon a dit que ce ne serait plus la peine de rappeler ensuite. Vous savez ce qu'il fera.

— Vous auriez dû prévenir la police, dit Pike.

Myers haussa les épaules et jeta un coup d'œil sur Richard.

— Ils étaient juste censés l'éloigner quelques jours,

expliqua celui-ci. Ben devait regarder des vidéos et manger des parts de pizza jusqu'à notre intervention, voilà tout.

Lucy fit un pas vers son ex-mari.

— Tu l'as fait enlever, pauvre connard ! Tu as fait *kidnapper* ton fils ! Et tu ne l'aimes même pas assez pour le reconnaître et demander de l'aide !

— Je te demande pardon. Ça ne devait pas du tout se passer comme ça. Je te demande pardon...

Lucy le gifla, puis le frappa d'un coup de poing. Richard ne bougea pas, ne chercha pas à se protéger le visage. Lucy cogna encore et encore, avec un grognement à chaque impact – *umph, umph, umph* –, comme quand elle jouait au tennis.

— Luce...

Je lui pris doucement le bras et l'écartai.

Richard bavait comme un nourrisson. Un filet de morve lui coulait du nez. Lucy le lui avait cassé. Il s'affala au bord du lit.

— Je n'ai pas l'argent, pleurnicha-t-il, secouant la tête. Je n'ai pas réussi à l'avoir à temps. Ça ne devait pas du tout se passer comme ça. Pas du tout.

— Plus que quatre minutes, déclara Myers.

Fontenot secoua la tête.

— S'il veut vraiment le pognon, dit-il, Fallon attendra. On n'a qu'à lui expliquer qu'il nous faut encore une heure, que le fric va arriver. Il marchera.

— Non, rétorqua Pike d'une voix calme, il ne marchera pas. Il vous met la pression parce que c'est la seule manière pour lui de contrôler la situation. Il ne veut pas que vous repreniez vos esprits. Il ne veut pas vous laisser le temps de réfléchir. Il veut le fric, mais il veut aussi sortir en vie de sa mission, ce qui signifie qu'il ne vous laissera pas lever le pied. Il a planifié l'opération et il s'en tiendra à son plan.

Il fera exactement ce qu'il a dit, et après il disparaîtra dans la nature.

— Bon Dieu, grogna Fontenot, à vous entendre, on dirait que ce mec est en guerre.

Richard se massa le visage. Ses doigts se perdirent une nouvelle fois dans ses cheveux. Il semblait un peu plus calme.

— Je ne sais pas quoi faire, lâcha-t-il. Je n'ai pas la somme.

Je me tournai vers Myers.

— Qu'est-ce qui se passerait si vous aviez l'argent ?

— Il nous dirait où le retrouver et nous ferions l'échange, la rançon contre Ben.

Mon regard tomba sur le sac de voyage. C'était un gros sac : trois millions deux cent mille dollars représentaient un volume de billets considérable, mais cinq millions, c'était quasiment le double.

Je me dirigeai vers le lit et m'assis auprès de Richard. Nous échangeâmes un regard interminable, et il détourna la tête.

— Vous aimez Ben ? demandai-je.

Il hocha la tête.

— Moi aussi, soufflai-je, je l'aime.

Richard tiqua imperceptiblement ; ses yeux s'emplirent de souffrance.

— Vous ne pouvez pas savoir à quel point je vous hais, me dit-il d'une voix rauque.

— Si, je le sais. Et malgré ça, nous allons sauver votre fils ensemble.

— Vous n'avez rien écouté ? Je leur ai déjà offert les trois millions deux, et ils n'en veulent pas. Ils veulent cinq millions. C'est cinq ou rien, disent-ils, et je ne les ai pas. Je ne peux pas les avoir. Je ne sais pas quoi leur dire.

Je lui fourrai le combiné téléphonique entre les mains.

354

— Faites ce que vous savez le mieux faire, Richard. Mentez. Racontez-leur que vous avez les cinq millions en totalité et que vous êtes prêt pour l'échange.

Après avoir fixé l'appareil de longues secondes, Richard composa un numéro.

23

Temps écoulé depuis la disparition :
52 heures, 38 minutes

Richard passa son appel à vingt et une heures pile et se montra convaincant. Myers et moi écoutâmes la conversation sur le poste auxiliaire. Fallon lui ordonna d'apporter la rançon à la lisière ouest de l'aéroport de Santa Monica. En précisant qu'il devrait venir seul.

Myers et moi secouâmes la tête à l'unisson.

— Il n'en est pas question, rétorqua Richard d'une voix flageolante. Myers viendra avec moi. Il n'y aura que nous deux, et vous feriez mieux d'amener Ben. S'il n'est pas là, j'appelle les flics. Je les appellerai quoi qu'il arrive.

— Myers nous écoute ?

— Je suis là, fumier, répondit Myers.

— Rendez-vous à l'extrémité ouest de l'aéroport, du côté sud de la piste. Longez les hangars et arrêtez-vous un peu plus loin. Descendez de votre bagnole mais restez juste à côté, et attendez.

— Pas de Ben, pas de rançon, avertit Myers. Vous ne

verrez pas la couleur du fric tant que nous on n'aura pas vu le gosse.

— Le fric est la seule chose qui m'intéresse. Vous vous arrêtez, vous descendez de voiture, et vous me verrez quand j'aurai décidé que vous devez me voir. Je ne serai pas près de vous, mais vous me verrez. Et quand vous m'aurez vu, rappelez le même numéro. Pigé ?

— Oui. On vous rappelle quand on vous voit.

— Devinez ce qui se passera si je vois quelqu'un d'autre que vous deux ?

— Pas besoin de faire un dessin.

— Exact. Pas besoin. Dans quinze minutes.

Fallon raccrocha. Richard reposa le combiné et se tourna vers moi.

— Qu'est-ce qu'on fait ?

— Exactement ce qu'il vous a dit de faire. On se charge du reste.

Pike et moi partîmes au quart de tour. Nous savions que Fallon était probablement déjà à l'aéroport et qu'il se serait organisé de manière à pouvoir repérer l'approche de Richard ainsi qu'une éventuelle opération policière. La vitesse était primordiale. Nous devions arriver à l'aéroport avant Richard, demeurer invisibles et le serrer par surprise.

Je démarrai pied au plancher, Pike aussi, et nous nous élançâmes à travers la ville en trombe.

Sunset Boulevard était drapé d'une lumière bleu-violet qui se répercutait, chatoyante, sur le capot de ma Corvette. Nous doublions tous les autres véhicules, dont les feux arrière laissaient devant nous des traînées rouges liquides. Mais si grandes que fussent ma rapidité à manœuvrer et la vitesse à laquelle je roulais, je trouvais que c'était encore insuffisant. Après avoir traversé Westwood à tombeau ouvert, nous plongeâmes dans Brentwood et poursuivîmes notre route vers l'océan.

L'aéroport de Santa Monica est une petite structure à une seule piste, construite à l'époque où il n'y avait guère dans cette ville que des vaches et des champs de girofliers, au nord de l'aéroport international de Los Angeles et à l'ouest de l'autoroute 405. La ville a poussé tout autour, et aujourd'hui le terrain est cerné de maisons individuelles et de bâtiments commerciaux qui ont horreur du bruit et vivent dans la hantise d'un crash. Il n'est pas désagréable de s'acheter un bon hamburger et d'aller s'asseoir avec sur un banc face à la tour de contrôle pour voir les avions décoller et atterrir. Ben et moi avions pratiqué ce sport plus d'une fois.

Le flanc nord de l'aérodrome est pour l'essentiel occupé par des bureaux et par le musée de l'Aviation ; au sud, ce sont surtout de vieux hangars et des parkings à étages. Une bonne partie des hangars du côté sud ont été reconvertis en bureaux ou en commerces, mais beaucoup sont désaffectés ; je suppose qu'il est plus économique de les laisser à l'abandon que de les restaurer.

Je composai le numéro du portable de Myers dès que nous fûmes proches du but.

— On y est presque, Myers. Et vous, où en êtes-vous ?

— On vient de quitter l'hôtel. On sera sur place d'ici douze ou quinze minutes. Je vais prendre au plus court.

— C'est vous qui conduisez ?

— Oui. Richard est à l'arrière.

— En arrivant à l'aéroport, levez le pied. Roulez lentement pour que Pike et moi ayons le temps de nous mettre en place.

— On ne peut pas se permettre d'être en retard, Cole.

— Ils repéreront votre limousine dès que vous serez dans la zone aéroportuaire. C'est ce qui compte. Ils savent que vous n'êtes pas du coin, faites l'automobiliste un peu paumé.

— C'est ce que je suis, putain !

Malgré les circonstances, je ne pus réprimer un sourire.

— Je vous rappelle dès qu'on y est, conclut Myers.

Je descendis Bundy Drive en écrasant mon klaxon, ralentissant aux feux rouges sans m'arrêter à un seul ; deux fois, Joe Pike me dépassa. Je montais sur le trottoir pour contourner les véhicules les plus lents, je leur collais au pare-chocs arrière, je rétrogradais violemment en déboîtant sur la voie réservée au sens inverse. Je heurtai une poubelle sur Olympic Boulevard, puis un panneau de signalisation juste avant de m'engouffrer à cent à l'heure sous le pont autoroutier. Mon phare avant droit rendit l'âme.

Après avoir bifurqué vers l'océan en faisant fumer mes quatre pneus, j'attrapai mon portable.

— Myers ?

— J'écoute.

— Deux minutes.

Filant vers l'ouest, nous longeâmes le flanc nord de l'aéroport en passant devant une longue enfilade d'immeubles de bureaux et de hangars pour avions. La tour de contrôle dressait sa forme muette dans le lointain, endormie pour la nuit ; une lumière clignotante vert et blanc était le seul signe de vie qui en émanait.

Pike se rangea sur le bas-côté à hauteur du bout de la piste, mais je poursuivis sur ma lancée. Les bureaux cédèrent la place à un terrain de football, puis à un lotissement résidentiel. Je garai ma voiture un pâté de maisons plus loin et revins en courant vers la masse sombre des hangars alignés sur le côté sud du terrain d'aviation.

Fallon avait sans doute placé un homme sur le toit de l'un d'eux, et peut-être un autre quelque part sur la petite route d'accès qu'allait devoir emprunter Richard. Plusieurs voitures étaient garées le long de cette route, mais j'étais trop loin pour voir si elles étaient occupées et je n'avais absolument pas le temps d'aller les inspecter une par une. Rien à signaler au bord des toits.

Je marchai sur le côté du dernier hangar et m'arrêtai à l'angle de la façade avant pour jeter un coup d'œil. Quelques petits avions attendaient sur le tarmac, et une file de camions-citernes étaient stationnés non loin de là, livrés à eux-mêmes.

— Myers ? murmurai-je dans mon portable.

— On arrive par l'est.

— Je ne vous vois pas.

— On s'en fout. *Eux*, vous les voyez ?

— Pas encore. Allez lentement ; je ne suis pas en place.

Pike devait être en train de s'approcher du tarmac un peu plus au nord. Je ne le voyais pas, et tant mieux ; si je l'avais vu, eux aussi auraient pu le voir, ce qui aurait été une très, très mauvaise nouvelle. La masse d'une caravane servant de bureau provisoire se découpait entre deux hangars. Je m'avançai sur quelques mètres à découvert et pris position à l'arrière de cette caravane pour avoir une meilleure vue d'ensemble. Je scrutai de nouveau le bord des toits, puis les ombres qui cernaient la base des hangars, puis les camions-citernes. Rien ne bougeait. Je tendis l'oreille. Pas un son. Je cherchais une ombre ou une forme suspecte, mais tout avait l'air normal. Il n'y avait aucun autre véhicule dans les parages. Les portes des hangars étaient closes. Fallon devait être posté quelque part dans les parages, si toutefois il s'était donné la peine de venir.

— Je ne vois toujours rien, Myers, dis-je dans mon portable.

— Ils vont rester tranquilles jusqu'à notre arrivée, mais ensuite il faudra bien qu'ils bougent. Vous n'allez pas tarder à avoir de leurs nouvelles.

Je lui dis où j'étais caché.

— Ça y est, je vois la route d'accès dont il a parlé, dit Myers. Je prends le virage.

Un faisceau lumineux se déplaça entre deux hangars ; la limousine fit son apparition sur le tarmac et tourna dans ma direction. Ils n'étaient plus qu'à cinquante mètres, peut-être soixante.

La limousine stoppa.

— Je suis juste devant vous, chuchotai-je.

— Reçu. Je sors. On va devoir le rappeler.

— Ne vous pressez pas. Attendez.

La limousine s'était immobilisée, moteur en marche, phares allumés. Tapi derrière ma caravane, je voyais la totalité du tarmac et de la piste, ainsi qu'une bonne partie de la route d'accès qui longeait l'aéroport côté sud. Tout semblait calme.

— Je sors, répéta Myers. Je vais mettre mon oreillette pour qu'on reste en communication. Si vous voyez quoi que ce soit, surtout prévenez-moi, bon Dieu.

La portière droite s'ouvrit, et Myers mit pied à terre. Il se posta seul à côté de la limousine.

Je scrutai de nouveau le bord des toits et la route d'accès, cherchant à repérer la forme caractéristique d'une tête ou d'une épaule humaine, mais ne vis rien. Je fouillai du regard les ombres du tarmac – toujours rien.

Le troisième camion-citerne à partir de la queue lança un appel de phares.

— Myers ?

— J'ai vu, répondit-il en un souffle. Richard est en train d'appeler.

Je m'efforçai de distinguer l'intérieur du camion, mais il était trop loin et trop baigné d'ombre. Je dégainai mon pistolet et le pointai sur sa calandre. La crosse me parut glissante. Dès que j'aurais vu Ben, je pourrais ranger mon portable ; il me serait plus facile de viser à deux mains.

— Dites-lui de descendre avec Ben, lâchai-je. Dites-lui de montrer Ben.

Pike devait être arrivé à l'autre bout des hangars. Il devait être plus près du camion que moi. Il tirait mieux que moi.

— Richard est en train de lui parler, fit Myers. Il va sortir pour lui montrer la rançon. Fallon exige de voir les sacs.

— Ne faites pas ce qu'il vous dit. Demandez-lui de montrer Ben.

— Richard a peur.

— Myers, demandez-lui de montrer Ben ! Je ne vois pas Ben !

— Ben est au téléphone.

— Ça ne suffit pas ! Il faut qu'on le voie !

— Surveillez ce putain de camion. Richard va leur montrer le fric.

Une portière arrière de la limousine s'ouvrit. Myers aida Richard à en sortir avec les gros sacs de voyage, et quand ce fut fait, tous deux se retournèrent vers le camion. Trois millions de dollars, ça pèse son poids, et cinq millions, c'est encore plus lourd.

— Montre-toi, fumier, entendis-je Myers grommeler dans sa barbe.

Les phares du camion clignotèrent encore. Nous étions tous en attente. Nous avions tous les yeux rivés sur le camion-citerne.

Vingt pas derrière Richard et Myers, une forme bougea entre les barils de kérosène qui étaient entreposés devant un des hangars. À la seconde où je captais le mouvement, Myers se retourna. Schilling et Ibo surgirent des ombres, l'arme au poing. J'avais observé ces barils à plusieurs reprises sans jamais rien remarquer.

— MYERS ! hurlai-je.

362

Leurs mains devinrent de minuscules soleils qui irradièrent leurs visages d'une clarté rougeoyante. Myers s'effondra. Les deux hommes continuèrent à le cribler de balles jusqu'à être arrivés à hauteur des sacs de voyage, et tirèrent ensuite sur Richard. Celui-ci bascula en arrière et s'écroula à l'intérieur de la limousine.

Après avoir tiré deux fois coup sur coup dans leur direction, je m'élançai en hurlant vers le camion-citerne. Je m'attendais à le voir démarrer en grondant ou à voir des langues de feu jaillir de la cabine, mais rien ne se passa. Je courais comme un dératé, sans cesser d'appeler Ben.

Derrière moi, Schilling et Mazi jetèrent les sacs dans la limousine et montèrent dedans.

Pike jaillit sur le tarmac à l'autre bout de la file de camions et ouvrit le feu au moment où la limousine démarrait en faisant crisser ses pneus. Nous avions tous cru qu'ils arriveraient et repartiraient dans leur propre véhicule, et nous avions eu tort : ils avaient prévu dès le départ de s'emparer de la limousine, et c'était exactement ce qu'ils venaient de faire.

Plié en deux, je rejoignis le camion-citerne, mais je savais déjà, avant même d'en ouvrir la portière, qu'il était vide et qu'il l'avait toujours été. Fallon avait déclenché l'allumage des phares au moyen d'une télécommande. Il était ailleurs. Avec Ben.

Quand je fis volte-face, la limousine avait disparu.

Pike

Ils sont en train de nous battre, pensa Pike. Ces salauds sont tellement forts qu'ils sont en train de nous battre.

Schilling et Ibo avaient surgi d'entre les barils de kérosène comme s'ils étaient passés par une porte invisible,

363

crachant le feu avec l'efficacité absolue d'un serpent à l'attaque. Pike avait pourtant examiné ces barils, sans les repérer. Ils avaient frappé tellement vite qu'il n'avait pas eu l'ombre d'une chance d'avertir Myers. À ce moment-là, il se trouvait trop loin de l'action pour être autre chose que le simple témoin de son exécution.

Ces types étaient les meilleurs qu'il ait jamais vus.

Pike se mit à courir, pour être à portée de tir, à l'instant où Cole poussait un premier cri. Cole et lui ouvrirent le feu quasiment à la même seconde, mais Pike savait déjà qu'il était trop tard ; le phare avant gauche de la limousine explosa, une autre balle ricocha sur son capot. La limousine démarra en trombe pendant que Cole s'élançait vers le camion-citerne. Pike ne se donna pas la peine de l'imiter : il savait déjà ce que Cole allait y trouver.

Il pivota sur lui-même, à l'affût d'un mouvement ; quelqu'un avait déclenché l'allumage des phares du camion par télécommande, et ce quelqu'un devait être Fallon, posté quelque part dans les parages avec une vision d'ensemble de la zone d'opération ; à présent que Schilling et Ibo avaient récupéré l'argent, lui aussi n'avait plus qu'à se replier ; peut-être allait-il se trahir.

Une forte détonation éclata au nord, et Pike se tourna aussitôt de ce côté-là. Ce n'était pas une détonation d'arme de poing. Un éclair de lumière illumina fugacement l'habitacle d'une voiture blanche en stationnement sur un parking, presque aussitôt suivi d'une deuxième explosion et d'un deuxième éclair.

Pike vit deux ombres bouger à l'intérieur de la voiture. Celle d'un homme, et celle d'un petit garçon.

Il appela Cole au moment où la voiture démarrait, puis quitta le tarmac en courant vers sa Jeep, malgré la foudre qui, partie de son épaule, lui enflammait le bras.

J'ai peur, pensa Pike.

Mike n'était ni Eric ni Mazi. Mike n'était pas du genre grande gueule, il n'écoutait pas la radio, et il n'avait pas eu un regard pour les bimbos qu'ils avaient dépassées sur les trottoirs de San Vicente Boulevard. Il ne parlait que pour donner des ordres. Il ne regardait Ben que pour s'assurer que ses ordres étaient compris. Point barre.

Ils s'engagèrent sur un parking de l'aéroport et attendirent, moteur en marche. Pas un instant Mike ne coupa le moteur. Comme s'il avait trop peur de ne pas pouvoir redémarrer quand il en aurait besoin. Au bout d'un certain temps, il leva ses jumelles pour mater quelque chose de l'autre côté de la piste, nettement trop loin pour que Ben soit capable de deviner ce que c'était.

Son fusil à pompe était coincé entre ses genoux, le canon contre le plancher. Ce n'était pas un fusil classique, comme l'Ithaca que son grand-père lui avait offert pour Noël ; celui-là avait un canon hypercourt, et une crosse noire, et le pontet était équipé d'un petit cran qui, Ben le savait, commandait la sûreté. Elle était déverrouillée. À tous les coups, pensa Ben, il a une balle chambrée, prête à gicler. Comme Eric.

Il lui jeta un coup d'œil oblique, mais Mike était concentré sur ce qui se passait de l'autre côté de la piste.

Mike lui faisait peur. Eric et Mazi aussi avaient peur de Mike. Si Eric avait été à sa place, avec cette paire de jumelles, Ben aurait tenté de choper le fusil. Il n'avait qu'à mettre la main sur la détente, et le coup partirait. Mais là, c'était Mike. Mike lui faisait penser à un cobra endormi, lové et prêt à mordre. Même quand il donnait l'impression de dormir, il ne fallait jurer de rien.

Mike baissa ses jumelles, juste le temps d'attraper sur la planche de bord ce qui ressemblait à un petit boîtier du genre talkie-walkie, et les remit à hauteur d'yeux. Il appuya sur un des boutons du boîtier, et une lumière clignota de l'autre côté de la piste. Il chuchota quelques mots dans son téléphone portable et colla l'appareil contre l'oreille de Ben.

— C'est ton papa. Dis quelque chose.

Ben prit le téléphone à deux mains.

— Papa ?

Son père sanglota bruyamment, et d'un seul coup Ben se mit à chialer comme un bébé, avec un flot de larmes et de drôles de hoquets.

— Je veux rentrer à la maison, p'pa… !

Mike lui arracha le portable des mains. Ben voulut le reprendre, mais Mike l'éloigna en le tenant à bout de bras. Ben griffa, mordit, essaya des coups de poing, mais le bras de Mike était une colonne d'acier. Sa main lui serra si fort l'épaule que Ben crut qu'il allait la transformer en compote.

— Tu vas t'arrêter ? demanda Mike.

Ben se pelotonna sur la banquette, aussi loin que possible, embarrassé et honteux. Il pleura de plus belle.

Mike rangea son portable et se remit à mater dans ses jumelles. Il appuya de nouveau sur le bouton du talkie-walkie et, cette fois, les phares lointains restèrent allumés.

Plusieurs détonations claquèrent de l'autre côté du terrain d'aviation et, voyant Mike se raidir, totalement concentré sur ce qui était en train de se passer là-bas, Ben pensa : *Maintenant !*

Il bondit brusquement sur la banquette. Ses doigts se refermèrent sur le pontet du fusil à pompe à la seconde où Mike lui attrapait le bras, mais Ben était déjà en train d'actionner la détente. Le coup partit comme une bombe, avec un recul qui catapulta la crosse contre le volant. Ben pressa la détente une deuxième fois, aussi vite qu'il put, et le fusil cracha un nouveau coup de tonnerre, qui perfora une deuxième fois le plancher de la bagnole.

Mike lui fit lâcher prise avec une facilité déconcertante, comme s'il déchirait une feuille de papier, et le repoussa sur son siège. Ben se couvrit la tête de ses bras, persuadé que Mike allait le cogner ou peut-être même le tuer, mais Mike remit le fusil à pompe à sa place et commença sa manœuvre pour ressortir du parking.

Une fois qu'ils furent lancés sur la route, il décocha à Ben un coup d'œil oblique.

— T'es un vrai petit dur, mon salaud.

Dommage que j'aie loupé mon coup, pensa Ben.

24

Temps écoulé depuis la disparition :
53 heures, 32 minutes

La voiture de Fallon était en train de s'éloigner sur le parking nord, fonçant vers la sortie. Il allait devoir longer le terrain de football et le musée de l'Aviation, puis passer entre les immeubles de bureaux pour rejoindre Ocean Boulevard. Arrivé là, on ne le reverrait plus.

Je tremblais si fort que mes doigts étaient raides comme des baguettes ; je réussis tout de même à enfoncer la touche de numérotation rapide qui me permettait de joindre directement Pike.

— Allez, Joe, réponds ! *Vite !*

La voiture bifurqua à l'extrémité du terrain de football et commença à reprendre de la vitesse. Un coupé blanc de taille moyenne, à vue de nez un deux-portes. Fallon avait sans doute prévu de retrouver Schilling et Ibo quelque part. La limousine de Richard était trop grosse, trop repérable, surtout avec un phare en moins. Ils ne tarderaient pas à s'en débarrasser.

Pike me répondit enfin :

— Je démarre.

— Il roule vers l'est, m'écriai-je, un coupé deux-portes, au bout du terrain de foot... Il passe devant le musée... Il va ressortir sur Ocean. Je l'ai perdu !

Je cessai de parler et me mis à courir vers ma voiture. À fond, mon portable dans une main, le Sig Sauer de Pike dans l'autre, je longeai les hangars, puis les maisons du lotissement. Pike devait être en train de rouler au nord vers Ocean Boulevard et ensuite il bifurquerait vers l'est. Et là, soit il rattraperait le coupé de Fallon à sa sortie de l'aéroport, soit tout serait fini.

Une dame promenait son petit chien orange au beau milieu de la chaussée. Elle me vit foncer droit sur elle avec mon flingue et mon portable. Elle n'essaya ni de s'enfuir ni de sonner à la porte d'une maison. Elle se mit simplement à sautiller d'un pied sur l'autre en hurlant *aïe, aïe, aïe*, pendant que son clebs tournait autour d'elle en petits cercles pathétiques. Cette femme était simplement sortie faire un tour, et l'idée m'effleura que si elle avait le malheur d'essayer de s'interposer, je l'abattrais sans hésiter, elle et son chien. Ce n'était plus moi. Ça n'avait plus rien à voir avec moi. Bienvenue dans la folie.

Je me jetai derrière le volant de ma Corvette et démarrai si brutalement que je fis une embardée ; l'aiguille du compte-tours plongea dans le rouge.

— Joe ?

— Sur Ocean, vers l'est.

— *Et lui ? Il est où ?*

— Ne gueule pas comme ça. Il roule vers l'est sur Ocean – attends, il est en train de tourner au sud sur Centinela. Je l'ai, Elvis. Il y a six voitures entre lui et moi.

Centinela ? C'était dans mon dos. Je tirai à fond sur le frein à main pour bloquer le train arrière et ma Corvette

369

pirouetta à cent quatre-vingts degrés en hurlant. Des klaxons protestèrent un peu partout, mais ils semblaient lointains.

— Myers est mort ! criai-je dans mon portable. Ils ont aussi tiré sur Richard ! Il est touché, je l'ai vu partir en arrière et tomber dans la limousine ! Je ne sais pas s'ils l'ont tué !

— Calme-toi, Elvis. On roule toujours vers le sud. Fallon ne se doute de rien.

Fallon conduisait certainement avec prudence pour éviter de se faire siffler par un agent de la circulation, mais de mon côté je n'avais qu'un seul impératif : le rattraper. J'accélérai et me retrouvai bientôt à cent trente dans une ruelle, freinai à mort pour m'engouffrer dans une avenue parallèle à Centinela, remontai en quelques secondes à cent soixante.

— Où est-il, Joe ? Donne-moi le nom des rues que vous croisez !

Ma voiture décolla sur un dos-d'âne, mais j'accélérai encore dès que ses roues eurent repris contact avec le bitume. Pike me donnait maintenant au fur et à mesure le nom des rues qu'il croisait. Je grignotai mon retard petit à petit, rue par rue, et finis par passer en tête. Je bifurquai vers Centinela en dérapant des quatre pneus ; je fis péter une soupape à ma sortie du virage. Une fumée noire tourbillonna dans mon sillage, et mon moteur cliqueta bruyamment.

— Il prend de la vitesse, dit Pike.

J'étais tout près de Centinela et je me rapprochais encore, plus que trois blocs, plus que deux. J'éteignis mes phares et stoppai brutalement au ras du trottoir une demi-seconde avant que le coupé blanc de Fallon n'apparaisse au carrefour et ne bifurque en direction de l'autoroute. Ben, assis côté passager, regardait fixement par la fenêtre.

— Je l'ai, Joe ! Ça y est, je le vois !

— Repars derrière moi quand j'aurai tourné.

Fallon n'alla pas loin, ce qui n'était guère surprenant. Il avait préparé son coup. Ils allaient changer de véhicule et se débarrasser de Ben, ainsi que de Richard si celui-ci était encore vivant. Tous les kidnappings se terminent de la même façon.

— Il ralentit, m'avertit Pike.

Le coupé de Fallon passa sous le pont de l'autoroute et bifurqua de nouveau.

Pike ne le suivit pas. Je le vis éteindre ses phares et garer sa Jeep le long du trottoir au coin du carrefour pour observer. Je l'imitai. Au bout d'un certain temps, il redémarra en douceur et s'engagea dans la rue qu'avait prise Fallon. Nous longeâmes au pas plusieurs entrepôts de matériel de construction, puis une clinique vétérinaire et atteignîmes une rangée de maisonnettes. Un hurlement de chien monta des profondeurs de la clinique. Il avait l'air de déguster.

Pike se gara sur un parking et descendit de sa Jeep. Je le suivis. Nous refermâmes nos portières le plus discrètement possible, et Pike m'indiqua du menton, de l'autre côté de la rue, une maisonnette dans la cour de laquelle fleurissait un gros écriteau À VENDRE.

— Celle-là.

La limousine était aux trois quarts dissimulée derrière la bicoque, et le coupé blanc s'était avancé aussi loin que possible sur l'allée. Une berline bleu nuit était stationnée dans la cour, devant la maison. Sûrement le véhicule à bord duquel ils avaient prévu de filer. Des lumières vacillaient à l'intérieur de la maison. Fallon et Ben n'étaient pas là depuis plus de deux minutes, la limousine depuis plus de trois. Je me demandai si le cadavre de Richard gisait à l'arrière, s'ils l'avaient achevé pendant le trajet. Le chien hurla.

Je m'apprêtais à traverser la rue, mais Pike me retint par le bras.

— Tu as un plan, Elvis ? Ou tu vas te contenter de flanquer un grand coup de pompe dans la porte ?

— Tu sais très bien ce qui va se passer. Le temps presse.

Pike me dévisagea. Aussi paisible qu'une forêt endormie au-dessus de laquelle planerait un gros cumulus d'orage.

Je me dégageai, il avança d'un pas. Me saisit la nuque et attira mon visage à quelques millimètres du sien.

— Ne me claque pas entre les doigts.

— Ben est là-dedans, Joe.

Pike maintint sa prise.

— À l'aéroport, dit-il d'une voix douce, ils étaient juste devant nous, et on n'a rien vu venir. Ils nous ont battus à plate couture, Elvis. Tu sais ce qui arrivera s'ils nous battent encore cette fois.

J'inspirai profondément. Pike avait raison. Pike avait presque toujours raison. Des ombres bougeaient derrière les rideaux. Le chien hurla plus fort.

— D'accord, finis-je par dire. Vérifie les fenêtres de l'autre côté. Je vais remonter l'allée. On se retrouve à l'arrière. Ils sont probablement entrés par le jardin. Ils sont pressés, ils n'ont peut-être pas refermé la porte à clé.

— Contrôle-toi. On pourra peut-être les descendre d'une fenêtre, mais si on doit entrer, je veux qu'on entre ensemble.

— Je sais. Je sais ce qu'il faut faire.

— Alors, faisons-le.

Nous nous séparâmes aussitôt après avoir traversé la rue. Pike se dirigea vers le côté le plus éloigné de la maison pendant que je m'avançais dans l'allée. Les fenêtres étaient tendues de voilages qui n'empêchaient pas de voir à l'intérieur. Les deux premières donnaient sur un séjour tout sombre, mais le couloir qui le bordait était éclairé. Les deux suivantes donnaient sur une salle à manger vide, et j'atteignis ensuite les deux dernières fenêtres de ce côté-ci de la maison. Elles étaient inondées de lumière. Je m'écartai du mur de façade afin de ne pas être pris dans leur halo et me cachai dans l'ombre d'un gros buisson qui poussait dans le jardin des voisins pour regarder ce qui se passait à l'intérieur. Mazi Ibo et Eric Schilling étaient ensemble dans la cuisine. À un moment donné, Ibo passa dans une autre pièce, et Schilling sortit par la porte donnant sur le jardin. Il portait deux grands sacs de toile verte sur les épaules.

Selon un vieux dicton, aucun plan de bataille ne résiste au premier contact avec l'ennemi.

Schilling fit halte à hauteur de la limousine, le temps d'accoutumer ses pupilles à l'obscurité. Il était à moins de vingt pas. Je ne bougeai pas. Je restai absolument immobile. Mon cœur faisait des bonds furieux, mais je m'interdisais de respirer.

Schilling fit un pas en avant puis s'arrêta de nouveau, comme s'il avait senti quelque chose. Il pencha légèrement la tête. Le chien hurla.

Après avoir rajusté ses sacs de toile, il dépassa le coupé blanc et s'engagea dans l'allée en direction de la cour, probablement pour mettre la rançon dans le coffre de la berline bleue. Je le suivis, d'abord à pas de loup, puis de plus en plus vite. Quand il m'entendit, il avait parcouru la moitié de l'allée. Il se mit en position accroupie et pivota prestement sur lui-même, mais c'était déjà trop tard. Le canon de mon pistolet s'écrasa violemment entre ses deux yeux ; je l'empoignai au collet pour retenir sa chute et le frappai derechef en plein visage, deux fois de suite.

Je le déposai au sol sans faire de bruit et le délestai de son calibre, que je glissai dans mon pantalon. Ensuite, je me hâtai de revenir vers la porte de la cuisine. Elle était restée ouverte, et la pièce était vide. Rien ne semblait bouger dans la maison. Il régnait un silence atroce. Ibo et Fallon pouvaient revenir à tout moment avec d'autres sacs pleins de billets, mais le silence ambiant avait pour moi quelque chose de plus effrayant encore que cette perspective. Peut-être m'avaient-ils entendu. Peut-être Fallon et Ibo étaient-ils déjà passés à l'acte. Tous les kidnappings se terminent de la même façon pour la victime.

J'aurais dû attendre Pike, mais je pénétrai dans la cuisine et me dirigeai vers le couloir. Mes tempes vrombissaient, mon cœur était emballé. Peut-être est-ce la raison pour laquelle je n'entendis Fallon arriver derrière moi que trop tard.

Ben

Mike engagea son coupé dans une étroite allée privée attenante à une petite maison obscure.

— Où est-ce qu'on est ? s'enquit Ben.

— Au terminus.

Mike le sortit de la bagnole et le traîna à l'intérieur de la maison. Eric les attendait dans une cuisine défraîchie, aux murs roses graisseux, où il n'y avait plus qu'un trou sale et béant à l'emplacement du frigo. Deux grands sacs de toile verte étaient posés sur le parquet. Des moutons de poussière gros comme des pékinois se blottissaient dans les coins.

— On a eu un problème là-bas, dit Eric à Mike. Viens voir.

— Avec le fric ?

— Non, avec la tête de nœud.

Ils suivirent Eric hors de la cuisine et entrèrent dans une

petite chambre. La première chose que vit Ben, ce fut Mazi en train de remplir de billets deux autres sacs verts, mais tout de suite après il repéra son père. Richard Chenier était affalé par terre au pied d'une cloison, les mains plaquées sur son estomac. Il y avait du sang partout sur son pantalon et sur ses bras.

— PAPA !

Il s'élança vers lui sans que personne cherche à l'en empêcher. Son père fit entendre un gémissement quand il se jeta dans ses bras, et Ben fondit en larmes. Lorsqu'il sentit le sang poisseux sous ses doigts, ses sanglots redoublèrent.

— Hé, fiston. Hé...

Son père lui caressa la joue et se mit lui aussi à chialer. L'idée qu'il puisse mourir traversa l'esprit de Ben, insoutenable.

— Je suis navré, fiston... Tellement navré... Tout ça est ma faute.

— Tu vas t'en sortir ? Dis, papa, ça va aller, hein ?

Les yeux de son père étaient si tristes que Ben sanglota de plus belle ; il avait du mal à respirer.

— Je t'aime tellement, souffla son père. Tu le sais, n'est-ce pas, fils ? Je t'aime.

La réponse de Ben resta coincée dans sa poitrine.

Mike et Eric discutaient dans son dos, mais Ben ne les entendait pas. Au bout d'un certain temps, Mike s'accroupit à côté de lui pour examiner la blessure de son père.

— Laissez-moi voir ça. On dirait que vous vous en êtes pris une dans le foie. Ça ne craint pas trop. Vous arrivez à respirer ?

— Espèce de fumier ! Fils de pute, ordure...

— Vous respirez au poil.

Eric s'approcha à son tour, debout derrière Mike.

— Il s'est retrouvé dans la bagnole en tombant. Qu'est-ce que je pouvais faire ? Il fallait qu'on foute le camp, mais ce connard s'était vautré sur la banquette arrière.

Mike se releva, jeta un coup d'œil sur les liasses.

— Ne t'occupe pas de ça pour le moment. On continue comme prévu. Finissez d'emballer les biftons et mettez-moi tout ça dans la bagnole. Il n'y a aucun problème. On s'occupera d'eux avant de partir.

— Il y avait quelqu'un d'autre à l'aéroport, insista Eric.

— On s'en tape. C'était Cole. Il doit être toujours là-bas, en train de tourner en rond.

Mike et Eric laissèrent Mazi s'occuper de la rançon et passèrent dans une pièce voisine.

Ben se pelotonna contre son père.

— Elvis va venir nous sauver, murmura-t-il.

Richard réussit à se redresser très légèrement, avec une grimace de douleur. Mazi leur lança un regard par-dessus son épaule avant de revenir à ses liasses.

Richard fixa sa main pleine de sang, comme s'il n'avait jamais vu cette couleur, et regarda intensément son fils dans le blanc des yeux.

— C'est ma faute, dit-il. Tout ce qui s'est passé, l'arrivée de ces monstres dans notre vie, ton enlèvement, c'est ma faute. Il n'y a pas plus stupide que moi.

Ben ne comprit pas. Il ne savait pas pourquoi son père disait ça, mais une bouffée de terreur l'étreignit, et il se remit à pleurer de plus belle.

— Non, papa, ce n'est pas vrai ! T'es pas stupide !

Son père lui caressa le front.

— Je voulais juste te récupérer...

— Ne meurs pas.

— Tu ne me comprendras jamais, et personne d'autre

376

ne me comprendra, mais je veux que tu te souviennes que je t'aimais...

— Ne meurs pas !

— Je ne vais pas mourir. Toi non plus.

Son père observa Mazi à la dérobée, et son regard revint se poser sur Ben. Il lui caressa le front, attira sa tête contre la sienne et lui planta un baiser sur la joue.

— Je t'aime, mon fils, lui murmura-t-il. Et maintenant, va-t'en. Sauve-toi, et surtout ne te retourne pas.

La tristesse qui imprégnait la voix de son père l'épouvanta. Ben se blottit contre lui.

— Je te demande pardon, souffla Richard, et ce fut comme une caresse au creux de son oreille.

Au moment où son père l'embrassait encore une fois, un choc sourd se fit entendre dans une autre pièce. Mazi se redressa de toute sa hauteur, les mains pleines de billets, et tout à coup Mike poussa Elvis Cole dans la chambre. Elvis tomba sur un genou et cilla à plusieurs reprises, le regard vague. Il saignait à la tête. Mike lui enfonça le canon de son fusil à pompe dans la nuque et, regardant Mazi :

— Fous-le dans la baignoire et sers-toi de ton surin. Le fusil ferait trop de bruit. Ensuite, occupe-toi des deux autres.

Un long poignard, dont la fine lame rappelait la couleur d'une flaque d'huile à la surface de l'eau, se matérialisa dans la main de Mazi.

Son père répéta la même phrase, cette fois d'une voix ferme :

— Sauve-toi !

Richard réussit péniblement à se lever et chargea Mazi avec une furie que Ben ne lui avait jamais vue. Il poussa l'Africain dans le dos et le précipita de toutes ses forces contre Elvis et Mike ; le fusil à pompe de ce dernier cracha la foudre, et son coup de tonnerre résonna à travers toute la maison.

Ben se sauva.

Pike

Pike se faufila entre les buissons qui bordaient la maison aussi silencieusement qu'un courant d'air. Il arriva d'abord à la hauteur d'une chambre vide, plongée dans l'obscurité à l'exception de la porte ouverte sur un couloir illuminé. Il entendit des hommes parler à mi-voix quelque part dans la maison, sans parvenir à discerner ni qui parlait ni ce qui se disait.

Schilling apparut brièvement dans le couloir, portant deux sacs de toile, et disparut en direction du fond. Pike arma son 357.

Les deux fenêtres suivantes étaient éclairées. Pike s'approcha en prenant soin d'éviter leur rayonnement. Ibo était dans une chambre avec Richard et Ben, mais Fallon et Schilling manquaient à l'appel. Pike fut assez surpris de trouver Richard et Ben encore en vie. Fallon les garderait peut-être jusqu'au tout dernier moment au cas où il aurait besoin d'otages. Dans un monde idéal, Fallon, Schilling et Ibo se seraient trouvés tous ensemble dans la même pièce, et Pike les aurait abattus de la fenêtre pour mettre un point final à tout ce merdier. Mais là, s'il fumait Ibo, il devrait faire une croix sur l'effet de surprise en ce qui concernait les deux autres.

Cole était sans doute déjà à l'arrière de la maison, mais Pike décida de rester à son poste. Schilling et Fallon pouvaient revenir dans cette piaule à tout moment, et dans ce cas il n'aurait plus qu'à leur régler tranquillement leur compte. Pike ne voulait pas que Cole affronte ces gars-là, pas dans l'état où il était, et cela vaudrait également mieux pour Ben et pour Richard. Il cala son 357 contre une branche d'acacia pour ajuster sa visée et bascula en mode attente.

Soudain, Fallon précipita Cole dans la chambre. Le temps de l'attente était révolu. Pike se rua vers l'arrière de la maison, en quête d'une issue.

25

Temps écoulé depuis la disparition :
54 heures, 12 minutes

Les murs défraîchis de la cuisine se mirent à tanguer furieusement, et ma nuque palpita sous la violence du coup que venait de m'assener Fallon. Je m'efforçai de tenir debout, mais la pièce chavira, et je heurtai le sol. Quand je voulus me relever, ce fut comme si mes bras et mes mains moulinaient à la surface d'un océan de vinyle graisseux.

Ben.

— Par ici, connard, gronda une voix lointaine.

La cuisine s'estompa, et je tombai une deuxième fois, persuadé que le pistolet était toujours dans ma main, mais quand je baissai les yeux il n'y était plus. Quand je les relevai, je n'étais plus dans la cuisine. Une ombre immense me dominait de toute sa hauteur ; je devinai deux masses indistinctes au pied du mur opposé. Je me sentis basculer en avant et réussis à me rattraper d'une main au sol pendant que le monde, progressivement, redevenait net.

380

J'eus l'impression de sourire, mais peut-être n'était-ce qu'une impression.

— Je t'ai retrouvé.

Ben était devant moi, à trois mètres.

Derrière moi, Fallon jeta deux pistolets sur la pile de billets.

— Il avait le Colt d'Eric sur lui, dit-il à Ibo. Il faut que j'aille voir ce qui s'est passé.

— Ce connard a tué Eric ? gronda Ibo en me fixant.

— Je n'en sais rien. Fous-le dans la baignoire et sers-toi de ton surin. Le fusil ferait trop de bruit. Ensuite, occupe-toi des deux autres.

Ibo sortit un long poignard incurvé, et plusieurs voix se mirent à hurler sous mon crâne. Roy Abbott me cria de tenir bon. Crom Johnson me hurla de rester ranger jusqu'au bout. Ma mère m'appela. Rien d'autre ne comptait que Ben. J'allais le ramener chez lui – même si j'étais mort.

Au moment où Ibo faisait un pas dans ma direction, Richard Chenier me regarda dans le blanc des yeux comme s'il me voyait pour la seule et unique fois de son existence, et se leva. Son mouvement ne fut ni rapide ni précis, mais il se rua à travers la petite chambre avec la détermination d'un père prêt à tout pour sauver son enfant. Le fusil à pompe cracha le feu juste au-dessus de ma tête. Richard percuta Ibo par-derrière et reçut la balle en plein flanc. Ibo me bouscula, et je bousculai Fallon à la seconde où une deuxième balle de fusil déchiquetait la cuisse de Richard. Je réussis à lever le canon tandis qu'Ibo se retournait en brandissant son couteau. À l'instant où la troisième balle transperçait le plafond, je vis Ben s'élancer vers la porte.

Je tentai un coup de coude en aveugle, mais Fallon l'esquiva et me frappa au visage avec son fusil. J'empoignai le canon, le coinçai sous mon bras et tirai dessus de toutes mes forces, mais Fallon ne lâcha pas prise. Nous heurtâmes le mur et rebondîmes jusqu'au centre de la pièce, entrelacés avec ce fusil dans une danse diabolique. Je lui envoyai un coup de tête qui lui broya le nez. La mâchoire barbouillée de morve rouge, Fallon tira violemment sur son fusil avant de le lâcher d'un seul coup, et je perdis aussitôt l'équilibre. Je partis en arrière, avec le fusil entre les mains, pendant que Fallon récupérait le Colt de Schilling sur les liasses de billets. Le tout s'était déroulé en quelques microsecondes, peut-être moins. Ben hurla.

Pike

Pike contourna l'angle de la maison en brandissant son pistolet à deux mains, armé et prêt à tirer. Personne dans le jardin. Il se coula ensuite jusqu'à la porte de la cuisine. Il s'attendait à y trouver Schilling, mais la pièce était déserte. Il aurait préféré connaître la position de Schilling avant de passer à l'attaque, mais Fallon risquait d'abattre Cole d'une seconde à l'autre.

Il entra sans bruit et s'approcha du couloir, tenant toujours son pistolet à bout de bras, malgré la douleur qui lui brûlait l'épaule et sa prise incertaine. Le parquet grinça sous son poids, mais Pike continua. Il était en train de jeter un coup d'œil par-dessus son épaule en direction de la porte du jardin, au cas où Schilling arriverait derrière lui, quand le fusil à pompe de Fallon fit entendre deux détonations – BOUM, BOUM – tellement puissantes que la maison trembla sur ses bases.

Pike accéléra, prit le couloir et s'engouffra dans la chambre, n'obéissant plus qu'à son instinct parce que penser, à ce stade, l'aurait ralenti. Fallon et Elvis étaient engagés dans un furieux corps-à-corps ; Elvis bascula en arrière avec le fusil à pompe dans les mains. Pike fonça sur

Fallon dans la foulée, le doigt crispé sur la détente de son 357, prêt à l'achever d'une balle dans la tête.

— J'ai le gosse ! cria Ibo.

L'Africain avait soulevé Ben du sol et le tenait devant lui comme un bouclier, le poignard sur sa gorge.

Pike braqua aussitôt son arme sur Ibo, mais l'angle n'était pas bon, et sa main pas assez ferme. Fallon vit Pike au même instant ; il redressa le bras à une vitesse inhumaine, impossible, et le 357 de Pike revint sur lui ; Pike crut le temps d'un éclair que Fallon allait le refroidir, mais celui-ci hésita quand il vit Cole se relever et pointer sur lui le fusil à pompe, en hurlant pour attirer son attention ; les quatre hommes se figèrent dans un de ces instants où, entre deux pulsations, le cœur humain ne bouge plus.

Schilling

Lorsqu'il entendit la fusillade et les cris, la certitude qu'il allait mourir secoua Schilling comme une décharge. Il se réveilla en Afrique, persuadé que les troupes gouvernementales étaient en train de tirer sur ses hommes dans leur sommeil. Il voulut attraper son fusil et se réfugier dans la forêt, mais son fusil n'était nulle part à portée de main ; Schilling se rappela alors qu'il était à Los Angeles. Il reconnut l'allée et rampa jusqu'au buisson le plus proche.

Putain, pensa-t-il. Et il vomit.

Ses idées s'éclaircirent peu à peu, mais il se sentait comme ivre, nauséeux. Il finit par se rendre compte que c'était Mazi, Mike et Cole qui criaient. L'Afrique était loin. Ils étaient tous les trois là-dedans, avec le pognon.

Il chercha son arme à tâtons sur le sol, en vain Bordel de merde. Il se mit à ramper vers la maison.

Les trois armes étaient immobiles comme des serpents prêts à mordre. Après avoir tenu Fallon en joue, je pointai le fusil sur Ibo. Le pistolet de Fallon délaissa un instant Pike pour se braquer sur moi et revint sur Pike, tandis que le 357 de Joe faisait un rapide aller-retour entre Fallon et Ibo. Ibo tenait Ben le plus haut possible, de manière à protéger sa tête et son torse. Si l'un de nous appuyait sur la détente, tout le monde tirerait, et nous finirions probablement tous consumés par le feu des armes.

— J'AI LE GOSSE ! cria Ibo en se ratatinant au maximum derrière le corps suspendu de Ben.

Richard grogna.

Ben commença soudain à se débattre. Comme s'il avait oublié le poignard, ou peut-être était-il tout simplement au-delà de la peur. Il n'avait d'yeux que pour son père.

Je visai les jambes d'Ibo. Avec le fusil à pompe de Fallon, je pouvais facilement lui en arracher une, mais ça n'arrêterait pas son couteau. Je fis un pas sur le côté, en quête d'un meilleur angle de tir. Ibo se replia dans le coin de la pièce et m'épia au ras de l'oreille de Ben, un vrai cauchemar de deux mètres dix.

— Je vais le crever !

Pike et Fallon se neutralisaient l'un l'autre, chacun tenant son pistolet à deux mains et à bout de bras.

— Vous avez vu le couteau, dit Fallon. Si vous me tirez dessus, il égorge le gosse.

— Il ne verra rien venir, lâcha Pike. Toi non plus.

— Joe ? lançai-je.

— Je suis prêt.

— Je vais le faire !

— Tu peux l'avoir, Joe ?

— Pas encore.

Je braquai mon fusil sur l'Africain. La petite chambre était moite de sueur, confinée comme une crypte.

— Repose-le, lançai-je à Ibo. Repose-le et casse-toi.

Fallon fit un pas en direction des liasses ; Pike se rapprocha d'Ibo. Pike était adossé à une cloison, moi à la cloison perpendiculaire ; Ibo était entre nous, à la jonction des deux cloisons. Ben se contorsionna, tendant le bras comme s'il cherchait à mettre une main dans sa poche.

— On veut le fric, dit Fallon. Vous voulez le gosse. Il y a moyen de contenter tout le monde.

Je le remis en joue.

— Bien sûr, Fallon, parfait, allons-y. Ibo et toi, vous n'avez qu'à déposer vos armes, on déposera les nôtres après.

Fallon esquissa un sourire crispé, pointant toujours son arme sur Pike.

— Vous d'abord, dit-il.

Richard tenta de ramener ses jambes sous lui, mais dérapa dans son propre sang. Je ne savais pas trop combien de temps il pourrait encore tenir.

— *Papa !* hurla Ben d'une voix lancinante.

Je m'approchai encore d'Ibo.

— Recule !

Ben se démena de plus belle, et sa main quitta sa poche. J'entrevis fugacement ce qu'il y avait dedans et compris son intention.

Fallon tourna de nouveau son Colt vers moi. La sueur qui dégoulinait de ses cheveux tombait sur le sol à grosses gouttes.

— Mazi ne plaisante pas, avertit-il. Moi non plus. Laissez-nous ce putain de fric, et on vous rend le gosse.

— Vous le tuerez quand même.

Tout cela ne prit que quelques fractions de seconde,

peut-être moins. Ils nous tenaient, nous les tenions, et Ben était pris au milieu.

— Ben ? lançai-je.

Il était blême de peur.

— Je vais te ramener chez toi. Tu m'entends, mec ? Je te ramène chez toi. Joe ? Tu t'occupes de Fallon ?

— Oui.

Je baissai le fusil à pompe.

Fallon pointa son pistolet sur Pike, puis le ramena sur moi. Il ne savait pas ce que j'étais en train de faire, et cette ignorance l'effrayait.

— Mazi !

— Je vais tuer le gosse !

Tenant le fusil à la verticale, pour bien montrer que je ne comptais pas m'en servir, je le déposai sur le sol. Puis je me redressai, l'œil fixé sur Mazi, et fis un pas dans sa direction. Fallon avait toujours son pistolet braqué sur moi.

— Il va le tuer, Cole ! s'écria-t-il. Et vous allez y passer aussi, bordel de merde !

Je m'approchai encore de Ben.

— Je vais le tuer ! hurla Ibo.

— Je sais. Fallon et toi, vous êtes capables de le faire. Vous n'êtes que des animaux.

J'avais parlé d'une voix douce et nonchalante, comme s'il s'agissait d'une banale observation sur leur marque de café préférée. Je m'immobilisai à une longueur de bras de Ben. Fallon était derrière moi avec son pistolet, et je ne le voyais pas, mais Pike aussi était là. Je souris tranquillement à Ben, pour lui faire sentir que j'avais besoin qu'il me fasse confiance exactement de la même manière que je faisais confiance à Joe ; que tout finirait bien parce que j'étais ici pour le ramener chez lui et que j'allais le faire.

— C'est quand tu veux, mecton, dis-je. On rentre à la maison.

Pour lui donner le feu vert. Pour lui dire vas-y, fais ce que tu pensais faire, je suis avec toi.

Ben se servit de la Silver Star comme d'une griffe et plongea ses pointes de métal dans l'œil d'Ibo. L'Africain était tellement concentré sur moi que le geste de Ben le prit de court. Il tressaillit, détourna instinctivement la tête, et ce fut alors que je passai à l'action. En saisissant la lame à pleine main, j'éloignai le poignard de la gorge de Ben au moment où un coup de feu éclatait derrière moi. L'acier s'enfonça profondément dans la chair de mes doigts, mais je ne relâchai pas ma prise ; je réussis à faire basculer la main d'Ibo par-dessus son poignet et à retourner le couteau contre lui. Ben toucha le sol, libre. Une autre détonation éclata, et encore une autre. Je n'avais aucune idée de ce qui était en train de se passer dans mon dos. Je n'avais pas la possibilité de me retourner.

Pike

Quand Cole posa le fusil à pompe au sol et s'avança vers Ibo, Fallon reprit l'avantage. Pike n'ouvrirait pas le feu tant que Ben serait en danger ; s'il abattait Fallon, Ibo n'hésiterait pas à tuer le petit ; et s'il abattait Ibo, Fallon le descendrait aussi sec, avant de retourner son arme contre Cole. Pike avait décidé qu'il n'hésiterait pas si une possibilité s'offrait à lui d'occire proprement Ibo d'une balle dans le cervelet, même si Fallon le tuait dans la foulée. Fallon s'occuperait de lui et s'en prendrait ensuite à Elvis, mais Elvis serait peut-être assez rapide pour ramasser le fusil à pompe avant que Fallon n'ait eu le temps de lui tirer dessus. Sauf qu'Ibo n'était pas stupide ; on aurait dit qu'il lisait dans ses pensées. Il souleva son otage le plus haut possible pour faire bouclier et dissimula sa tête derrière celle de Ben. La cible était trop incertaine. Pike braqua son 357 sur Fallon.

Les yeux de celui-ci bougeaient constamment ; il était en train de soupeser les possibilités qui s'offraient à lui : soit il attendait de voir ce qu'allait faire Cole, soit il descendait Pike pour tenter ensuite sa chance avec Cole. Il pouvait choisir l'option réactive ou bien, en tirant le premier, reprendre l'initiative et exercer une certaine forme de contrôle sur la situation. Le visage de Cole était en sang, et un éclat de folie dansait dans ses prunelles. Voilà ce que Fallon devait être en train de se dire. Il devait être aussi en train de se dire que Cole étant blessé, il avait une chance raisonnable de le descendre après avoir rectifié Pike. Pike se demanda si Fallon connaissait la faiblesse de son bras gauche. Fallon était un ancien Delta. Il avait appris à déceler et à exploiter la moindre faille de l'adversaire.

Il va tirer le premier, pensa Pike.

Le front de Fallon flottait au bout du canon de son pistolet, qui tremblait légèrement. Son cœur carillonnait, des perles de sueur ruisselaient sur ses tempes. Fallon aussi le tenait en joue, mais sa main à lui était ferme. Il voyait sûrement bouger le 357 de Pike. Pike sentait chez lui une acuité particulière. Oui, Fallon connaissait sa faille. Quelques centimètres à peine séparaient leurs armes.

Le canon de Fallon se haussa imperceptiblement. Il venait d'estimer qu'il pouvait gagner la partie. Il se préparait à tirer.

L ours fit claquer ses mâchoires. Il allait charger.

Du coin de l'œil, Pike observa Elvis. Puis Ben. Le bois de la crosse du 357 était glissant ; son souffle s'accéléra, mais l'ours n'avait rien à voir là-dedans, l'ours n'avait jamais rien eu à voir là-dedans. *Sa mère se réfugia à quatre pattes sous la table de la cuisine, en larmes et en sang après les coups de son père, assenés sous les yeux du petit Joe, âgé de huit ans et incapable de réagir ; le père se rua sur son fils sans défense, lui brisa le nez et retira son ceinturon ; voilà comment se passait la vie, soir après soir.* Il s'agissait de protéger ceux qu'il aimait, quel qu'en soit le prix ; rien n'était pire que de rester impuissant ; pas même la mort. Même quand l'ours risquait de l'emporter, il fallait intervenir. Joe Pike allait intervenir.

Tout en se préparant à recevoir la balle de Fallon, il lança un nouveau coup d'œil sur Ibo, à l'affût de la moindre ouverture, mais Ibo était toujours couvert par Ben. Le regard de Pike revint sur Fallon. Et sur son Colt stable comme un roc.

Je te tuerai avant de mourir, pensa Pike.

Soudain, Ibo poussa un grognement inattendu. Pike perçut un mouvement brutal, et Cole se jeta sur l'Africain. Fallon tourna la tête pour voir ce qui se passait, et Pike eut enfin sa chance. À l'instant précis où il pressait la détente, Eric Schilling se jeta sur lui, venu du couloir, le poussa dans le dos, le précipitant contre Fallon. Une douleur cuisante traversa l'épaule de Pike, et son 357 éructa une balle qui frôla l'oreille de Fallon sans l'atteindre. Fallon réagit avec une rapidité surhumaine. Il écarta le 357, immobilisa le bras droit de Pike, et essaya de le frapper au visage avec son pistolet. Pike fit un pas de côté, mais la main de Schilling s'abattit durement sur sa nuque avant de se fermer sur son épaule blessée. Une nouvelle décharge de douleur courut le long du bras de Pike, qui poussa un cri bref. Il se mit à genoux pour échapper à la prise de Schilling, attrapa les jambes de celui-ci de son bras blessé et le souleva de terre. Sourd aux plaintes de son bras, il réussit à faire passer Schilling cul par-dessus tête. Au même instant, Fallon le frappa au visage avec son pistolet et lui enfonça le canon dans l'épaule. Fallon était rapide, mais

Pike aussi. Il captura le poignet de Fallon juste avant que celui-ci n'ait eu le temps d'ouvrir le feu. Ses mâchoires se contractèrent. Il maîtrisait pour l'instant le poignet de Fallon, mais son bras blessé manquait d'énergie. Fallon allait se libérer. Il envoya un coup de tête dans la joue de Pike, suivi d'un coup de genou dans le bas-ventre. Pike ne lâcha pas prise. De l'autre côté de la pièce, Cole et Ibo étaient enlacés dans un combat quasi immobile, mais mortel, et Ben avait rejoint son père. Schilling réussit à se remettre à genoux et rampa vers le deuxième pistolet posé sur le paquet de liasses. Fallon tenta un autre coup de genou, mais cette fois Pike lui bloqua la jambe et faucha sa jambe d'appui pour lui faire perdre l'équilibre. Les deux hommes roulèrent au sol. La violence de l'impact fit lâcher son arme à Fallon. À deux pas de là, Schilling, qui venait de récupérer le deuxième pistolet, se releva et se tourna vers Pike. Celui-ci roula sur lui-même pour s'éloigner de Fallon, récupéra son 357 et tira deux fois de suite, à plat ventre : ses deux balles se logèrent dans la poitrine d'Eric Schilling. En hurlant, Schilling tira plusieurs balles dans le mur. Pike fit de nouveau feu, et cette fois tout un côté de la tête de Schilling fut emporté. Il roula derechef sur lui-même pour attaquer Fallon, mais celui-ci empoigna à deux mains le canon de son 357, et un combat désespéré s'engagea pour le contrôle de l'arme de Pike. Fallon avait deux bras valides, Pike un seul. Le visage inondé de sueur et de sang, chacun se démenait pour retourner le pistolet à son avantage. La douleur dans le bras de Pike augmentait à chaque seconde, et il se dit que son épaule allait le trahir. Fallon grogna sous l'effort, des grognements d'ours sauvage prêt à charger, *heuff, heuff, heuff*. Pike redoubla d'efforts, mais le canon du 357 se dirigeait inexorablement vers son plexus.

Il pensa que puisqu'il fallait mourir un jour, autant que ce soit ici, et pour cette sorte de cause.

Mais pas encore.

Pike se replia dans la partie la plus profonde de lui-même – un monde vert, feuillu, où régnaient le silence et la paix. Le seul lieu où Pike se sente vraiment libre, en parfaite sécurité dans sa solitude, en paix avec lui-même. Il se réfugia dans ce lieu et y puisa de la force.

Il fixa Fallon tout au fond de ses yeux d'animal enragé. Fallon devina que quelque chose venait de changer. La peur lui déforma les traits.

Le coin de la bouche de Pike se contracta.

Le canon bascula vers Fallon.

Cole

Les scarifications sur le visage d'Ibo virèrent au violet quand il essaya de retourner le poignard. C'était un homme grand et fort, qui aurait voulu continuer à vivre, mais je poussai si fort sur son poignet que la pièce autour de moi s'obscurcit et s'emplit de poussières d'étoiles. L'os céda avec un craquement sourd et son poignet se plia à angle droit. Un sanglot lui échappa. D'autres coups de feu claquèrent dans mon dos, mais ils semblaient appartenir à un monde qui n'était pas le mien.

La pointe du couteau toucha la naissance de la gorge d'Ibo. Il tenta encore d'en dévier la lame, mais je maintins fermement son bras cassé tout en appuyant de toutes mes forces sur le manche. Il fit entendre une sorte de sifflement quand le couteau entra dans sa chair. J'appuyai encore. La lame s'enfonça. Ses yeux s'écarquillèrent. Sa bouche s'ouvrit, puis se referma. J'appuyai jusqu'à ce que le poignard fût enfoncé jusqu'à la garde ; Ibo exhala un soupir, et ses yeux se perdirent dans le vague.

Je lâchai prise et le regardai tomber. Il s'affaissa comme un arbre immense et mit un temps infini à heurter le sol.

Je me retournai ; je tenais à peine debout. Eric Schilling gisait recroquevillé sur les liasses. Ben était blotti contre Richard. Pike et Fallon luttaient toujours, enchevêtrés sur le sol. Je ramassai le fusil à pompe, m'approchai d'eux en titubant et pointai le canon sur la tempe de Fallon.

— C'est fini.

Il leva lentement la tête.

— C'est fini pour toi, fils de pute. Terminé.

Fallon regarda l'œil noir du fusil à pompe, puis moi. Le 357 de Pike était entre eux. Ils se battaient pour l'avoir.

J'épaulai.

— Lâche ça, Fallon. Lâche.

Fallon jeta un coup d'œil sur Pike et hocha la tête.

Le 357 cracha le feu – BOUM ! – et je crus un instant que Joe avait été touché, mais Fallon s'affaissa contre le mur. Pike s'écarta en roulant prestement sur lui-même et se releva avec son flingue au poing, prêt à tirer au cas où Fallon réagirait, mais Fallon se contenta de contempler en clignant des yeux l'orifice ensanglanté qui fleurissait sur sa poitrine. Il paraissait surpris de le voir, même s'il avait lui-même appuyé sur la détente. Au bout d'un moment, il leva les yeux sur nous. Et mourut.

— Ben ? soufflai-je.

Je fis un pas de côté et tombai à genoux. J'avais mal. Ma main était en sang. Elle aussi me faisait mal.

— Ben ?

Ben tâchait de relever son père. Richard geignait, et l'idée me traversa qu'il s'accrochait encore à la vie. Pike m'empêcha de tomber face contre terre et me fourra un mouchoir dans la main.

— Enveloppe ta main là-dedans et occupe-toi de Ben, me dit-il. Je vais chercher une ambulance.

Je m'efforçai de me redresser, mais j'étais incapable de marcher. Je rampai jusqu'à Ben. Je le serrai dans mes bras.

— Je t'ai retrouvé, mecton. Je vais te ramener chez toi.

Ben, frissonnant de tous ses membres, se mit à bredouiller des paroles auxquelles je ne compris rien. Après avoir appelé une ambulance, Pike nous éloigna en douceur de Richard. Il lui garrotta la cuisse avec sa ceinture pour stopper l'hémorragie et fit de la chemise de Schilling une compresse pour sa blessure à l'abdomen. Pendant tout ce temps, je continuai de serrer Ben dans mes bras, sans le lâcher une seule seconde.

— Je t'ai retrouvé, marmonnai-je. Je t'ai retrouvé.

Quand les sirènes arrivèrent, ma chemise était trempée de ses larmes.

CINQUIÈME PARTIE

Retrouvé

26

Les ambulances arrivèrent avant les voitures de patrouille. Ben tenait à accompagner son père à l'hôpital, mais les ambulanciers ne l'y autorisèrent pas. D'autres sirènes se rapprochaient. Celles de la police.

— Je les attends, me dit Pike. Emmène Ben.

Ben et moi traversâmes la rue en direction de ma voiture. Le chien de la clinique hurlait toujours, et je me demandai s'il était seul. Les habitants s'agitaient dans les jardins voisins, fascinés par les ambulances. La vie dans le quartier ne serait plus tout à fait la même.

Je serrai Ben dans mes bras jusqu'à ce que la première voiture de patrouille soit là. Elle ne débroula pas en faisant crisser ses pneus comme à la télé ; elle remonta la rue lentement, ses occupants ignorant ce qu'ils allaient trouver. Nous nous assîmes dans ma voiture.

— On va appeler maman, dis-je.

Dès que Lucy eut reconnu ma voix, elle me demanda d'une voix tremblante :

— Ben va bien ? S'il te plaît, pour l'amour du ciel, dis-moi qu'il va bien !

— Vu les circonstances, il va très bien. Il y a eu de la casse, Luce. C'était moche.

— Grâce à Dieu ! Merci Seigneur, merci mille fois ! Et Richard ?

Ben resta sagement assis à côté de moi tandis que je racontais à Lucy ce qui s'était passé. Je pesai chaque mot avec soin ; je ne savais pas si Ben était au courant du rôle joué par son père et je ne voulais surtout pas qu'il l'apprenne de ma bouche. Lucy et Richard le lui diraient peut-être, mais peut-être choisiraient-ils de ne rien dire du tout. Si elle me demandait de faire comme si rien de tout ça n'était arrivé, je le ferais. Si elle me demandait de cacher la vérité à Ben, je le ferais. Si elle me demandait de mentir aux policiers et devant le juge pour couvrir le père de son fils, j'étais prêt à aller jusque-là.

Après lui avoir donné le nom de l'hôpital où Richard allait être admis, je demandai si elle préférait que je lui ramène Ben ou que nous la retrouvions à l'hôpital. Elle choisit la seconde solution et me demanda si elle pouvait parler à son fils.

Je tendis l'appareil à Ben

— Ta maman.

Ben ne desserra pas les dents pendant le trajet vers l'hôpital, mais il s'accrocha à mon bras et, sauf quand j'étais obligé de passer une vitesse ou de tourner le volant, je gardai sa main dans la mienne.

Nous arrivâmes les premiers à l'hôpital. Nous attendîmes sur un long banc du service des urgences pendant que les médecins faisaient leur office. Nous étions assis l'un contre l'autre, et mon bras était passé autour de ses épaules. Au total, Richard Chenier allait finalement passer dix huit heures sur le billard. Un sacré bail.

Deux inspecteurs de West L.A. firent leur entrée en compagnie d'un sergent-chef en uniforme. Ils demandèrent à la secrétaire des admissions comment allait la victime de la fusillade, et ensuite le plus âgé des inspecteurs s'approcha de nous. Ses cheveux blonds étaient coupés court, et il portait des lunettes.

— Excusez-moi, me dit-il. Vous êtes là pour l'homme qui s'est fait tirer dessus ?

— Non.

— C'est quoi, sur votre pantalon ?

— De la sauce barbecue.

Il s'éloigna vers la personne suivante

— Pourquoi tu as répondu non ? me souffla Ben.

— Ta maman ne va pas tarder. J'ai pas envie qu'on se retrouve coincés dans une salle d'audition avec ces mecs.

Il parut admettre mon argument.

Du coin de l'œil, j'observai le manège des flics jusqu'à leur retour au comptoir des admissions, puis je me penchai vers Ben. Un gosse de dix ans. Il avait l'air tellement petit. Il avait l'air tellement jeune.

— Comment tu te sens ? demandai-je.

— Ça va.

— Aujourd'hui, tu as vu des trucs atroces. Tu as vu des trucs vraiment dégueulasses. C'est normal d'avoir peur C'est normal d'en parler.

— J'ai même pas eu peur.

— Moi, si. J'ai eu vraiment, vraiment peur. Même encore maintenant, j'ai peur.

Ben me dévisagea, finit par froncer les sourcils.

— Peut-être que j'ai eu un tout petit peu peur.

— Tu veux une boisson, ou un autre truc ?

— Ouais ! Allons-y.

Nous étions à la recherche d'un distributeur automatique quand Lucy franchit les portes coulissantes. Sa foulée était si rapide qu'elle ne serait pas allée plus vite en courant. Nous la vîmes avant qu'elle nous voie.

— Lucy ! appelai-je.

Ben s'élança vers elle.

— Maman !

Lucy fondit aussitôt en larmes. Elle étreignit Ben avec une telle ardeur qu'on aurait pu croire qu'elle essayait de le faire rentrer en elle. Elle le couvrit de baisers et l'inonda de larmes, quoi de plus normal ? C'est ce que tous les garçons attendent de leur mère, qu'ils l'admettent ou non. Surtout dans des moments comme celui-là. J'en suis certain. C'est pour moi un fait acquis.

Je m'approchai et patientai à quelques pas. Si les inspecteurs furent intrigués, ils eurent l'amabilité de ne pas s'en mêler.

En rouvrant les yeux, Lucy me vit. Elle fondit de nouveau en larmes et m'ouvrit les bras.

— Je te l'ai ramené, dis-je.

— Oui. Oui, tu me l'as ramené.

Je les étreignis tous les deux aussi fort que possible, mais ce n'était pas encore assez.

27

Seize jours plus tard, Lucy passa chez moi pour me dire au revoir. C'était par un après-midi vif et ensoleillé. Aucun faucon ne planait dans le ciel, aucun coyote n'avait hurlé depuis très longtemps, mais la chouette était revenue nicher dans son sapin : la veille au soir, elle m'avait appelé.

Lucy et Ben avaient rendu leur appartement de Beverly Hills. Lucy avait démissionné de son poste. Ils repartaient vivre à Baton Rouge, en Louisiane. Ben était déjà là-bas, chez ses grands-parents. Je comprenais ; oui, vraiment, je comprenais. De telles horreurs n'arrivent pas aux gens normaux et ne devraient jamais arriver.

Ils ne rentraient pas pour retrouver Richard.

— Après tout ce que Ben a enduré, me dit Lucy, il a besoin d'être avec des gens familiers, dans un environnement familier. Il a besoin de se sentir en sécurité. J'ai trouvé une maison dans notre ancien quartier. Il reverra ses anciens amis.

Nous étions sur la terrasse, accoudés côte à côte à la balustrade. Nous avions souvent discuté au cours de ces seize derniers jours. Nous avions parlé de ce qu'elle comptait faire, et pourquoi ; pourtant, Lucy était toujours aussi embarrassée, mal à l'aise. Nous allions nous dire au revoir. Elle allait partir. Elle me referait signe très bientôt. Richard avait été mis en examen.

Elle et moi ne nous dîmes pas grand-chose cet après-midi-là, mais l'essentiel avait déjà été dit. C'était toujours bon pour moi d'être avec elle. Notre amour avait été beaucoup trop beau, trop unique pour finir dans un moment de malaise ou de ressentiment. Je ne voulais pas de ça.

Je lui servis un de mes plus beaux sourires, le « spécial séducteur-mais-réglo » avec battements de cils intégrés, et la gratifiai d'un léger coup de hanche. Monsieur L'Enjoué. Monsieur Brave-Mec.

— Tu me l'as déjà dit huit cents fois, Luce. Tu n'as pas besoin de le redire. Je comprends. Je crois que c'est bien pour Ben.

Elle hocha la tête, mais semblait toujours aussi mal à l'aise. Après tout, peut-être le malaise était-il inévitable.

— Tu vas me manquer, ajoutai-je. Ben va me manquer. Vous me manquez déjà.

Lucy battit plusieurs fois des cils et regarda fixement le canyon. Elle se pencha le plus loin possible au-dessus de la balustrade, espérant peut-être que je n'y verrais que du feu, ou peut-être essayait-elle de voir quelque chose qu'elle n'avait encore jamais vu.

— Putain, grommela-t-elle, je déteste ce moment.

— Tu le fais pour Ben et pour toi. C'est une bonne chose pour vous. Ça me va.

Elle repoussa la balustrade et se tourna vers moi.

— Ne le dis pas, murmurai-je. S'il te plaît, ne le dis pas.

Ce fut tout ce que je trouvai à dire pour ne pas pleurer.

— Du moment que tu le sais...

Lucy Chenier se détourna brusquement et disparut en

courant à l'intérieur de ma maison. La porte d'entrée se referma. Sa voiture démarra et s'éloigna.

— Au revoir, dis-je.

28

Deux jours après le départ de Lucy, je reçus un coup de fil. C'était Starkey.

— Vous êtes l'enfoiré le plus verni que je connaisse, m'annonça-t-elle.

— Qui est à l'appareil ?

— Très drôle. Ha, ha.

— Qu'est-ce qu'il y a ?

Joe Pike et moi étions en train de repeindre ma terrasse. Après la terrasse, nous allions repeindre ma maison. Peut-être même que je laverais ma voiture.

— Sans vouloir vous offenser, ajoutai-je, j'attends un coup de fil de mon avocat. À propos de ce petit problème de cambriolage avec effraction.

À l'autre bout de la terrasse, Pike me jeta un coup d'œil par-dessus son épaule. Ses mains, ses bras étaient gris d'enduit séché et de projections de peinture. L'agence de messagerie Stars & Stripes, que nous avions saccagée, était la propriété d'un certain Fadhim Gerella. Nous avions remboursé M. Gerella pour les dommages causés, avec une somme supplémentaire correspondant à la perte estimée de chiffre d'affaires pendant la durée de la fermeture pour travaux. M. Gerella, satisfait, avait retiré sa plainte, mais le procureur de San Gabriel, lui, ne voulait pas nous lâcher.

— Votre avocat va peut-être vous appeler, répondit Starkey, mais c'est moi qui aurai été la première à vous le dire.

— À me dire quoi ?

Pike me regarda.

— Je viens d'avoir au téléphone un pote à moi du Parker Center à propos de cette histoire. Vous êtes blanchi, Cole. Vous et Monsieur Lunettes-Noires. Les gouvernements de la Sierra Leone, de l'Angola et du Salvador — trois putains de *gouvernements*, Cole ! — ont intercédé en votre faveur. L'autre zozo et vous, vous avez liquidé trois pourris recherchés pour *génocide*, mec. Vous allez sûrement avoir droit à une putain de médaille.

Je m'assis sur la terrasse.

— Je n'entends plus rien, Cole. Vous êtes toujours là ?

— Ne quittez pas.

Je plaquai ma paume sur l'appareil et transmis la nouvelle à Pike. À aucun moment il ne quitta son enduit des yeux.

— C'est un truc qui se fête, ça, hein ? reprit Starkey. Ça vous dirait que je vous paie des sushis et huit ou dix coups à boire ? Ou peut-être que ce sera encore mieux si c'est vous qui payez, tiens ! Comme rencard, je ne suis pas du genre ruineux — je ne bois pas.

— Vous voulez nous inviter ?

— Pas Pike, abruti. Juste vous.

— Starkey, vous êtes en train de me draguer ?

— Ne soyez pas aussi imbu de vous-même.

Après avoir essuyé la sueur et la poussière de mes yeux, je laissai mon regard vaguer sur le canyon.

— Hé, Cole ? L'excitation vous a fait tourner de l'œil, ou quoi ?

— Ne le prenez pas mal, Starkey. Votre proposition me fait plaisir, mais ce n'est pas le bon moment pour moi.

— OK, je peux piger ça.

— Ces derniers temps, c'est plutôt dur.

— Je comprends, Cole. Laissez tomber. Je vous rappellerai une autre fois.

Elle raccrocha. Après avoir reposé le téléphone, j'observai le canyon. Une minuscule tache sombre flottait juste au-dessus de la crête opposée. Elle ne tarda pas à être rejointe par une autre. Je m'approchai de la balustrade pour mieux voir. Un sourire étira mes lèvres. Les faucons étaient de retour.

— Rappelle-la, dit Pike.

J'emportai le combiné à l'intérieur de la maison et, au bout d'un certain temps, je la rappelai.

Je fais souvent ce rêve, presque chaque nuit, plusieurs fois certaines nuits ; le ciel s'assombrit ; les branches d'un chêne tourmenté oscillent, alourdies de mousse ; la douce brise nocturne bruit de colère et de peur. Je me retrouve une fois de plus en ce lieu sans nom peuplé de tombes et de monuments. Je regarde fixement le rectangle noir et lisse, brûlant d'envie de savoir qui repose sous la terre, mais aucune épitaphe ne marque cette stèle. J'ai passé ma vie à poursuivre des secrets qui m'échappent.

La terre m'appelle par mon nom.

Je me baisse. Je plaque mes paumes sur le marbre ; le froid m'arrache un léger cri, remonte en rampant sous la peau de mes bras comme une colonne de fourmis. Je me redresse d'un bond et je tente de fuir, mais mes jambes refusent de m'obéir. Le vent se lève et fait ployer le chêne. Des ombres vacillent à l'orée de la lumière ; des voix murmurent.

Ma mère apparaît dans une sorte de brouillard. Elle est jeune, comme à l'époque, et aussi fragile que le souffle d'un nourrisson.

— Maman ! Maman, au secours !

Elle flotte dans le vent comme un esprit.

— S'il te plaît, maman, il faut que tu m'aides !

Je lui tends les bras, en priant pour qu'elle me prenne la main, mais elle plane sans réagir, comme si elle ne m'avait pas vu. Je veux qu'elle me sauve des secrets de ce lieu. Je veux qu'elle me protège de la vérité.

— J'ai peur, dis-je. Je voudrais partir d'ici, mais je ne sais pas comment. Je ne sais pas quoi faire.

J'ai soif de sa chaleur. J'ai besoin de la sécurité de ses bras. J'essaie d'aller vers elle, mais mes pieds ont pris racine.

— Je ne peux pas bouger. Aide-moi, maman !

Elle me voit. Je sais qu'elle m'a vu, parce que ses yeux s'emplissent de chagrin. Je lui tends les bras, à m'en faire mal aux épaules, mais elle est trop loin. Je lui en veux. Le temps d'une horrible seconde, je la hais et je l'aime en même temps.

— Bon Dieu, je ne veux plus être seul. Je n'ai jamais voulu être seul.

Le vent mugit ; un lambeau d'elle part en fumée.

— Maman, s'il te plaît ! *Ne me quitte pas encore !*

Elle se craquelle comme un puzzle. Le vent emporte une pièce. Puis une autre.

— Maman !

Toutes les pièces du puzzle qu'était ma mère ont disparu. Il n'en reste pas même une ombre. Pas même une ombre.

Elle est partie. Elle m'a quitté.

Je fixe la tombe, le cœur brisé. D'une façon bizarre, comme souvent dans cette vie, je me retrouve avec une pelle entre les mains. Si je creuse, je trouverai ; et si je trouve, je saurai.

La terre noire s'entrouvre.

Le cercueil apparaît.

Une voix qui n'est pas la mienne me supplie d'arrêter, de détourner les yeux, de me sauver, mais tant pis. Je suis seul. Je veux la vérité.

Je plonge les mains dans la terre froide, je glisse mes doigts sous le couvercle. Des échardes me percent la chair. Le cercueil s'ouvre en hurlant.

Mes yeux fixent le petit corps, et c'est moi que je regarde. Cet enfant, c'est moi.

Il ouvre les yeux. Il sanglote de joie quand je l'extrais de sa crypte, il noue les bras autour de mon cou. Nous restons étroitement enlacés.

— Tout va bien, dis-je. Je t'ai retrouvé, je ne partirai plus jamais.

Le vent fait rage. Des feuilles tourbillonnent sur les tombes, le brouillard moite pénètre mes vêtements, mais la seule chose qui compte, c'est que je l'ai retrouvé.

Son rire carillonne dans les ténèbres. Le mien aussi.

— Tu n'es pas seul, dis-je. Tu ne seras plus jamais seul.

Remerciements

L'auteur tient à remercier les personnes suivantes pour leur contribution :

Eli et Tara Lucas, patrons de l'*Emydon*, immatriculé à Petersburg, Alaska, m'ont fourni des informations sur la pêche commerciale et sur l'ours brun de l'Alaska ; plus important, ils m'ont permis de partager la richesse de leur vie.

Kregg P. J. Jorgenson et Kenn Miller m'ont apporté une vue de l'intérieur et toutes sortes de détails sur le corps des rangers de l'armée des États-Unis et sur les missions de reconnaissance de longue portée menées pendant la guerre du Vietnam. Gary Linderer m'a fourni des informations supplémentaires. Les libertés prises par rapport à la réalité (par exemple l'utilisation du cri *hou*) relèvent de ma seule responsabilité, de même que toutes les erreurs factuelles.

Le Dr Randy Sherman, professeur et chef de la division de chirurgie plastique et réparatrice de l'école de médecine de l'USC, m'a fourni des informations, des illustrations et des avis matinaux sur les blessures, les traumatismes liés

411

aux blessures, et la récupération ; Joe Pike n'aurait pas pu avoir un meilleur chirurgien.

Elyse Dinh-McCrillis s'est chargée des traductions en vietnamien.

John Petievich, inspecteur de classe trois retraité du LAPD, m'a ouvert les portes du service des Personnes disparues du département de police de Los Angeles.

J'adresse également mes remerciements à Aaron Priest. Jason Kaufman, Steve Rubin et Gina Centrello ont rendu ce livre meilleur et fait preuve d'une patience allant bien au-delà de ce qu'on pouvait raisonnablement attendre. Merci à eux.

DÉJÀ PARUS

Robert Daley
Trafic d'influence, 1994
En plein cœur, 1995
La Fuite en avant, 1997

Daniel Easterman
Le Septième Sanctuaire, 1993
Le Nom de la bête, 1994
Le Testament de Judas, 1995
La Nuit de l'Apocalypse, 1996

Allan Folsom
L'Empire du mal, 1994

Dick Francis
L'Amour du mal, 1998

James Grippando
Le Pardon, 1995
L'Informateur, 1997

Colin Harrison
Corruptions, 1995
Manhattan nocturne, 1997

A. J. Holt
Meurtres en réseau, 1997

John Lescroart
Justice sauvage, 1996

Judy Mercer
Amnesia, 1995

Iain Pears
L'Affaire Raphaël, 2000
Le Comité Tiziano, 2000
L'Affaire Bernini, 2001
Le Jugement dernier, 2003
Le Mystère Giotto, 2004

Junius Podrug
Un hiver meurtrier, 1997

John Sandford
Le Jeu du chien-loup, 1993
Une proie en hiver, 1994
La Proie de l'ombre, 1995
La Proie de la nuit, 1996

Rosamond Smith
Une troublante identité, 1999
Double délice, 2000

Tom Topor
Le Codicille, 1996

Michael Weaver
Obsession mortelle, 1994
La Part du mensonge, 1995

Impression réalisée sur CAMERON par

BUSSIÈRE CAMEDAN IMPRIMERIES
GROUPE CPI

à Saint-Amand-Montrond (Cher)
en avril 2004
pour les Éditions Belfond
12, avenue d'Italie
75013 Paris

Composition : FACOMPO, Lisieux

N° d'édition : 4048. — N° d'impression · 041700/4.
Dépôt légal : avril 2004.

Imprimé en France